傅璇琮文集

驼草集

第五册

中华书局

祝贺《中国古籍善本书目》编成

　　《中国古籍善本书目》经过数千名图书馆工作者和专家学者近20年的辛勤劳动,编纂工作于1995年初全部完成,经部、史部、子部和丛部已由上海古籍出版社出版。这是一项重大的文化建设工程,也是一项具有历史意义的文化积累。

　　古籍的保存、搜集、整理和出版,建国以来,虽然几经曲折,从整体上说,仍然有很大的发展。即使在1975年"文化大革命"的浩劫中,我们敬爱的周恩来总理,仍然发出"尽快编纂全国古籍善本书目"的指示。这一指示极大地启示了我们热爱祖国,热爱祖国优秀的传统文化。正是遵循周恩来总理的这一指示,广大图书馆工作者在各级有关部门领导下,对我国珍贵古籍进行有史以来第一次大规模的清理与编录。现在完成的这部目录,著录了中央国家图书馆、地方图书馆、文化馆、学术团体图书馆等所藏的善本书,共约六万种,涉及的藏书单位将近八百个。在工作过程中,发现了不少好书,抢救了大批古籍,不同程度地改善了古籍保存的条件,培养造就了为数众多的精通古籍版本目录的图书馆专业人才。《中国古籍善本书目》的编纂,为我国古籍整理与图书编目事业,提供了极为宝贵的经验。

我国的改革开放和现代化建设正在健康地向前发展。我们要用邓小平同志提出的建设有中国特色的社会主义理论指导我们的工作,加强物质文明建设和精神文明建设,就必须继承和发扬中华民族优良的思想文化传统,激发爱国主义热情,增强中华民族的凝聚力。而要正确认识和理解我国历史悠久、内容丰富的传统思想文化,就必须掌握传统思想文化的文字载体——古籍。我国的古籍数量繁多,有人形容为浩如烟海。世界上有几个文明古国,但历史文献有如此丰富,保存有如此完整的,只有我们中国。因此可以说,中国古籍也是全人类的宝贵财富。要使这一宝贵财富真正为社会主义现代化建设服务,就要对它们进行认真的研究,而研究的第一步,就必须从整体上掌握古籍流传与保存的情况。古籍编目的科学意义和社会作用也就在这里。

古籍编目并不单纯是一种技术性的工作。我国古代著名的目录学著作,从汉朝刘向的《七略》、班固的《汉书·艺文志》起,一直到清朝的《四库全书总目》,都是传统学术的综合研究。它们的作者大多能体现这一时代的学术成就,反映一个时代的文化发展。我们现在的这部《中国古籍善本书目》,主持编纂工作的顾廷龙先生,潘天祯先生,冀淑英先生,就是对传统文化有深湛研究的著名专家,编委会和不少从事于本书编纂工作的同志们,也多是这一学术领域有成就的学者。《中国古籍善本书目》的编纂、出版,既能使中国的珍贵古籍经过广泛调查与合理编排,供海内外学术界有效地利用,其本身又作为一项学术研究成果,对我们如何进行版本鉴定,如何在传统编目基础上对古籍分类进行科学的归纳,都有极大的学术参考价值。

现在,在古籍小组的直接主持下,参照《中国古籍善本书目》的经验,正在着手编纂《中国古籍总目提要》。《中国古籍总目提要》收录的范围将不限于善本,凡公元1912年(即民国元年)以前的各类书籍都尽可能加以编录,并对所收的书籍撰写提要。《古籍总目提要》的编纂,将有助于全面了解中国历史文献的确切情况,使得对传统文化的研究更有针对性,更便于制订古籍整理研究出版的总体规划。《中国古籍总目提要》的规模虽然要比《中国古籍善本书目》大,但应该说,它是继续《中国古籍善本书目》的事业再向前进行的,参加《中国古籍总目提要》编目的同志,有不少就是《中国古籍善本书目》的编委,《中国古籍总目提要》的分类和著录,也都充分吸取了《中国古籍善本书目》的长处。

改革开放以来,我国的古籍整理出版工作也同其他文化建设事业一样,正在蓬勃发展。许多优秀的古籍,经过科学的整理和研究,获得出版,在我们的社会生活中起着广泛良好的影响。实践证明,古籍中有取之不尽的宝藏为社会主义现代化建设服务。希望这一关系到继承祖国宝贵文化遗产、关系到我们子孙后代教育的文化事业能进一步得到社会各界的更大关注和帮助,使古籍整理出版工作得到更好的发展。

原载湖南人民出版社1997年版《濡沫集》,据以录入

中国唐代文学学会第八届年会开幕词

（1996 年,陕西西安）

经过一年来的认真准备,中国唐代文学学会第八届年会暨唐代文学西安国际学术研讨会,今天终于如期在西北大学举行了。我们这个学会的成立大会,首届全国性的唐代文学学术会议,也是由西北大学承办的,时间是 1982 年 5 月。80 年代以来,唐代文学可以说是古典文学研究中一个成就卓著的领域,取得了远过前人的巨大成绩,而这一成绩的取得是与这十余年来唐代文学界所形成的学术群体专心治学与精诚合作分不开的。这当中,我们唐代文学学会应该说起了核心的作用。

今天故址重游,不能不使人倍加怀念我们的前辈师长。如我们学会的第一届会长、山东大学教授萧涤非先生,以及备受人们尊敬的南京师范大学教授孙望先生,1982 年都曾前来参加会议,同大家一起进行学术探讨,游览文化名胜。但过后不久,两位先生就相继去世,未能再参加学会会议。十余年来,离我们而去的老一辈学者,还有傅庚生、华钟彦、马茂元、裴斐等先生。他们都对唐代文学研究作出很大的贡献,值得我们后学者永远怀念。学会上一届会长程千帆先生,因年事已高,不便前来。这一届的三位副会长,王运熙、周祖譔、罗宗强先生,也都因事未能前来。这次未能与会的尚有武汉大学的胡国瑞先生,南开大学的王达津先生,西北大学的安旗先生,上海古籍出版社的朱金城先生,西南师大的谭优学先生。我们谨向程千帆先生等致以亲切的问候,祝他们健康长寿,在学术上继续起模范和指导作用。

这次还有台湾、香港、澳门地区的学者前来参加会议,我们向他们表示热烈的欢迎。罗联添先生、邝健行先生,已是多次参加我们的会议,可以说是我们学术上的知交。这次还有几位年轻的学者第一次到西安来,我相信西安蕴涵的丰富传统文化,一定会使我们华夏子孙增强共识和情谊。韩国、日本也有好几位老朋友前来,共叙旧情。希望我们的唐代文学年会真正成为中外文化交流的窗口。

我们这次会议,共有三项内容,一是学术讨论,二是学会领导机构的换届选举,三是到法门寺、乾陵、长安南郊等地进行学术考察。会期一共五天,应当说是相当紧凑的。

在学术讨论方面,我们这次想作一些改革,就是在一般的学术报告和议论外,集中半天时间,在全体大会上进行学术信息的交流。大家知道,这些年来唐代文学研究,发展是很快的,开拓了不少新领域。除了作家作品研究在过去已有成就上再作深一层探索外,有些学者对某一时期文学作新的整体的研讨,如初唐时期五、七言诗的发展,开元与天宝诗风的比较,大历时期长安、洛阳地区与江南吴兴诗人群体,牛李党争与中晚唐文学,五代时期的诗风演变,等等。80 年代以来由于唐代墓志的发掘,新的石刻资料对作家生平研究提供了非常珍贵的线索。在作家作品考证上，也能开拓视野，摸索新路，有重大的发现与进展（如关于"二十四诗品"的考证与讨论）。另外，我们除了整体的唐代文学学会以外，还以作家为单元，分别成立了王维、李白、杜甫、韩愈、柳宗元、李商隐等学会，对唐代重要作家进行深入、具体的学术讨论。正因为学术活动从多方面展开，就更需要进行学术交流。大会将介绍中国李白研究会及学会各分会近些年来的活动，介绍《唐代文学研究》及《唐代文学研究年鉴》的编纂情况，介绍香港、台湾等地区的研究情况，介绍《全唐五代诗》的编纂进程，以及这次会议的承办者——西北大学中文系这些年来在唐代文学研究方面取得的成果。以后我们将在两年一次的年会上更多地开展信息交流，并据此进行讨论，这也是加强学科建设的一个步骤。我们还有一个建议，就是以后在召开年会时，希望与会代表能够把个人近些年来出版的著作带到会上来，搞个展览，这也是进行学术交流的一个很好的方式。

唐代文学学会的领导机构，即理事、常务理事、副会长、会长，每四年改选一次。这次就要进行换届选举。在1992年厦门会议上，我们作了一个决定，即凡年满70周岁者，就不再进入理事行列。这是程千帆先生提出来的，目的在于使理事会的年龄逐步年轻化，使学会办得更有朝气。今年王运熙、周祖譔两位先生都提出他们已届70，希望不再选为副会长，我们将尊重王、周两位先生的意见，并使学会的组织活动更为规范化。我个人希望我们学会的领导机构，逐步年轻化，使这些年来在科研上取得较好成果的中青年学者参加到理事会中来，使理事会真正成为"理事"的机构。

与往常一样,这次我们还要进行考察活动。这也是我们学会的一个值得肯定的好的传统。如第二届年会在兰州举行,会后组织大家到敦煌去,经过河西走廊,增加对丝绸之路与西域文明的感性认识。第三届年会在洛阳举行,我们到龙门石窟参观,考察白居易墓,游览嵩山、少林寺。第四届年会在太原举行,一部分人到五台山,一部分人参观了大同石窟。第五届年会在南京举行,会议组织大家到扬州去。第六届年会在厦门举行,代表们去了泉州,观赏开元寺等古迹。第七届年会在浙江新昌举行,大家饱览了剡中山水,增加了开拓浙东唐诗之路的信心。我们这样做不是一般的游山玩水,而是将文献资料与自然景观、人文景观结合起来,增加对唐诗艺术的历史认识与审美体验。

最后,我想提出的是,我们学会应特别感谢广西师大出版社。《唐代文学研究年鉴》与《唐代文学研究》在遇到出版困难的时候,广西师大出版社能不计经济亏损,毅然承担这两种学术性书刊的出版,这不只是对古典文学研究界的支持,更表现出了出版社同志对弘扬优秀传统文化的远见卓识。我们学会一定要把《唐代文学研究年鉴》、《唐代文学研究》办好,把它们办成文化精品,以不辜负广西师大出版社对我们的支持与期望。

原载广西师范大学出版社 1998 年版《唐代文学研究年鉴》1997 年号,此据大象出版社 2004 年版《唐宋文史论丛及其他》录入

李德裕及《会昌一品集》研索

一

中晚唐的历史和文学,是在较前期更为复杂的社会斗争中发展的。研究这一时期的文史,或许会比研究初唐和盛唐更能引人入胜,但另一方面,其研究的难度则更大,这不但因为社会和文学情况较初盛唐更为繁杂,而且有关史料记载的舛伪更易使人迷惑。而这种种,差不多都与牛李党争有关。

过去的历史书,往往把藩镇、宦官、朋党作为唐朝中后期政治腐败、社会动乱的三大表现。而所谓朋党,具体所指即是牛李党争。不少人把牛李党争完全看成为封建官僚争权夺利之争,无所谓是非曲直,有些初读历史的人认为朋党之争头绪杂乱,索性不去理它。有些研究唐代文学的人,一碰到有些作家夹杂在那时的党争中,也感到头痛,觉得不知怎么评价为好。

我们认为,牛李党争并不是什么偶然事件,它是当时历史条件的产物。它也不是单纯的个人权力之争,而是两种不同政治集团、不同政见的原则分歧。清人李塱《阅史郏视》卷二即说过:"夫唐相自李绛、裴度而后,可人意者惟李文饶一人而已,乃以党邪制之,惜哉。"关于这一点,傅璇琮与周建国都已有一些论著行世。傅璇琮著有《李德裕年谱》①,又有《李商隐研究中的一些问题》②,《牛李党争与唐代文学研究》③;周建国有《关于唐代牛李党争的几个问题》④,《试论李商隐与牛李党争》⑤,《郑亚事迹考》⑥,《关于李德裕晚年史料的一点考订辨误》⑦等。限于篇幅,在这里不可能对此展开来加以论述。概括地说,我们认为:

李德裕在一些重大政治问题上的主张和行动,在历史上是有进步意义的,他是一个要求改革、要求有所作为的政治家。北宋时"庆历革新"的名臣范仲淹就从这点着眼,对李德裕作了充分的肯定,说他"独立不惧,经制四方,有真相之功,虽奸党营陷,而义不朽矣"(《范文正公集》卷六《述梦诗序》)。稍后的李之仪《书牛李事》中云:"武宗立,专任德裕,而为一时名相,唐祚几至中兴,力去朋党"(《姑溪居士集》卷十七)。叶梦得在《避暑录话》中更明确地说:"李德裕是唐中世第一等人物,其才远过裴晋公,错综万

---

①山东齐鲁书社,1984。

②《文学评论》,1982(3)

③《文史知识》,1983(2)

④《复旦学报》,1983(6)。

⑤《文学评论丛刊》,第22辑,北京,中国社会科学出版社,1984。

⑥《文史》第31辑,北京,中华书局。

⑦《文献》,1994(3)。

务,应变开阖,可与姚崇并立。"(卷二)南宋的洪迈,也说"李德裕功烈光明,佐武宗中兴,威名独重"(《容斋五笔》卷一《人臣震主》)。真德秀《读书记》六十一卷,记历代名臣贤相,至唐则止于李德裕(参《四库全书总目提要》子部儒家类二)。真德秀这样的处理是有一定道理的。如果我们把李德裕的政见放在历史的联系上来看,可以说,会昌政治是永贞革新的继续。削夺藩镇和宦官之权,革除朝政的种种弊端,对当时社会上的一些腐败现象进行整顿,这是德宗末期以来要求改革之士的共同愿望。顺宗时永贞革新是一个高潮,宪宗元和前期是又一个高潮,第三个高潮就是武宗会昌时期。会昌以后,唐朝就再也没有出现这样的高潮,唐王朝就在腐败中走向灭亡。这就是清人毛凤枝在《关中金石文字存逸考》卷九《剑南西川节度使李德裕题名》中所说的:

> 赞皇既负不世之才,又遇有为之主,使能竟其用,则河北藩镇可以次第削平,中兴之功当以武宗为最。不幸武宗享国未久,宣宗嗣立,以奉册之微嫌,蹈骖乘之故辙,牛李之党乘间挤之,卒致贬死,岂不惜哉!余少读《通鉴》,每见赞皇之料事明决,号令整齐,其才不在诸葛下,而宣宗即位,自坏长城,赞皇功业不就,唐祚因此日微。

应当说毛凤枝的话是有见地的,他看到唐朝在李德裕功业未就后即一蹶不振。但他尚着眼于具体的人事纷争,而未看到那时的总的历史趋势,唐中期以后,腐朽势力越来越强大,革新力量无不以失败而告终。会昌、大中之际是这两大势力最后的一次大搏斗,结果以李德裕的贬死而宣告革新力量的失败。

二

中晚唐文学上的几位大家,除了韩愈、柳宗元因去世较早以外,其他如白居易、元稹、李绅、李商隐、杜牧,都牵涉到党争。过去的一些研究者,也往往把他们列为牛党或李党。另外又如李翱、皇甫湜、孙樵等,也都在作品中涉及这一斗争。对牛李党争性质的正确评价,有助于对当时一些作家政治态度和作品思想内容的研究。

牛李党争中,核心人物是李德裕。中晚唐文学的复杂情况,需要从牛李党争的角度加以说明,而要研究牛李党争,最直接的办法则是研究李德裕。

北宋的王安石曾指出有一种"阴挟翰墨","以厌其忿好之心"的人,利用执笔为史的机会,对前世"雄奇隽烈"之士曲尽谤讪之能事,以致"往者不能讼当否,生者不得论曲直"(《王文公文集》卷八《答韶州张殿丞书》)。李德裕的情况就是如此。他生前处于激烈的党派斗争中,在他贬死以后,有些人又多"阴挟翰墨",假造出许多情节,甚至伪撰李德裕的诗文,对他进行攻击、诬蔑。我们认为,对李德裕的研究,除了论析其政治主张与实践,考证有关史料的真伪外,基本的一点,则应认真整理、校订其文集,使其作品尽可能详实地供世人研讨。

李德裕曾有两次自编其诗文集。第一次是武宗会昌五年

（845），李德裕尚在相位。《会昌一品集》卷十八有《进新旧文十卷状》，未注年月。首云"四月二十三日，奉宣令状臣进来者"，则在四月下旬。又云："臣往在弱龄，即好辞赋，性情所得，衰老不忘。属吏职岁深，文业多废，意之所感，时乃成章。岂谓击壤庸音，谬入帝尧之听；巴渝末曲，猥蒙汉祖之知。谨录新旧文十卷进上。"按本年清明，德裕曾撰《侍宴诗》录进（《一品集》卷十八，又卷二十《寒食日三殿侍宴奉进诗一首》；系年见傅著《李德裕年谱》）。此当是武宗得《侍宴诗》后，又令德裕编录所作进奏。虽云"新旧文"，但既谓"击壤庸音"、"巴渝末曲"，当也有诗作。除会昌时所作外，尚有会昌前的作品。但这十卷本并未传下来，宋时所传的别集十卷，则为后人所编，其间是否有一定关系，待考。

第二次是在宣宗大中元年（847）。其时，德裕已罢相，宣宗恶之，起用牛党白敏中辈主政，故李氏文集的编写与朝局之翻覆大有关系，今传李德裕文集或名《李文饶文集》或名《会昌一品集》，或名《李卫公会昌一品集》，皆为正集二十卷，别集十卷，外集四卷本。文集别集卷六有李氏大中元年九月致其亲密同僚桂管观察使郑亚书信一封。这封《与桂州郑中丞书》即德裕请郑亚为其文集作序之书。书中自述编集目的，文集内容，云：

　　某当先圣御极，再参枢务，两度册文，及《宣懿太后祔庙制》、《圣容赞》、《幽州纪圣功碑》、《讨回纥制》，五度黜戛斯书，两度用兵诏制，及先圣改名制、告昊天上帝文并奏议等，勒成十五卷。贞观初有颜、岑二中书，代宗朝常相，元和初某先太师忠懿公，一代盛事，皆所润色。小子词业浅近，获继家声，武宗一朝，册命典诰，军机羽檄，皆受命撰述，偶副圣情。伏恐制序之时，要知此意，伏惟详悉。谨状。

李氏自编其会昌执政时的一代政治文献，用心颇为深远。郑亚为李党中坚，《全唐文》中仅存其文两篇，然其早岁即有文名，数岁之中，连中进士、制科、书判拔萃。《旧唐书·郑畋传》谓亚"聪悟绝伦，文章秀发。李德裕在翰林，亚以文干谒，深知之"。及德裕晚年以文集相托，亦可谓是文章知己了。郑亚收到德裕从洛阳寄来的文集十五卷及书信后，先命幕僚李商隐代拟序文。李商隐《太尉卫公会昌一品集序》称："故合诏诰奏议碑赞等，凡一帙一十五卷，辄署曰《会昌一品集》云。纪年，追圣德也；书位，旌官业也；不言制禁，崇论道也。"此中所述德裕文集内容卷数与德裕书信中所述相一致。今通行本《李文饶文集》则均以郑亚自作的序文置之卷首。郑序据李序改写，将原稿骈文改为散文，序旨突出歌颂会昌之政，可谓深得德裕来书中"伏恐制序之时，要知此意"的弦外之音。李德裕、郑亚都曾有志于修史，都编修过相当数量的史书。他们编会昌一代文献，既是对大中君相务反会昌之政的反抗，也有存一代史实之意。集的留传使后人得以从中了解李德裕及其同僚在会昌年间的功业，就这一点论，他们是颇有史识的。清代徐树谷笺注李商隐文集，以为郑亚序文"典严正大，较原作更得体"。从郑序看，郑序不只序其集，而且对李集又加编排。其云："故合武宗一朝，册命典诰、奏议碑赞、军机羽檄，凡两帙二十卷，辄署曰《会昌一品制集》。纪年，追圣德也；书位，旌官业也。岁在丁卯（847），亚自左掖，出为桂林。九月，公书至自洛，以典诰制命示于幽鄙,且使为序,以集成书。"其中旨意,明乎牛李党争及晚唐史实者当不难辨识。郑序《会昌一品制集》的内容与李德裕来书及李商隐序所述相一致,但李书及李序称文集为十五卷,而郑序已改为二十卷。其间异同已无可细考。唯嗣后史籍及公私书目所载李德裕会昌文集均作二十卷,今所传影宋本以下亦皆作二十卷。尤可注意者,《旧唐书·李德裕传》已称"有文集二十卷",可见在唐五代即以文集二十卷行于世了。《新唐书·艺文志》别集类载:"李德裕《会昌一品集》二十卷,又《姑臧集》五卷,《穷愁志》三卷,《杂赋》二卷。"正可谓李氏会昌文集二十卷乃源流有自,郑亚之编,实为嚆矢。

至今通行的李德裕文集均作正集二十卷,别集十卷,外集(即《穷愁志》)四卷,共为三十四卷。这三十四卷本在宋代就已流行,郑亚所编《会昌一品制集》亦即正集二十卷。

李德裕文集别集的著录较迟。南宋晁公武《郡斋读书志》,陈振孙《直斋书录解题》始著录李氏别集。《直斋》记载为十卷,《晁志》记载为八卷,但另载平泉诗一卷,古赋一卷,合起来恰是十卷。现存十卷别集所收诗文,最早是德裕于元和年间在河东幕府时所作,最晚是大中三年冬卒前不久所作,宪、穆、敬、文、武、宣等各朝都有,大致是:卷一、卷二为赋,卷三、卷四为诗,卷五为奏状,卷六为书信与神道碑,卷七为记及祭文,卷八为箴铭赞等杂体文,卷九、卷十为有关平泉的记、赋及诗。这十卷所收,既有伪作,也有漏略,限于篇幅,此处不能细加考辨。别集为何人所编,则无记载,编定的时间应在北宋。范仲淹《述梦诗序》云:"景祐戊寅岁(1038),某自鄱阳移领丹徒郡,暇日游甘露寺谒唐相李卫公真堂,其制隘陋,乃迁于南楼,刻公本传于其侧,又得集贤学士钱绮翁书云,我从父汉东公尝求卫公之文于四方,得集外诗赋杂著共成一编,目云《一品拾遗》"(《范文正公文集》卷六)。此《一品拾遗》未著卷数,亦未见藏书家著录。今读《直斋》卷十六别集类,谓《会昌一品集》二十卷,别集十卷,外集四卷,与现存各本之分集,卷数悉同;又谓"别集诗赋杂著",则与范仲淹所记载钱绮翁曾寓目之《一品拾遗》为"集外诗赋杂著"相一致。私意以为钱绮翁从父汉东公所编《一品拾遗》对后来《直斋》、《晁志》所记李氏别集亦似有一定关系,而《一品拾遗》对北宋人编李氏别集亦似有一定影响。

李氏别集的著录比别集为早,《新唐书》卷六十《艺文志》四载李德裕《穷愁志》三卷。而《晁志》亦谓《穷愁志》三卷。陈氏《直斋书录解题》则称外集四卷,比《新书志》、《晁志》所述多出一卷。此后影宋本以下多作外集四卷,其中应有伪作混入。如外集卷四之《冥数有报论》,为《旧唐书·李德裕传》所收。此后,《文苑英华》卷七四〇,以及影宋本《李文饶文集》外集均收录此文。但此文与外集卷四中的《周秦行纪论》皆为伪作。《周秦行纪论》一篇,岑仲勉《隋唐史》和傅璇琮《李德裕年谱》都已作过辨证,此不赘述,至于《冥数有报论》一篇,竟以德裕口吻自述:"余乙丑岁,自荆楚保厘东周,路出方城",其时有隐者某氏预卜德裕"此官人居守后二年,南行万里"。"乙丑"为会昌五年(845),李德裕此时权势极盛,而该隐者竟然能够精确预知其二年后将被贬逐到万里南荒之地,此显然是作伪者根据后来的事实加以编派所致。且李德裕出镇江陵荆楚之地,在会昌六年四月,非会昌五年,事详宋敏求《唐大诏令集》卷五三所录崔嘏撰写之《李德裕荆南节度平章事制》。此外，外集中还有一些疑似之间的篇什，对此则应采取疑则存之的态度，本着多闻阙疑的原则，不宜遽下论断，以审慎为佳。

<h1 style="text-align:center">三</h1>

现存李德裕文集尚有一些珍贵版本存世，集合诸本之长，重新整理出版一本完备的李德裕文集，已是推动当今李德裕研究，乃至中晚唐文史研究深入发展的一项迫切任务。清代藏书家陆心源在《仪顾堂题跋》卷一〇中论及明刊《李文饶文集》颇有讹夺，尝借月湖丁氏影宋抄本校明嘉靖本，其中校补甚多。陆心源另外又收藏过一种晚明叶石君手跋本。《皕宋楼藏书志》卷七〇："叶氏手跋曰：'戊子年夏，假得太原张孟恭所藏苏州文衔山宋本校，洞庭叶石君记。'"笔者有幸读到叶跋本的胶卷，知在陆氏所记之语前，叶跋尚有"崇祯庚辰冬十月名山藏，收藏次年冬十月重装"十九字。盖因"戊子年"已是清顺治五年，而上书"崇祯庚辰"，下只书"戊子"干支，陆氏讳之，而略去上十九字。此两种藏本前有郑亚序，后有绍兴己卯（1159）袁州刊板序，陆氏均断为嘉靖刊本。《仪顾堂题跋》述其推断理由是："余先有明万历刊本，后从上海郁氏得嘉靖刊本。嘉靖本前有郑亚序，后有绍兴己卯袁州刊板序，万历本则缺，此外无大异同。"陆氏所藏此两种校本原藏皕宋楼，后为日本岩崎氏静嘉文库所得，此为今存李德裕文集三十四卷本中最早的本子。笔者曾将两种校本略加比较，相同之处较多。唯叶石君手跋本校补简略，其价值远逊于陆氏用月湖丁氏

影宋抄本所校者。遍视现存李氏文集,当以陆氏用影宋抄本所校之本为最早且完善的本子。陆氏曰:"甚矣,影宋本之可贵也。"傅增湘校本《李文饶文集》卷末的题记,曰:"嗟乎!天水遗刊渺不复觏,皕宋连篋,复归海东。倘天假之缘,月河传本复出,庶几一扫榛芜哉!"今得此本,用为李集整理之底本,既可使我国珍贵文献在海外的遗存重新引入,亦可慰前贤之所愿,意义甚大。

现传本李集以《四部丛刊》集部《李文饶文集》最为通行。此本乃上海涵芬楼借印常熟瞿氏铁琴铜剑楼明刊本而成,前有郑亚序,后有南宋绍兴己卯袁州刊本后序。书名下方大题作"会昌一品制集",共二十卷。又《别集》十卷,《外集》四卷,卷数、版式与皕宋楼所藏两种嘉靖本相一致。因之,整理李集,陆氏皕宋楼用影宋本所校之本为最佳的底本,而《四部丛刊》本却是很好的工作本,凡陆氏校补均可借此而过录,既可使明本讹夺由此得以校正,而宋本之原貌亦可由此得以保存。

此外,《四库全书》本《会昌一品集》二十卷,《李卫公别集》十卷,《李卫公外集》四卷,其卷数、编排与明刊本相一致,大体是沿明本之旧。四库馆臣编此集时,可以参校的材料尚多,内府所藏旧抄《唐文》、《全唐诗》均可参校,故其中不少校改与陆氏借影宋本所校多有相合处。然四库馆臣校不甚严,至有因违碍而窜改原文者。如文集卷十三之《请遣使访问太和公主状》原文"降主虏庭",改为"降主北庭";卷十四之《公卿集议谨具……如后状》原文"诸虏"改为"诸藩","杂虏"改为"杂藩"均是显例。明文原作脱文及墨钉处,《四库》本的校补既有与陆校相合者,亦有臆补处。因《四库》本亦为通行之本,援之参校,辨其是非,亦颇有必要。

现在通行的另有畿辅丛书李集,国学基本丛书本李集,均据光绪丁亥深泽王用臣本。王用臣本实际上已对李集作了一番校勘,遗憾的是编者未写出详细校勘记,致使今之学者采用此本时不能明其校改之所据。实际上,此本与明刊本有异,其每于字句下撷录异文,以"一作某"标识之。考其引据所由,不外乎《旧唐书》、《全唐诗》、明刊书、《四库》本、《全唐文》等等。其未写出详细校勘记固是一大缺失,其中也有一些错校臆改处。岑仲勉《李德裕〈会昌伐叛集〉编证上·编证略例》自言以《畿辅丛书》为底本,但同时指出:"畿本之短,在过于主观,往往改易旧本,失原来面目,如以赞皇自注合后人校注,混称曰原注,其一例也。"[1]岑氏之论甚精辟,有见地。今之文史学者多有援引畿本者,故务须谨慎。

此外,李德裕文集中如今存世的唯一原刻宋本,现由北京文物出版社作为《常熟翁氏世藏古籍善本丛书》出版,实为当今唐代文史研究中的一件大事。此本曾为清代藏书家黄丕烈所得,后归翁同龢珍藏,现由退隐于美国纽汉普什尔州莱姆的翁万戈先生慨允影印出版,虽为残本,弥足珍贵。此《会昌一品制集》存卷一到卷十,为正集之半。版式半页十三行,行二十三字,白口,左右双边,蝴蝶装。

这是一个校刊价值很高的残宋本,与皕宋楼所藏用宋本校补之明刻半页十行,行二十字者显然分属不同版本。此书前有北京图书馆版本专家冀淑英先生撰写的《影印〈会昌一品制集〉说

---

[1]《岑仲勉史学论文集》,350页,中华书局,1990。

明》。冀先生说："今此宋刻重显于世,取校明刻,与陆校多合,此外可正者尚多。"不过,冀文所举残宋本与陆校不同诸条,其中有些仍是相同的。因冀先生未能读到皕宋楼本,而仅据《仪顾堂题跋》所记加以对比。须指出的是陆校原本不误,而陆氏在《仪顾堂题跋》中叙录有误,如卷二《异域归忠传序》,明本讹作"其比四夷悉谓诚臣",陆氏题跋作"具比四夷是谓诚有",而实际上陆校与残宋本同作"具此四夷是谓诚臣"。又,卷七《赐王宰诏意》"用兵之难"一篇,明本脱。陆氏题跋云此文三百九十二字,残宋本此篇三百十六字。而实际上陆氏抄补恰为三百十六字。诸如此类,正可说明皕宋楼本与残宋本相合之多,二者俱极可贵。

二者也确有不同处。如卷七之编次,残宋本第四篇《赐王宰诏意》"卿顷莅泽州",皕宋楼本及别本均置此篇于卷末。又,残宋本第十、十一篇同题《赐王宰诏意》,前篇("用兵之难"),后篇("将帅大略"),时序切当。据考,前篇作于会昌四年二月二十五日后数日之内,即二月底,后篇作于三月上旬。而明本以下皆缺前篇,陆氏校补则两篇前后颠倒,不如残宋本之妥当。又,残宋本第十六、十七篇为《李回宣慰三道敕》、《置孟州敕旨》。据考,前篇作于会昌三年七月,后篇作于同年九月戊申(二十二日)。而陆氏所引影宋本、明本等均前后倒置,愈见得残宋本之可贵。又,残宋本卷十《论朝廷事体状》有云:"故曰亏令者死,益令者死,不行令者死,留令者死,不从令者死,五者死而无赦。"影宋本以下此段文字均脱"益令者死,不行令者死,留令者死"十三字,今得残宋本始得读其全篇。此本内有黄丕烈嘉庆四年题识云:"此残宋刻《会昌一品制集》十卷,卷中有旧抄配入,为甫里严豹人家物,而余购之重付装池者也。先是余得抄本《会昌一品制集》二十卷,为沈与文所藏,已明中叶本矣。又得旧抄《李文饶集》,则不止《会昌一品制集》,与明刻本合,而亦无甚佳处。惟此宋刻较二本为胜,残本实至宝也。"今将此本通读一过,深知黄氏之言非虚言也。

四

经过历代学人长期研究整理,当代研究者在总结前人成果的基础上应以正误补缺为己任,理应为读者提供一本更完备的李氏文集。从现有的资料看,即使是较完备的皕宋楼本仍有许多不足,不仅残宋本可援以校补,经过清人认真整理的《全唐诗》李诗、《全唐文》李文也可援以校补,并且历代总集、史籍、诗文评等著作中可补宋本缺漏者甚多。此外,李德裕文集正集中有关会昌伐叛的篇什,岑仲勉先生《会昌伐叛编证集》收文 87 篇,均作了校注考证。岑先生对文章所涉及的史实背景、人名、地名等专门知识十分精通,故李集各种版本中互有异同而不能解决的一些问题,常可依据《会昌伐叛编证集》的校注考证得以决疑。诸如此类的研究成果,都是如今整理工作中可资借鉴的重要材料。

我们正在着手编纂一部新的《李德裕文集》,这一新编的《李德裕文集》由四个部分组成。

第一部分按宋本旧次对三十四卷本《李文饶文集》详加笺校。笺的部分以每篇写作年月及历史背景为主,考证有关的人物、事件、地理等,广泛汲取历代研究成果,以见信实。不作字句之注,以免枝蔓。校的部分，以存宋本旧貌为主，同时尽量摭录异文，多闻阙疑，以资比较。

第二部分是辑佚。李德裕文集之外，陆心源《唐文拾遗》、《唐文续拾》已辑补佚文数首。而《唐大诏令集》、《唐会要》，以及近数十年出土的碑志中尚有李德裕佚文若干篇，整理中都可辑补。至于李诗，《全唐诗》曾有所辑佚。《四部丛刊》本李集后附录《李卫公集补》据《全唐诗》录补诗数首、句若干。然真伪混杂，须加厘正。

此外，李德裕于文宗、武宗朝两度执政。《资治通鉴》、两《唐书》，以及唐宋人著作里记录了他的大量朝堂奏对、政治主张。其中有些奏对原系李氏《文武两朝献替记》、《会昌伐叛记》等的佚文或残文，是研究李德裕和晚唐历史的宝贵资料。现在整理李集应将这些有关李德裕的朝堂奏对、政治主张细加辑录，作为第三部分。

第四部分可将李德裕文集所收诗文按编年排成一个目录，并将有关附录、辑佚的信实可靠资料一并补入。这样一个更为完备的李集编年目录，于知人论世必大有裨益。

这样一部《李德裕文集》，不仅将古代文献在海外的遗存重新引入国内出版，而且由于广泛参校善本，正误补缺，可为中晚唐文史研究及李德裕研究的深入，提供信实可靠的史料。

五

或许在今人看来，李德裕只是一位重要的政治人物，却算不上什么重要的文学家。但在历代文人学者的心目中，其不仅是重要的政治人物，而且也是文学名家。李氏文集正集中的政治性应用文，别集中的诗赋杂著，外集中的评事注世之作，都曾受到历代文学家的高度评价。

李德裕会昌执政时所撰诏敕、册命、奏议等甚多。其数量之大，为唐人文集所仅见。"其筹边之策，经世之文，俱略备于此矣"（清陈鸿墀《全唐文纪事·体例》）。史载，每有诏敕，武宗多命德裕草之，德裕请委翰林学士，武宗则谓"学士不能尽人意，须卿自为之"（《资治通鉴》卷二四七）。文章能达意尽意，又能直擢人心，是政治性应用文有没有感染力的重要条件，也是很难达到的高标准。德裕凭着丰富的政治经验和卓越才艺，对接受文章的各类人物了如指掌，所言每能切中利害，动人心魄。《通鉴》会昌三年四月载朝廷拟讨伐泽潞事，云"上命德裕草诏赐成德节度使王元逵、魏博节度使何弘敬，其略曰：'泽潞一镇与卿事体不同，勿为子孙之谋，欲存辅车之势。但能显立功效，自然福及后昆。'丁丑，上临朝，称其语要切，曰：'当如此直告之是也！'"此中草诏语现见于文集卷六之《赐何重顺诏》，诏敕对河北藩镇晓以利害，提出严正忠告，显示了讨伐叛镇的决心，充分表现了会昌君相的个性与才略。史称："元逵，弘敬得诏，悚息听命。"会昌时期，河北藩镇能悚息听命，实为晚唐政治史的一大奇迹。诏敕是朝廷政策的体现。文如其人，《一品集》中外攘夷狄、内伐叛乱的诏敕非常之多。它们正是德裕坚强个性与雄才大略的反映。李氏政治性应用文中还有一些表现出深厚抒情风俗的文章，如其代武宗所作的《赐太和公主敕书》，写景抒情，委曲婉转，实可比美丘迟《与陈伯之书》。文云:"姑远嫁绝域二十余年,跋履险难,备罹屯苦。朕每念于此,良用惘然。……今朔风既至,霰雪已零,绝国萧条,固难久处,旃墙罽幕,何以御冬,肉饭酪浆,且非适口。"仅就此中悬拟虚构的场景描写论,其又岂在"暮春三月,江南草长,杂花生树,群莺乱飞"之下哉!明王世贞尝曰:"得文饶《一品集》读之,无论其文辞剖凿瑰丽而已,即揣摩悬断,曲中利害,虽晁、陆不及也。"(《弇州山人稿·读会昌一品集》)历代文评家常将汉唐政论文名家晁错、陆贽来同德裕相比,王世贞以为李文之委曲动人更在晁、陆之上,堪称知言。郑序追溯唐代训诂之业,列举颜师古、岑文本、李峤、崔融、张说、苏颋、常衮、杨炎诸人文章之美,于德裕文章功业更是推崇备至。清孙梅《四六丛话》卷六"制敕诏册"承袭郑序之说,回溯自颜、岑以来凤池翰苑文章之美,"尤推陆贽、李德裕"。

一代有一代之文学,一代亦有一代之文学批评标准。以今人的眼光看,德裕前期数历方镇及两次罢相后所作诗赋杂文在集中最具有文学性,历代对李氏诗赋杂文的赞评甚多,《李德裕年谱》大中三年条下别列《有关李德裕文学的评论》专条,其中已引皮日休《松陵集》、孙光宪《北梦琐言》、周密《齐东野语》、王士禛《香祖笔记》、罗振玉《石交录》等评赞李氏诗文的资料,此不赘述。清末梁启超曾主编《中国六大政治家》,将李德裕与管仲、商鞅、诸葛亮、王安石、张居正相提并论。其中李岳瑞著《李卫公》一书曾专章注李德裕文学,谓:"其诗古体出入陶、谢,律体颉颃文房、子厚,清新泽雅,固晚唐一大家也。"又谓:"若其文学,亦卓然唐一大家也。生平论文,以明白详实,曲情事理为之,而不屑于声调藻绘之末。……其注文大旨,具见于所为《文章论》中。"参稽皮日休、周密、王士祯、罗振玉诸家之论,此论实非无根之谈。因之,今人在对晚唐杰出的政治家李德裕进行研究时,无疑也应对其文学成就给予足够的重视,如此方能得其全人。

与周建国合撰,原载广西师范大学出版社 1996 年版《唐代文学研究》第七辑——中国唐代文学学会第八届年会暨国际学术讨论会论文集,据以录入;李德裕文集整理情况,可参看专著《李德裕文集校笺》

文化精品与学术窗口

——评《唐代文学研究》

　　《唐代文学研究》是广西师范大学出版社近些年来出版的品位较高的出版物，现在虽然还只出到六辑，却已受到海内外学人的极大关注。

　　建国以来，在中国学术界，专门的断代文学研究书刊能连续编纂出版的，这还是唯一的一种。它是中国唐代文学学会的会刊。唐代文学学会成立于1982年，在开始几年，曾以《唐代文学论丛》的名义，辑集有关唐代文学研究的论文，包括一部分普及性的诗文鉴赏文章，由陕西人民出版社出版。从1988年起，改名《唐代文学研究》，从内容上作了较大的调整，主要是加强学术性，着重发表理论研究和资料考证性的文章，改由广西师大出版社出版。

　　出版这样专业性极强的学术著作，对于出版社来说，是要承受经济压力的，因为印数少，要赔钱。广西师大出版社能不计经济亏损，毅然承担这一学术性书刊的出版，这不只是对古典文学研究界的支持，更表现了出版社同志对弘扬优秀传统文化的远见卓识。

最近，党的十四届六中全会通过的《关于加强社会主义精神文明建设若干重要问题的决议》，提出要加强社会主义精神文明建设。关于出版，《决议》明确指出："要及时反映国内外新的优秀文化成果，重视出版传统文化精品和有价值的学术著作。"我觉得，广西师大出版社出版《唐代文学研究》，是符合《决议》这一基本要求的。

最近有两位在古典文学研究中作出显著成绩的中青年学者，分别著文谈及 80 年代以来的唐代文学研究。上海复旦大学中文系副主任陈尚君教授在《问学纪程》一文中说，国内唐代文学近 20 年取得远迈前人的巨大成绩，而这一成绩的取得又与 80 年代以来唐代文学界所形成的学术群体专心治学与精诚合作分不开。中国社会科学院文学研究所副研究员蒋寅博士，在今年第三期《书品》上发表《文献整理与唐代文学的学科建设》一文，文章一开头就说："80 年代以来，唐代文学可以说是古典文学研究中一个成就卓著的领域。"

我觉得，这两位学者的看法是实事求是的。正因为这些年来唐代文学界取得了丰硕的成果，就更可见出这已出的 6 辑《唐代文学研究》的分量。《唐代文学研究》及时提供研究中的高质量之作，因此人们要想了解这些年来唐代文学研究的新进展，就绝不能避开这六辑共收 300 余万字的精心之作。

为《唐代文学研究》撰稿的，除了大陆和港、台地区的作者以外，还有欧洲、美洲、亚洲等国的著名学者。他们来自德国、荷兰、美国、加拿大、日本、韩国、新加坡、马来西亚、澳大利亚等国。因此可以说，随着唐代文学日益走向世界，这六辑《唐代文学研究》已可充分反映海内外学人的最新治学成果。他们从不同视角、不同文化心态，来观察、探索唐代文学这一丰厚宝藏，这就为促进中外文化交流、让世界更好地了解中国，提供了良好的环境和机缘。据悉，日本、韩国、美国及东南亚的唐代文学研究者，颇注目于它，他们有的每期必购，有时不能及时买到，则辗转托人，期于必得。国外及港、澳地区的一些图书馆，向唐代文学学会秘书处所在地西北大学文学院函购或提出交换的，则更为频繁。《唐代文学研究》已成为我们近些年来古典文学界向外开放的一个新窗口了。

今年9月新出的第六辑《唐代文学研究》，还有一个特色，颇值得一提。这一辑将近70万字，其中相当一部分是论浙东山水与唐代诗人的。这是因为中国唐代文学学会第七届年会于1994年11月在浙江新昌举行。新昌的自然风光与人文景观吸引了不少海内外学人，而为年会所提供的论文中，就有不少论及浙东唐诗之路，如《试论"唐诗之路"的历史渊源》、《唐代诗人与剡中风光》、《浙东唐诗之路与日本平安朝汉诗》、《论唐代浙东的僧诗》、《李白三至越中考索》、《论方干的浙江山水诗》，等等。光看这些题目，就非常吸引人了。文献研究结合实地考察，把一个地区的文学、书画、民俗、宗教、园林建筑、社会经济作综合的探索，这是当前学术研究的一个新开拓，《唐代文学研究》在这方面也提供了值得借鉴的样本。

最后，我还要补充的是，广西师大出版社不只出版《唐代文学研究》，还出版一种《唐代文学研究年鉴》。《年鉴》是唐代文学学会于1982年成立时提出编纂的，1983年以来每年编印一册，每册

30 万字左右。这十余年来从未间断过,为唐代文学也为整个古典文学研究积累了有益的资料。《年鉴》80 年代是在西安出版的,后来由于经济原因,出版有了困难,在这紧要时刻,广西师大出版社闻讯后又立即伸出友谊之手。在这里,我作为一个唐代文学研究者,也作为出版界同行,深为广西师大出版社这些年来为文化建设事业所作的努力与贡献,感到钦佩,并引以为荣。

原载 1996 年 10 月 30 日《中国文化报》,此据北京联合出版公司 2013 年版《濡沫集》录入,另收入湖南人民出版社 1997 年版《濡沫集》

《书品》：与著者读者沟通的桥梁

　　时间过得真快，记得 1990 年底，1991 年初，中华书局编印的《书品》创刊 5 周年时，曾组织过一次笔谈，这些笔谈文章，读来很有味道，印象很深，好像还是昨天一般，不想一晃 5 年又过去了。唐朝诗人李商隐咏金陵在南朝的变迁，曾有一诗句，说"三百年间同晓梦"（《咏史》），很值得人玩味。300 年尚且如此，则 5 年更算不上什么了。但近来翻阅这 5 年来《书品》的文章，使人吃惊的是，中华书局竟还是出了那么多值得人评说的书，可见，尽管人事倥偬，文化还是能在时间上站得住脚的。

　　5 周年笔谈，我很欣赏中山大学历史系教授蔡鸿生先生的文章，他的题目是：《读〈书品〉，学品书，一乐也》。这真是一语破的，道出不少人读《书品》后的共同感受。这一乐，乐在哪里呢？据我的体会，一是《书品》所品的中华版的书，或《书品》的评介文章，大多意趣高雅，不落俗套。中华书局所出的书，很多专业性较强，大多数人会觉得面太窄，达不到畅销的商业标准。但就我所接触的文史界朋友，倒觉得这些书是真正有用的。出版社应有文化学术意识。在目前市场经济的情况下，出版社当然不能忘记经营，而且要着意把经营搞好。但出版物并非是纯粹的商品，也不能简单地说把出版社推向市场。特别是我们搞的是社会主义市场经济，那么文化与学术应当是出版社的灵魂。

中华书局是具有 80 多年历史的一家出版社，在本世纪，经历过不同的历史阶段。但无论是哪一个阶段，中华书局总是与文化界、学术界有着广泛而深切的联系与交往。不同年龄段的著者与读者，一说起中华书局，总会产生一种带有时代情味的意绪。这是因为，中华书局这一老的出版社，在其 80 多年的风雨历程中，并不忘记文化意识与学术意识。也正是这一点，得到文史学界不少友人的好感与好评。

譬如《书品》1990 年第 1 期北大吴小如先生在《读〈游国恩学术论文集〉》一文中，对中华"不惜冒亏本风险而终于印成此书"，认为"其尊重学术、尊重前辈学者的远见卓识，实在令人感佩"。杭州大学吴熊和先生在《书品》1991 年第 3 期，写《〈词话丛编〉读后》，也认为中华能再版唐圭璋先生的修订本《词话丛编》，这实在是"对不久前去世的唐圭璋先生的最好纪念"。对老一辈学者是如此，对中年学者，正如中国社科院近代史所蔡美彪先生在评介中华所出陈高华《元史研究论稿》时所说的，"80 年来，特别是近 40 年来，中华书局为出版供学术研究之用的古籍和当代学人的学术著作，做了大量的工作，为我国学术事业的发展，做出了独特的贡献"。蔡先生评许为这是有"大家风度"（《书品》1992 年第 2 期）。上海古籍出版社一位老编审、著名唐代文史研究者朱金城，看到中华出版清人劳格的《唐尚书省郎官石柱题名考》，竟感慨万分,认为此书的出版"使我多年来的愿望成为现实",说"中华书局编辑部的卓识与远见,尤其令人敬佩"(《书品》1992 年第 3 期)。无怪乎罗继祖先生难免带有很大情绪地说,"出版界不景气不知从哪一年开始的,一时全国黄色淫秽书刊在逐利书商贪婪的操纵下满坑满谷,流毒无穷",而赞许"中华书局在这样的风气里,不顾一切,照样埋头出他们所担负的所整理好的古籍"(《书品》1991 年第 3 期)。我在这里不是王婆卖瓜,自卖自夸,情况确实如此。最近文学编辑室的同志告诉我,90 余高龄的北京师范大学教授钟敬文先生,特地托人带话,说他还没有在中华出过书,颇感遗憾,他的一本论民俗文化的 10 余万字论文集,宁愿不要稿费,还自己买 1000 多册书,也要拿到中华来出书。日前陕西师大史念海先生写信给我,其中说:"犹忆数年前,尊驾莅临西安,曾嘱撰写有关历史地理学史一书",并说"亦曾将尊嘱转告白寿彝先生,寿彝先生亦亟赞成,并告以早日应命"。史先生一再说此书写成后愿在中华出版。这些前辈学者殷切期望之情,既是对中华学风的肯定,也是对中华工作的关切与鞭策。

以上是蔡鸿生先生所说的"乐也"之一。其二,则是《书品》的文章所说的多是实话,无论是赞许或批评,都不作虚语,更无时下流行的广告语言,动不动就"天下第一"、"全球最佳"。尤其值得人读的,是一些批评文章。在自己办的刊物上,登批评自己出的书的文章,有时一期还不止一篇,有时还连续登,我想这在现在似还无第二家。奇怪的是,尽管有批评,这些书还是照样有人买,有人读。因为批评者的意见是中肯的实事求是的,他们虽是批评,但认为书还是好书,缺点或错误,有个整体估量的问题,这在有识者是心里明白的。至于有时候报纸上登一条有轰动效应的文章,把某一本书的错误作不适当的夸大,这也不要紧。出版社应当有一种气量,应经得起批评,经受得住无端指责,甚至攻击和谩骂。古人云,学术乃天下之公器。一个学者,一个出版社,他(它)有多少分量,是有公论的,要有杜甫所说的"不废江河万古流"的器识与度量。我想,这也是《书品》之能得人好感的一个很重要的原因。

最后还要说一点的是,《书品》上有不少篇文章是中华编辑部的人写的。我做过 30 多年编辑,深知编辑工作的甘苦。"文革"前中华书局总编辑金灿然同志说过一句名言,说编辑好像理发师,一部书稿来了,好像进来一个要理发的人,头发蓬松,胡子满脸,经过编辑仔细审读加工,书稿干干净净印了出来,好像这位客人头发整齐,满脸红光,出了店门。因此,一位责编是最仔细的第一个读者,他是最有发言权的评论者。我看了《书品》上几位编辑同志的文章,深为文风的于平实中创新而欣慰。

我曾说过,回顾本世纪的出版史,凡是能在历史上占有地位的出版社,不管当时是赚钱或赔钱,它们总有两大特点,一是出好书,一是出人才。我们一提起过去的商务,总会自然想起张元济、沈雁冰、郑振铎、傅东华;一说起开明,就会想起夏丏尊、叶圣陶、徐调孚、周振甫。五六十年代的人民文学出版社,古典部有冯雪峰、周绍良、顾学颉、王利器、舒芜;而中华书局当时则有张政烺、陈乃乾、宋云彬、杨伯峻、傅振伦、马非百、王仲闻。出版社要具备文化学术意识,就得在编辑部中有专门家、学者,他们可以不受某种潮流的冲激,甘心于为文化学术事业而操劳一生。因此不妨提倡,编辑应当把学者化作为自己进取的目标。读者当可从《书品》中看到中华书局的编辑,是怎样把自己定位的。

我想,这就是《书品》创刊十周年时人们得出的一个共同感受——《书品》,与著者、读者起沟通作用的桥梁,希望它永远坚固。

原载湖南人民出版社 1997 年版《濡沫集》,此据北京联合出版公司 2013 年版《濡沫集》录入

启　示

——读顾颉刚一封论《尚书》今译的信

　　前些日子我在中华书局的文书档案中看到顾颉刚先生一封亲笔长信,读后很受启发。我曾翻阅过顾潮同志为其父所作的年谱(《顾颉刚年谱》,中国社会科学出版社,1993),书中未曾提及此信。因此我想把信的主要内容介绍给今天的读者,或许对目前的某些学风会有一定针砭的作用。

　　此信是写给当时的中华书局总编辑金灿然的,时间是1959年6月25日。顺便提一下,反右以后,1958、1959年,政治运动还是连续不断,这也波及到当时年已届六十六七岁的顾老先生。从《年谱》可以看出,这两年顾先生无论公私两方面都极忙。1958年他已受命点校《史记》,2月份又有几天出席国务院古籍整理出版规划小组成立会议(当时齐燕铭为组长)。从2月起,一直到年底,就连续参加政治运动,如2月到8月,"参加民进整风,作交心资料及检讨书十万言"。按十万言,可以说是一本专著了,不知尚存否,这倒是一份有价值的当代文化史材料。据《年谱》,3至4月,又"参加历史所整风,写大字报及检讨书"。11月至12月,又出席民进中央会议,写发言稿《从抗拒改造到接受改造》。而 12 月,历史所又展开对资产阶级史学的批判,顾又被作为重点。不过好在于 1959 年初,他应历史所、中华书局之约,整理《尚书》,稍能回到书斋中来。但运动还是不断,3 月,当选为全国政协第三届委员,在 4 月召开的政协会议上,他作了《我在两年中的思想转变》发言,据说在这次发言中,他谈了这些年来"以运动太多,不能从事业务,此知识分子同有之苦闷,而予暴露之",得到周恩来总理的注意。但过了半年,11 月,又不得不"参加历史所反右倾主义运动"。

我之所以罗列上述材料,是想说明,当时知识分子想搞一点学问,就环境来说,是何等的不易,这在今天年轻的读者恐怕是难以想象的。这对了解我所要介绍的这封信可能也会有所帮助。

上面说过,顾颉刚先生就历史所、中华书局之约,正式开始整理《尚书》,这当也是上级领导之命,光是历史所、中华书局是决定不了的。但不管怎举,顾先生对此是欣然接受的。所以他的信在开头时就说:"翻译《尚书》为现代语,这是五四运动后我所发的大愿,40 年来没有一天忘掉,只是为了生活的动荡始终没有正式进行。解放初,我在上海诚明文学院担任'尚书研究'课,为了教学的需要我又翻了几篇;那时书籍分散,仅就手头所有凑集成文,不自满意,故未发表。许多朋友们知道我这件事,都劝我把这事做完,因为如不译为今语,一般人对这部书就不能读;可是学校功课一停,我又忙于别事,不能做了。现在这件事已定为我在科学院的工作,我欣幸这个愿望会逐渐接近实现。"在那时的政治环境中,我们可以想象到,顾颉刚接受这一"任务",是何等欣喜,这倒不是藉此可以逃避政治,而是表现了一个知识分子对自己民族文化高尚的责任感和理性的使命感。

正因为如此,他慎重提出:"但这是一件非常细致和复杂的工作。"这封信的主要内容,即是基于这样的认识而提出的。

首先,他认为,要译成今语,必须先认定《尚书》本身的文字。这本是古籍整理中极易理解的常识性问题,但目下的一些今译者,对此却往往漠然视之,他们可以随手拿来一个本子,不管正误如何,就可立即翻译。顾颉刚先生则是一本正经地说:"我们必须先决定了是不是这个字然后可以决定该不该这样解。"他说,《尚书》中有错简,有缺文,有衍文,有误文,又有注文混入本文的。在汉朝,又有今文和古文的问题。随后他举例说:"例如《盘庚》里的'心腹肾肠',似乎很讲得通,但这是后出的古文本,在较早的今文本里是作'优贤扬'的,意义太不同了,究竟应当用哪个本子,应当怎样去解释它呢?"

我想,信中提出的这个问题,其意义已超出于《尚书》整理的本身,而是涉及学术的严肃性与规范性的问题。正如顾先生接着提出的:"我们如不仔细校勘一番,岂不是放弃了前代学者的优良传统,岂不是会被世界各国的汉学家所嗤笑?"因此他认为:这一基础工夫是省不得的。

在确定了文字以后,接着就是正确理解和解释的问题。信中的第二点就详细阐述了这一点:"《尚书》是我国最早的历史文献,离开现在已有 2000 年到 3000 多年的时间,'语法'或'成语'早已变了样子,所以其中诘屈聱牙的殷盘、周诰在西汉时已读不懂,这只稍看司马迁的《史记》,对于这些文字只能作一些空泛的叙述,或竟避而不书，书而多误，不能用汉代的语言文字译出，就可明白。"顾颉刚先生行文有一个特点，他往往能把深奥的学术问题用浅近明晰的语言表达出来，他的《古史辨》文章是如此，后来连续在《文史》刊物上发表的《尚书》译解是如此，这里的几句话也是如此，确实表现了一位学术大师的本色与风度。

对《尚书》文字的理解，自汉儒起，就各有各的说法，有些是言之有据的，有些则以意为之，今天就需细心辨析。要辨析，就要看书。关于这一点，信中提出一个具体的方案："这项工作为有这样大的困难，所以最好先有一个充分的读书时间，把大量的书读了，再来作翻译。但我知道，我的工作时间不可能太长，所以只得'重点'地读书。依据现在的计划，该重点读的书约有50余种。"在此信后即附有这50余种书目，从孔安国、孔颖达起，历宋元明清，直到近现代学者王国维的《观堂集林》，郭沫若的《金文丛考》、《青铜时代》，于省吾的《尚书新证》等。我想，光是把这些书浏览一遍，就已很了不起了，这要花多少时间。在商品大潮中，从某些人看来，这样做岂非傻瓜。应当说，开出这50余种书单，是表现了一个真正做学问者的气度和责任感的。

信的第三点，着重提出，《尚书》的翻译，不能仅凭一己主观的理解。信中说："从前我翻译《盘庚》、《金縢》的时候只32岁，年轻胆大，凭着一股勇气，几天之内就译出来了。现在呢？年纪大了已不止一倍，读书越多，胆子越小。而且这是中国科学院的工作，自有其当代的学术水平，也有其国际的汉学水平，不容许我轻率从事，否则就对不起党和人民政府以及一般读者对我的期望。所以我计划，每译成一篇，即由你局油印分发给各专家评定，这是

《尚书今译》的群众路线,非走不可。"信后附了一个名单,有历史学家(郭沫若、范文澜、尹达、侯外庐等),有文字学家(唐兰、容庚、于省吾等),有版本目录学家(赵万里、陈乃乾、顾廷龙等),有地理学家(谭其骧、史念海等),有语言学家(王力、魏建功、高名凯等),有自然科技史家(钱宝琮等),共四十余人。《尚书》今译走群众路线,这确也是新鲜事。

信的第四点,说自己年龄已是 67 岁,健康又不太佳,因此提出请中华书局提供一至两名助手,帮他搜集材料。这也是情理中事。

信的最后说:"总之,整理《尚书》不是一件可以急见功效的事:必须集中了版本校勘之后方始可以写出一个定本;必须把各时代的解释细细研究之后方始可以有所取舍,确定经文的意义;经文有了确定的意义之后方始可以着手标点和翻译。又《尚书》是哪种社会的上层建筑,它成书之后又在封建社会里起过怎么样的作用,我们该把这些情况列举出来,为中国历史增加些资料;《尚书》是怎样编定的,各篇的文字和它们的出现有些什么问题,它的事件先后和写作先后又有些什么样的矛盾,我们也该细细地批判,为古籍校订学增加些资料。"这一段话不啻是研治《尚书》的入门之学,确实为顾先生数十年间的治学经验之谈。

我已把信抄录了很多,但我还想抄录一段,这段话就不止是治学了,而更见出一位真正对学问、对事业负责的读书人的人品:"我自知,自己功力不够,工作上存在许多缺点,好在有几十位专家在,只要我诚心诚意去请教,未必不能讨论出一点道理来。我相信,在全国人民的要求下,将来各种重要古籍都得译为今语,我这个工作虽然做得慢一点,对于你局的整理古籍工作也许可以奠定一部分的基础;而我个人到了晚年,能在科学院的领导和你局的协助之下作出一点贡献,更是莫大的光荣了。"

我想,这就是一位文化工作者的良知。文化学术上的成就,不必靠广告效应,不必求吹捧评奖,它自能在历史上显示出其价值和力量。

原载 1996 年 11 月 27 日《中华读书报》,此据北京联合出版
公司 2013 年版《濡沫集》录入,另收入湖南人民出版社 1997
年版《濡沫集》、北方文艺出版社 2008 年版《书林漫笔》

细活与精品

——从两本冷僻书谈起

日前见到中华书局所出的两本新书,一本名《帛书老子校注》,高明撰;一本名《出三藏记集》,苏晋仁点校。这两本都属于中华书局 80 年代以来所编的两套系列丛书,前者为《新编诸子集成》第一辑,后者为《中国佛教典籍选刊》。

按照现在时髦的炒热书标准来看,这两本可以说是名符其实的冷僻书。光是看书名,一般人恐怕也未必能全懂。但很奇怪,这两种书印数倒不算少,《帛书老子校注》印 5000 册,《出三藏记集》印 4000 册,比起前些年一些专门性的学术著作和古籍整理书,印数已是相当可观的了。

我一向认为,如果想真正读点书,如果想真正搞点学问,最好不要去追求什么热,这种热,看似热气腾腾,一会儿就灰飞烟灭。时下新编的大书多得是,什么"大全"、"集成",什么"汇编"、"集览",什么"世纪性丛书"、"全球性系列",你仔细去翻查一下,不少就是东抄西捡得来的。正如顾炎武所说,当今人纂辑所谓新书,正像有些人铸钱那样,不是从原始铜矿中采来,而是贩买来旧钱,稍作改铸,既已粗恶,又将古人传世之宝割裂挫碎,不存于后,实在可惜。我看,顾炎武的话,对于我们现在出版界存在的散、滥现象来说,是很值得人们深思的。

刚才提到的两本冷僻书,就不是如此。为使读者能有一个大致的了解,请允许我在这里稍作一些解释。

《老子》是中国最古老的哲学典籍之一,但传世的《老子》一书,各种校注本虽然众多,但都属魏晋以后。1973 年在湖南长沙马王堆第三号汉墓出土了帛书《老子》甲、乙本,提供了西汉初期的两种抄本,这是我们目前所见最古老的两种《老子》本子了。这两种本子,在当时只不过是一般的学习读本,其中有不少衍文脱字、误字误句,而且出土时又因自然损坏,文字又有残缺。但是它毕竟是时代早,较多地保存了《老子》的原貌。通过校勘,可以证明,后世所传的《老子》各本,文字多有讹误,被后人改动之处甚多,往往因一字之讹,意义全非。据校注者介绍,如今本"无为而无不为"一句,世传各本不止出现一次,已成老子学说中的名言。但在帛书《老子》甲、乙本中,根本无此一句,而只有"无为而无以为"。"无为而无不为"应当说并不出于《老子》,而是汉初黄老学派的产物。于此一例,即可见出帛书《老子》的价值与意义。

现在这一校注本,是以三国曹魏时王弼注本为主校本,另取敦煌本、道观碑本、历代刊本计 33 种为参校本。除校勘外,再作异文辨证、经义解释。我曾计算一下该书所用的参考书目,从唐陆德明《老子道德经音义》起,到今人王重民《老子考》、楼宇烈《王弼集校释》,共有 160 种之多。这一简单的数字,就可想见校注者所下功夫的繁重与艰辛了。

《出三藏记集》是南北朝齐梁时僧佑的一部著作。这是一部奇书。其书共 15 卷，记述了汉以来移译的佛典，译人姓名，翻译过程，译场规模，传播源流与内容大意，更有好几卷译人传记。要了解佛经早期的翻译史，这是一本必读书，后世有名的几部书，如费长房的《历代三宝记》、智升的《开元释教录》等，都无不取资于此，以踵事增华。但很奇怪，清朝修《四库全书》，却未单收此书。

　　现在这一校点本，收集和参阅各种佛经藏本及后世的有关著作，加以细心的校勘标点，非常方便于今人阅读。读者只要读一下序言中摘出的传世好几种本子的断句错误，就可见出点校者的学识了。书后附经名、人名、地名、寺名、年号索引，就有 121 页之多，可见其认真细心之程度。点校者苏晋仁先生，现年已 80 多岁，一生从事于僧传的研究。我曾读过他发表于《世界宗教研究》1985 年第 1 期上的《佛教传记综述》一文，此文对传世与已佚的僧传，作了全面的考查，颇见工力。有了这样的学养，再加十许年的实实在在的操作，就不难想见此书所蕴含的宝藏了。

　　记得 1958、1959 年间，出版界对于"慢工出细活"，是狠加批判的。当时是着眼于多、快，认为细活有什么了不起，慢工更在批评之列。时下虽然没有对这句话有所议论，但实际上仍对此是看不上的。所幸的是，我们毕竟还有这样的细活，这样的细活确实是出于慢工。由这样的慢工制造出来的细活是真正堪称精品的。

　　我又想，这两本书，如果拿到图书评奖会上去，多半是评不上的，因为一是内容实在过专，过专未免冷僻，使人无心一顾；二是所谓校勘、注释、索引，不是当今造书、作学问的热点。但我敢说，这两本书比起一些广告效应的书来，是更能在时间上站得住脚的。学术书,不必看奖牌,而应看在一定学科领域内是否被人引用以及所占的学术位置。这才是真正学术著作的品位,也是它不可代替的骄傲。

原载 1997 年 1 月 2 日《光明日报》,此据北京联合出版公司2013 年版《濡沫集》录入,另收入湖南人民出版社 1997 年版《濡沫集》、大象出版社 2004 年版《唐宋文史论丛及其他》

文学编年史的设想

　　前些年,关于文学史研究的讨论正成为热点的时候,我与南开大学中文系罗宗强教授在一次会议上碰见,谈起此事,他说了一句很有风趣的话:"文学史应当怎么写,这何必要讨论呢?你认为应当怎么写,就怎么写好了。"我与宗强先生是学术上的挚友,于学问之事,是无所不谈的。当时他说了这几句话后,我们彼此都呵呵大笑,也未再细谈。此后我却时常回味这话,觉得很有意思。今天应《江海学刊》之约,谈谈对文学史研究的展望,我觉得宗强先生这番话是很值得再提的。

　　本世纪以来,关于中国文学史的撰写,且不说外国人,仅仅本国学者,就不止写了几十部。建国以后,前三十年间似乎少了一些,80 年代以来,特别是近七八年间,突然多了起来。这其间,有通史的,有断代史的,有分体史的,有断代兼分体的(如《魏晋南北朝赋史》、《唐诗史》等)。通史也有各色各样的,有以平实见长的,有以材料繁富而擅场的,也有因观点新颖而称誉的。这些都是好现象。学术上的事,是靠自身而存在的。三国时曹丕早就说过:"是以古之作者,寄身于翰墨,见意于篇籍,不假良史之辞,不论飞驰之势,而声名自传于后。"(《典论·论文》)用现在的话来说,一个人写了一部书,不必追求广告效应,不必依靠行政手段,你的书如果真正有水平,自然能在时间上站得住脚。我觉得文学史的研究和撰写也应当作如是观。

现在,我想趁讨论这一问题的时机,介绍我目前正在做的一项工作,即关于文学编年史的构思与撰写。

1978年冬,我在完成《唐代诗人丛考》一书时,曾写过一篇自序,我这里想引用其中的一段话:"我们现在的一些文学史著作的体例,对于叙述复杂情况的文学发展,似乎也有很大的局限。我们的一些文学史著作,包括某些断代文学史,史的叙述是很不够的,而是像一个个作家评传、作品介绍的汇编。为什么我们不能以某一发展阶段为单元,叙述这一时期的经济和政治,这一时期的群众生活和风俗特色呢? 为什么我们不能这样来叙述,在哪几年中,有哪些作家离开了人世,或离开了文坛,而又有哪些年轻的作家兴起;在哪几年中,这一作家在做什么,那一作家又在做什么,他们有哪些交往,这些交往对当时及后来的文学具有哪些影响;在哪一年或哪几年中,创作的收获特别丰硕,而在另一些年中,文学创作又是那样的枯槁和停滞,这些又都是因为什么?"我当时写这几句话,是曾想到做文学编年的工作的。我觉得研究文学应从文学艺术的整体出发,而文学编年史则可能会较好地解决整体研究的问题。如以唐代文学为例,我们如果分段进行唐代文学的编年,把唐代朝廷的文化政策,作家的活动,重要作品的产生,作家间的交往,文学上重要问题的争论,以及与文学邻近的艺术样式如音乐、舞蹈、绘画、建筑等的发展,扩而大之如宗教活动、社会风尚等等,择取有代表性的材料,一年一年编排,就会看到文学上"立体交叉"的生动情景,而且也可能会引出现在还想不到的新的研究课题。

前几年,我曾邀约几位学友尝试做这项工作。这项工作的难度是很大的。首先你得把唐代上百位的作家行踪搞清楚,把他们创作的诗文时间作确切的系年,把作家间的交往作对应的考察,这无异于先要替一个个作家编写出个人年谱,再把这众多的个人年谱汇总成作家群的活动记录,更不要说有些作品的真伪、有些作家生平记载的不确,需要重新予以辨析。这之中,我们当然可以吸取已有的成果,但不少是要从头做起的。所幸的是,经过几年沉潜的努力,唐五代将近三百五十年的编年史初稿已接近完成了,总字数将在二百万字以上。

这里,我谨向读者介绍其中的两段,看看这样来做编年史,对于我们整个文学史研究,是否能增加些什么。

晚唐的部分是我与厦门大学中文系吴在庆先生合作撰写的。前些时候,他应约把文宗大和七年编年单独拿出来发表于《艺文述林》(福建师大中文系、上海文艺出版社合编,上海文艺出版社出版,1996 年 11 月)。大和七年(公元 833 年)是十分平常的一年,在唐代文学史上没有什么特别之处。但既然刊登出来了,也不妨以此为例,看看中晚唐文学中平淡的一年是什么样的情景。

这一年,白居易六十二岁,在洛阳,春天先是任河南尹,四月间以病免,授太子宾客分司,更为闲职。刘禹锡也六十二岁,在苏州刺史任。一北一南,经常作诗唱和。二人有时还与时任河东节度使、年已六十八岁的令狐楚唱酬,成为当时年老一辈文坛耆宿活动的特点:"章句新添塞下曲,风流旧占洛阳城。昨来亦有吴趋咏,惟寄东都与北京。"(刘禹锡《和乐天洛下醉吟得太原令狐相公兼见怀长句》)这年春,僧人宗密自苏州返洛阳,临行前刘禹锡有诗送之;宗密到洛阳,白居易也有诗赠之,称"紫袍朝士白髯翁,与俗乖疏与道通。官秩三回分洛下,交游一半在僧中"(《喜照密闲实四上人见过》)。僧人似乎已成为这两位诗家情思沟通的信使了。宗密,见《宋高僧传》卷六,事迹又见裴休《圭峰禅师碑铭》,本年五十四岁。是年秋,刘禹锡又有诗寄白居易,诗中感伤元稹、崔群等人之久已丧逝,白即有诗答之。此年,刘禹锡将他与令狐楚唱和诗编为《彭阳唱和集》,与李德裕唱和之作编为《吴蜀集》,又自编《刘氏集略》,并辑李绛遗集为二十卷。这种种,都足以见老一代诗人的情态,以及在交往中所寄寓的落寞心境。

这时,年辈比他们稍晚的李德裕,年四十七岁。此年二月,以兵部尚书守本官同中书平章事;七月,拜中书侍郎,正式执政。李德裕是一个有作为的政治家,也是有见解的文学批评家。本年他在政治上有所改革,在科举制上主张进士试应通经术,试议论,停试诗赋,并由朝廷下令,批评"近日苟尚浮华,莫修经义"(《册府元龟》卷九〇《帝王部·赦宥》)。李绅本年正月,本已由寿州刺史授太子宾客分司,无实权,当经李德裕推荐,七月,改为浙东观察使。这样,就使得张祜、崔涯等较年轻的诗人前往越州(绍兴),共相唱和。

本年姚合在金州刺史任,六月间,诗僧无可在金州与姚合游,有《陪姚合游金州南池》、《金州别姚合》等诗。贾岛也自长安往金州谒姚合,行前喻凫有《送贾岛往金州谒姚员外》诗。不久,贾岛又返长安。这时马载也在长安。而本年二月，李余等登进士第。赵嘏年二十八，应试落第。

从以上所述，我们已可大致看到当时诗人在南北空间的行踪点，那就是，年岁较长的如白居易、刘禹锡、令狐楚分别在洛阳、苏州、太原，中年的如贾岛、姚合、喻凫、马戴等，诗风大致相近，居住并往来于长安、金州（汉水流域）一带。而李德裕正想有所作为于朝廷，李绅则又约集一些诗人于浙东。这样，大和七年的文坛就一目了然了。第二年，即大和八年，这幅诗人行踪图又会因行迹的变化而有所改观，我们将可翻开新的一页。

以上是中晚唐时极为平常的一年，让我们现在来看看开元盛世。著名的唐人选唐诗、编于天宝年间的殷璠《河岳英灵集》，在其叙述中曾谈及初盛唐的诗歌发展概略："武德初，微波尚在。贞观末，标格渐高。景云中，颇通远调。开元十五年后，声律风骨始备矣。"现在不少研究者即据此把开元十五年定为盛唐诗兴起的标志，"开元十五年"，在唐诗史上已成为一个典型的年代了。那末我们来看看开元十四、十五两年的情况（按初盛唐文学编年是我与湘潭师院中文系陶敏先生合撰的）。

开元十四年（公元726年），正月，张嘉贞自工部尚书出为定州刺史，玄宗亲自赋诗送之，诏百官祖饯，作诗，张说为作序（《张燕公集》卷一六《送工部尚书弟赴定州诗序》），说是"春带余寒，野衔残雪"，"倾城出饯，会文章以宠行"，可以见出开元时期君臣赋诗、以文会友的情景。

是年三月，进士考试，一下子录取了好几个有发展前景的诗人：储光羲、崔国辅、綦毋潜等。綦毋潜登第后即授校书郎，留长安。而王维这年春也自济州归。李白则由金陵赴扬州,夏又由扬州游越中:"舟从广陵去,水入会稽长。竹色溪下绿,荷花镜里香。"(《别储邕之剡中》)秋日,王昌龄自塞外归,经萧关、泾州返扶风,有著名长篇《代扶风主人答》。

是年冬,赵颐真赴安西副大都督任,张说、张九龄、孙逖、卢象都有诗相送。从这些诗中,可以见出身居长安之众人对西域的向往。

以上可以看到,这一年一下子就有那么多诗坛名人在南北各地跃动。接下去看开元十五年。三月,王昌龄、常建等登进士第,王昌龄授校书郎,留长安。张九龄除洪州刺史,自北往南。储光羲在洛阳。綦毋潜虽居长安,但思游越中,作诗寄储光羲,储以"春看湖水漫,夜入回塘深"之句答之(《酬綦毋校书梦耶溪见赠之作》)。此年春,孟浩然也至洛阳,与綦毋潜交往。而夏日孟又返襄阳,与襄州刺史独孤册唱和。

五月,徐坚等撰《初学记》三十卷成,上之朝廷。本年,张怀瓘所作《书断》成,其书三卷。这两种,一是类书专著,一是书法名作,由此也可从一个侧面见出开元文风之盛。

本年,李白始居安陆,娶故相许圉师孙女,并作《代寿山答孟少府移文》以言志。

本年有两位文人大家过世。一是与张说齐名的苏颋,年五十八。张说为作挽歌。有集四十卷,韩休为之序,张九龄称其为文阵之雄(参《开元天宝遗事》卷下)。一为比部郎中郑绩,年五十六。郑绩是一位学问家兼藏书家,藏书一万卷,曾编纂《新文类聚》一百五十卷,《古今集》二百卷,《甲子纪》七十篇。贺知章为撰墓志(墓志于 1988 年在西安灞桥区出土)。

我想,从开元十四年、十五年的文学大事记,已足可见出开元时期文坛的盛况了。这还只是两年,如果我们从开元十五年一直追踪到开元末(开元二十九年),就不啻身历盛唐诗坛之胜景了。这种逐年的编排,比一般性的论述,给人的感觉当具体和生动得多。

当然,编年史只是文学史研究的一种,它并不能代替其他体裁、其他方式的研究,只是因为目前古典文学界对此还未予重视,因此我借此向学界提出。我已约请中国社科院文学研究所曹道衡先生着手搞自秦统一起到魏晋南北朝隋的编年史,请重庆师院中文系熊笃先生搞元代编年史。如果我们能落实这一计划,即从秦统一全国开始,一直到公元 1911 年(即清王朝结束),有一个长达两千余年的文学编年通史,人们可以一年一年地看到古代文学发展的具体历程,这将是我们文学史研究规模宏大的基础工程。我愿这一工程能在这世纪之交启动,并在不远的将来胜利完成。

1997 年 1 月 8 日,北京

原载《江海学刊》1997 年第 3 期,此据万卷出版公司 2010 年版《当代名家学术思想文库·傅璇琮卷》录入,另收入京华出版社 1999 年版《唐诗论学丛稿》、安徽教育出版社 1998年版《当代学者自选文库·傅璇琮卷》、北方文艺出版社2008 年版《书林漫笔》

纪念匡亚明先生，做好古籍整理工作

  匡亚明先生因病于 1996 年 12 月 16 日离开了我们，作为在他直接领导下的国家古籍整理出版规划小组的工作人员，我们的心情十分悲痛。

  匡亚明先生是我党 1926 年入党的老党员。在长达七十余年的革命生涯中，他长期从事党的宣传、理论和教育工作，在马克思主义理论研究、中国传统思想文化研究、高等教育理论研究与实践方面，都有卓越建树。在他的文化思想中，数十年来始终有一个基本的观点，那就是，中国革命的胜利是马克思主义的基本原理同中国的具体实际相结合的结果。而所谓中国的具体实际，则应该包括两个方面，一个是当前的革命和建设实际，一个是中国三千年或者五千年的实际，也就是传统文化的实际。我们的社会主义现代化建设事业是在传统文化的土壤上进行的，不能脱离这个土壤，也就不能无视传统文化的实际。基于这样的认识，匡亚明先生对传统文化的作用一直很重视，不论是在戎马倥偬的战争年代，还是在"文化大革命"的非常时期，他都没有停止过对传统文化的研究，也没有停止过对如何对待传统文化这一问题的思索。尤其是改革开放以来,在建设有中国特色社会主义现代化的今天,他对传统文化的思索更加深入,也更加成熟。他指出,"现在我们国家正处在一个新的继往开来迈向四化的关键时刻。继往就是继民族优秀传统之往,开来就是开社会主义现代化建设之来。对中国传统思想文化从广度和深度上进行系统研究,实现去粗取精的要求,正是继往开来必须完成的紧迫任务"(《中国思想家评传丛书序》)。这一思想贯穿了他的一生,也成为他主持国家古籍整理出版规划小组工作以来,用以开展工作的指导思想。

匡亚明先生是 1991 年 6 月由国务院任命为国务院古籍整理出版规划小组组长的。1992 年 5 月,在匡亚明先生主持下,召开了第三次全国古籍整理出版规划会议。在这次会议上,匡亚明同志明确提出了古籍整理与研究的方针,他认为"继承和弘扬中国优秀的传统文化是一个系统工程,表现在三个不同层次的成果上,第一是古籍的整理出版,没有这一成果,就谈不上继承与弘扬;第二个是学术研究,从研究中得出理论性、条理性的研究成果;第三个是实践的成果。因为学术研究的成果最终还是要为人民服务,为社会服务"(《以"三心"创"三成果"》)。后来匡亚明先生在《传统文化与现代化》发刊词中,再一次强调:"中国优秀传统思想文化的继承和弘扬,主要靠三个层面的系统工作来实现,即一是古籍(包括出土文物)的整理出版,二是对古籍(包括出土文物)的系统研究,三是把研究的精确成果和社会主义现代化建设实践相结合,使之在实践中得到验证。"其实早在 1982 年 10 月,在《关于研究孔子问题》一文中就已指出:"在我国,建设社会主义精神文明,必须继承中国历史上思想文化的精华。"(见《求索集》

页73）匡亚明先生在这里提出的三个层面的工作,是对古籍整理、研究最全面的理解和概括,也是对"古为今用"方针的科学和具体的阐述。这里指出,古籍整理不能只限于对古书的断句标点,而应该与整个传统文化研究结合起来;另一方面,古为今用不应该牵强附会,作简单的类比,而应该以对古籍的深层研究为依据,批判地总结历史的经验和教训。这就使得中国优秀传统思想文化的继承与弘扬,既有科学的基础,又有明确的方向。

五年以来,小组办公室的工作就是在匡亚明先生直接而具体的领导下,遵循他的这一方针展开的。除了制订中国古籍整理出版十年规划和"八五"计划外,我们组织全国十余家大型图书馆和一些研究机构,编纂《中国古籍总目提要》,现在编纂工作已全面铺开,待工作完成后,全国现存古籍的品种、数量、内容、分布等情况将会以一个比较清晰的面貌展现在我们面前。我们又创办了《中国古籍研究》年刊,每期六七十万字,主要从文献整理、资料考辨的实证角度,建立一座储存史料与考证结论的信息库。匡亚明先生同时十分重视古籍的出版工作,在他的倡议下,古籍小组于1993年春召开十余家古籍出版社负责人会议。数年来古籍小组每年拨出专款资助有价值的古籍整理项目的出版。这些可以看作属于"三成果"中第一个层次的工作。在全国专业古籍出版社和其他出版社协助下,我们评选、资助出版了《中国传统文化研究丛书》,每年一辑,每辑十种,现已评出三辑,凡三十种。所收均为以古籍(包括出土文物)为依托对传统文化各个专题进行的有理论、有系统的研究专著。这是属于第二个层次的工作。1993年春天创办的综合性学术文化双月刊《传统文化与现代化》,其稿约首条开宗明义地写道："其宗旨是立足于古籍研究,在马克思主义指导下,坚持批判继承,古为今用的方针,弘扬中华民族优秀的传统文化,为建设有中国特色社会主义的物质文明、精神文明服务。"也就是说,我们的主观意图,是使传统文化研究的精确成果和社会主义现代化建设的实践相结合,让古老的传统文化不仅仅是书架上的陈列品,而且成为今天我们的生活中生机焕发的活生生的精神财富。这是我们在第三层次上所作的努力。

可以这么说,不仅小组办公室几年以来的工作框架体现着匡亚明先生的思想,而且,其中的每一件具体成果无不凝聚着他的关怀与指导。1992 年在制订中国古籍整理出版十年规划和"八五"计划时,针对初步拟定的各学科选题书目重点不突出、系统性不强,体现不出新的十年时期对古籍整理出版的更高要求,因而也不可能很好反映规划的意义的情况,匡亚明先生及时提出新规划要努力做到具有学术性、计划性和指导性的总原则,并亲自主持草拟了规划的第一部分,即新中国成立以来古籍整理出版的成就和制订本规划应说明的若干问题。从理论和实践的结合上对新中国成立以来的古籍整理出版工作作了系统而科学的阐述,并进一步指出在新的历史时期古籍整理出版的发展方向和前景。由于提高了对古籍整理工作的理论认识,在项目的进一步修订中思想就明确得多,譬如原来出土文献是属于历史和语言文字类的,鉴于近些年来考古发现的巨大进展,及其对某些学科研究的重要作用,特地将之单立一类,以与文史哲等并列。古籍中蕴藏着相当丰富的科学技术史料,涉及到农学、医学、数学、天文学、物理学、化学和工程技术学等自然科学领域。过去在这方面的整理工作是较为薄弱的,这次将科技古籍列入规划,并在规划第一部分中明确写入:"古代中国富于发明和发现,以'四大发明'为代表的中国古代科技成就是世界公认的。古籍中蕴藏着无数科学技术的史料……是一座有待开发的宝藏。在继续重视文、史、哲古籍的整理出版的情况下,对科技古籍与史料也必须予以充分重视和开发。"又在第二部分的"十年规划要点"中强调:"在今后十年内,要加强科技方面和少数民族古籍整理出版的规划工作。将众多科学技术史籍史料,加以整理或影印出版,对于今天的研究和建设会起到重要的作用。"将科技古籍列入规划,这是过去两届古籍整理出版规划所未曾有的,体现了新的特色和时代的要求。这是匡亚明先生所主张的"要从传统文化中找到至今仍然有生命力的东西,为社会主义精神文明和物质文明建设服务"在一个方面的具体落实,与匡亚明先生 80 年代中期起主编的《中国思想家评传丛书》中体现的重视古代科学家、重视古代科学文化成果的精神是一致的。1993 年 2 月,匡亚明先生为新创刊的《传统文化与现代化》撰写发刊词。在发刊词中,他反复强调,小组创办的这个刊物,应该"作为理论联系实际的桥梁","将学术研究的积极成果引入生动丰富的社会主义建设,这将是一个更为艰巨复杂的工作","本刊有志于在这方面做出自己的贡献"。这之后,他多次对刊物的工作作出指示,其重心都落在怎样发挥传统文化在现代化建设中的作用上。1995 年末,办公室同志去南京汇报工作,匡亚明先生再次明确指出,杂志一定要在"与"字上下功夫,要进行一些论证,要说明现代化里面到底有哪些内容与传统文化有关。要紧紧抓住两头,一头是传统文化,一头是现代化。关键是要为建设社会主义现代化服务。对于古籍总目及提要的编纂,匡亚明同志也一直十分重视。1992年,他在总目提要编纂办公室送审的《中国古籍总目提要编纂方案》上批示,"看了方案之后心情很振奋,这项工作很重要,也很有基础,有希望。一定要将它做好"。他甚至连编纂中一些具体的细节问题都考虑到了。凡此种种,既有具体的指导意义,更有规范方向的作用,为我们五年以来全面、迅速、顺利地开展工作提供了保证,也必将继续指引我们做好今后的工作。

匡亚明先生长期从事党的文教领导工作,具有马克思主义理论家、教育家特有的高瞻远瞩的眼光与高屋建瓴的本领。他不仅对传统文化的作用有自己独到的看法,对如何研究传统文化有一套精辟的理论,并基于这些看法,运用这些理论指导了小组的各项工作,而且以国家古籍整理出版规划小组组长的身份,对国家古籍整理与传统文化研究事业有着长远的战略性的思考。1994年12月29日,他在小组的工作报告上作如下指示:"建议大家考虑下列两个问题:1. 1981年曾提出,古籍整理出版工作大概百年基本完成,即到2080年大体完成。完成标准是什么? 如何分期实施? 完成后要不要由国家建立一个较大较全的'中国古籍博物馆'(暂定),供国内外人士参观、学习、研究之用? 2. 整理出版的目的是为了保存和研究。如何有计划有重点地开展研究工作? 如何使优秀传统思想文化(包括伦理道德)通过不同渠道结合当前实际,使之成为有中国特色的社会主义组成部分(包括优良民风习俗)? 可否请各同志相互想想谈谈,最后形成一个较完备的建议,谨供党中央和国务院领导参考? 如何?"国家古籍整理出版规划小组学术委员会特地于 1995 年 1 月 27 日举行会议,讨论匡亚明先生的这两点建议。大家认为,匡亚明先生的建议极为重要,也非常及时。古籍整理工作是百年大计,应该认真抓下去,把它抓好。应该对古籍整理出版情况作一通盘考虑,在此基础上制订出今后基本完成的标准,并提出一个全面的远景规划方案。这一工作正由古籍小组邀集各学科专家分头进行,以符合 1995 年底在听取办公室同志的汇报时匡亚明先生所表达的期望:"我们总要向后人交卷的,我们应该交出一份让后人比较满意的答卷。"

"供党中央和国务院参考","向后人交卷",这就是匡亚明先生以八十六岁高龄毅然承担起国家古籍整理出版规划小组组长重任的动力所在,这两句话也将一个优秀共产党员、忠诚的共产主义战士对党对人民高度的责任感昭示无遗。五年的实践证明,匡亚明先生没有辜负党和国家对他的重托,鞠躬尽瘁,死而后已,为我们树立了光辉的榜样。我们一定要遵照他的遗愿,将小组的工作做好,为国家的古籍整理出版事业贡献出自己的力量,以此告慰匡亚明先生的在天之灵。

原载《古籍整理出版情况简报》1997 年第 1 期,此据首都师范大学出版社 2010 年版北京社科名家文库《治学清历》录入,另收入大象出版社 2004 年版《唐宋文史论丛及其他》

古典文学的"历史—文化"研究

——《日晷丛书》序

　　东方出版社与吴先宁同志共同合作，经周密考虑与多方联系，约集近数年来获得博士学位的古典文学研究者，组织出版一套中国文学史研究系列著作，第一批共十二种，起名为《日晷丛书》。我觉得这一丛书的名称很有特色，它不但是比喻中华古典文学还如日中天，灿烂辉煌，照耀我们正在进行现代化建设的祖国大地，而且象征我们这一代年轻的研究群体视野开阔，思想敏锐，全身心地投入这一蓬勃向上的精神领域，努力开创一个更加光彩夺目的学术天地。

　　80年代以来，中国古典文学研究确实进入一个崭新的转型时期。这是本世纪前80年所未曾有过的。所谓转型，我认为最主要的，是对古代文学由单纯的价值判断而转向文学事实的清理，也就是由主观框架的设施而向客观历史的回归。这是我们古典文学研究界在观念上的一大跃进。前几年在学术界曾提出"重写文学史"的口号，可惜口号虽然提出，讨论并未具体展开。但我们的研究实践却明确回答了这一问题。那就是文学史的研究，应当注意史的发展线索,文学史研究的基本单位,不是简单排列的一个个作家,而是连续不断向前推进的不同时段。这就不是作家评论的程序汇编,而是文学群体的有机活动系列,包括作家之间的关系(如新老作家的交替,文人集团的友谊与冲突),作家群体的形成与消散,文学思潮的兴起与衰落,创作风格的变化,不同文体的代兴。这之中,群体与时段的研究,是这些年来最出色的成绩。有谁在这方面下了功夫,他的著作就能使人耳目一新。因为即使历史上最杰出的作家,也不是孤立的人,在他的周围,有一个流动着的文学环境,有一个层次不等的群体,即使是大师级的人物,他也是属于同时同地的艺术家族的。

这种趋向,在古典文学研究界,特别是在年轻研究者中,已经形成一种冲力,那就是要从过去占很大优势的局部、个体研究中挣脱出来,对文学的长时期发展阶段作出整体的把握,在这种把握中表明研究者的力度与深度,反映这一代学人所特有的对文学命运的关切与忧思。

转型期的另一表现,就是重视"历史—文化"的综合研究。古代文学研究要向深度发掘,当然要着力于文学内部发展规律的探求,但这种探求是不能孤立进行的。这些年来,文学与哲学思想、政治制度,以及与宗教、教育、艺术、民俗等关系,已被人们逐渐重视。人们认识到,不能孤立地研究文学,也不能像过去那样把社会概况仅仅作为外部附加物贴在作家作品背上,而是应当研究一个时期的文化背景及由此而产生的一个时代的总的精神状态,研究在这样一种综合的"历史—文化"趋向中,怎样形成作家、士人的生活情趣和心理境界,从而产生出一个时代以及一个群体、个人特有的审美体验和艺术心态。正如 19 世纪法国文艺评论家丹纳在《艺术哲学》中所说的，"个人的特色是由于社会生活决定的，艺术家创造的才能是以民族活跃的精力为比例的"。当然，我们这样做，不仅要考虑文学与其他社会意识形态的亲缘关系，更要探索文学在总的"历史—文化"环境中怎样显示其特色。它不是使文学隐没，而应是使文学作为主体更加突出。

这就是古典文学研究中的文化意识。如果说，这些年来我们的古典文学研究真正有所进展的话，那么，这种文化意识的观念及其在实际研究工作中的运用，是最可值得称道的成就。如果我们要从理论上对古典文学研究的经验进行一些探讨，那么这个文化意识问题就是其中最值得重视的新的课题。

我觉得，从以上两方面的研究新格局和新思路来看这套丛书，可以说现在这十二种著作正是从总体上体现这一时代的学术风貌与年轻一代的创新气度。这十二种书，从先秦时期的《诗经》、楚辞开始，一直至明清时期各种体裁的文学创作，都是从思潮、流派、群体出发，有意识地对文学史的线索进行清理，重在清理事实，而不简单地品评高下，不单纯立足于点的深化，而在于线的连续；与此同时，又善于从政治、经济与文化的相互关系中把握恰当的中介环节，使我们接触到那一时代、社会所特有的色彩和音响。

自 80 年代中期起，在古典文学研究界有为数不少的博士研究生、硕士研究生培养出来和成长起来，这已构成我们今天古典文学界的一代研究者，他们无论从治学道路、理论观念，以及精神气质、学术兴趣等方面，都表现出与 80 年代以前有着明显的不同,这些不同已日益显露出一种新的发展方向和学术品格。我有一个想法,就是:我们对传统研究的同时,应特别注意对现状的研究,而现状研究中一个重要环节,就是对这十余年来这一研究生群体的研究,研究他们和他们的著作,与研究古典作品本身有同样的意义,同样的价值。特别是这 90 年代以来的一批博士研究生,他们之中不少人更注意广泛吸收当代社会科学的新鲜知识,形成更为独到的研究视野和观念,而另一方面又努力对作为研究对象之一的文学史料作沉潜的研索,这种勤奋的实证训练是足以支撑他们作大幅度的理论探索的。当然,在这之中,需要对现实社会中的市场冲激与贫富差距有理性认识,要有左思《咏史》诗中所说的"连玺耀前庭,比之犹浮云"的心理准备。我想,这十二种著作产生的本身,就足以表明我们这一代年青学人为学术而奉献的文化素质。

这套丛书的总序应由丛书主编吴先宁同志来写的,我推辞再三,但吴先宁同志与东方出版社还是希望我借此谈谈对古典文学研究现状与前景的看法。吴先宁同志是曹道衡先生指导的博士生,编委中傅刚同志的博士导师也是曹道衡先生,而曹先生则是我的学术至交。编委中的钱志熙同志,他的硕士学位论文和博士学位论文,我都分别在杭大和北大参与评议。过常宝同志关于楚辞的博士学位论文,也是我应聂石樵先生之邀到北师大去主持答辩的。黄仕忠同志虽在中山大学,但与我早有文字交往。我很感谢他,我在 1962 年所考的关于《琵琶记》作者高则诚卒于明朝立国之前一说(《文史》第一辑《高明的卒年》),得到他的赞同并给予进一步的补充论证。因此可以说,我有缘与这几位年轻博士生有学术交情，因此也就不自量力，为这套将能受到读书界注意和欢迎的《日暮丛书》撰写此篇小序，谨请作者和读者批评指正。

1997 年 3 月

原载东方出版社 1997 年版《日暮丛书》，此据万卷出版公司2010 年版《当代名家学术思想文库·傅璇琮卷》录入，另收入安徽教育出版社 1998 年版《当代学者自选文库·傅璇琮卷》（题为：《日暮丛书》总序）、大象出版社 2008 年版《学林清话》（题为：《日暮丛书》序）

《中国古典文学学术史研究》序

1996 年 9 月中旬,在新疆乌鲁木齐市召开了"世纪之交中国古典文学及丝绸之路文明"国际学术研讨会。这次会议是由中国社会科学院文学研究所、中国社会科学院中国边疆史地研究中心、新疆师范大学、新疆大学、中华文学史料学会联合主办的。与会代表共约九十人。会议以文学(中国古典文学)、史学(丝绸之路学)两个分会场进行了学术研讨活动。本书所收是关于中国古典文学的,共收论文三十余篇。

20 世纪,对于中国社会来说,是变化最巨大、最剧烈、最深刻的时期,是以往任何历史时期所不能比的。随着社会的变动,人们的思想,以及人文科学、社会科学、自然科学,也都经历了极其曲折、复杂的变化。这些变化带给我们的,不只是风雨历程的情感萦绕,更应是掩卷沉思的理性探索。这也是我们的古典文学研究所面临的一项世纪性课题。

从这一角度出发,则这次乌鲁木齐市的会议,以及这本论文集,就有非同一般的意义。它给予我们的,不只是历史的回顾,更多的是进一步发展的前瞻。在会议期间,我曾听了部分发言,这次重读所收的全部论文,确实受到很大启发与教益。我深感我们的古典文学研究者确已站在 20 世纪学术发展的高度,有能力整体把握这一领域的研究思路和治学方位,有信心把这一学科推向一个新的更加成熟的境地。

这次会议所提供的论文,是以 20 世纪中国古典文学学术史为中心议题的,而实际上所涉及的面则相当广泛,有讨论"文学史"学的,有讨论中国古典文学研究如何与世界汉学接轨的,有讨论新时期古典文学研究的传统范式如何向现代化转型,以及展开多元化研究格局的,更多的则由不同文体的研究轨迹,不同作家作品的研究脉络,近现代有代表性研究家的治学道路,来探索中国古典文学研究近百年来不同阶段的发展。由此我有一个建议,我们是否可以作一个全面的回顾,把这一百年来古典文学研究所涉及的问题,作一个既有具体实例又有理论分析的清理。我姑且加一题目,名为"20 世纪中国古典文学研究百题",即初步确定为一百个专题,把每一专题的前后研究情况,实事求是地做一番梳理工作,使现代的人知道,对于这一专题所涉及的内容,曾经发生过哪些争论,已有的成果如何,还有哪些问题需待解决。这样做,既可避免当今常见的低水平重复,把我们的研究规格提高一步,又可使我们更好地了解研究的整体面貌。我想,这或许也是我们这一代学人对于新世纪学术发展的一种奉献。

这次会议在乌鲁木齐市召开,会议期间,与会的代表曾去吐鲁番和北庭一些地方参观。我们不但浸染于西域文明的历史魅力,而且深感当今新疆各地汉族与兄弟民族在文化上的亲切交流与广泛合作。由此我感到,中国的古典文学研究,确实应当把各兄弟民族的文学发展作为一个重要内容,这已是摆在我们面前的一项迫切任务。我们不妨组织一次较有规模的兄弟民族文学讨论会。这一研究课题在新的世纪是极有发展前景的。

　　会议的组织者安排邓绍基同志和我作为这一会议的学术委员会召集人,又要我们两人为论文集写序。对这一大题目我确感难负众望,只能谈一点个人感想,以求正于各位研究者与广大读者。

1997 年春于北京

原载新疆人民出版社 1997 年版《中国古典文学学术史研究》,此据大象出版社 2008 年版《学林清话》录入,另收入大象出版社 2004 年版《唐宋文史论丛及其他》

陈尚君《唐代文学丛考》序

　　陈尚君先生于 1977 年进入复旦大学中文系,次年秋,以专业第一、总分第二被破格录取为研究生,自此即受到年已届八十三高龄、仍担任系主任的朱东润先生亲自指导。朱先生颇欣赏其独立思考的能力,到晚年更寄予厚望,在与人谈及时,认为尚君先生将给复旦带来光荣。朱东润先生对青年学子的要求是很严格的,他能对尚君先生作如此的赞许,确实表现出极为难得的伯乐风范与大家气度。在这里,我借用朱先生的这句话,窃以为,以尚君同志十余年来在唐代文学基础研究也就是文献资料考证上所作出的业绩与贡献,他也必将为中国的唐代文学研究带来光荣。

　　我这样说并非故作惊人之语,尚君先生已经发表和出版的论著,以及这本论文集,是最好的证明。这本论文集列入"唐研究基金会丛书",是北京大学中文系葛晓音教授与我推荐的,很快得到学术委员的认同。之所以推荐,也是葛晓音教授提出的。葛教授的重点是治魏晋南北朝隋唐文学,着重于文学发展趋势的把握和诗歌审美流程的探索,极有新见,但是她很看重尚君先生的文献资料考证工作,认为他的著作凡是治唐代文学的,都应必备。我想这是能代表我们唐代文学研究界的共同认识的。

本书名曰《唐代文学丛考》,实际上以唐代文学的考证而言,尚君先生的学术成果是远不止这40余万字的论文集的。为便于读者了解他的治学情况,我想在这里稍作一些介绍。

1982年,中华书局曾汇集王重民、孙望、童养年三位先生有关《全唐诗》补辑的著作,出版《全唐诗外辑》一书。出版以后,随着唐诗研究领域的拓展与深入,陆续发现《外辑》收录佚诗仍未完备,且考订亦有未确之处,需要进行一次全面的校订和续补。这项工作就由尚君先生毅然承担起来。他一方面对前人已做的唐诗汇录辑佚进行系统的总结和梳理,另一方面对唐人著述总目和今存唐宋典籍,作全面的调查。他所查阅的书,其面之广确实是惊人的,不止是唐人著述,凡宋元以来的总集、金石、方志、谱牒、说部,以及敦煌文献、佛道二藏、域外汉籍,都巨细无遗地加以搜辑,据他自己估计,先后检书超过五千种,仅方志就有二千多种。这种竭泽而渔式的网罗,其收获即为辑得逸诗四千六百多首(其中新见作者八百多人),相当于前此各家所得总和之两倍多。与此同时,又对《外辑》作不少校订工作,即(1)复校原书,改正误字;(2)补引书证,提供较早出处;(3)考订作者事迹,增补原辑遗缺;(4)删芟误收唐前后人诗以及与《全唐诗》重出之诗。这样,就于1992年以《全唐诗补编》的名义由中华书局出版,可以说是清代中期以后唐诗辑佚的最大成果。

《全唐诗补编》完成后,接着就作《全唐文补编》。从1986年着手,至1991年初步完成(后又陆续修订),其间查阅了不少正史、政书、类书、地志、石刻等书。在周绍良先生主编的《唐代墓志汇编》之外，又录得唐人遗文六千二百多篇，编为一百六十卷，相当于前人所得唐文四分之一强，且其中有大量极珍贵而稀见的文献，对唐代各方面的研究有很大参考价值。

中华书局于80年代前期曾计划组织一套多卷本《中国文学家大辞典》，其中唐五代卷由厦门大学周祖譔教授主编。尚君先生于此书承担了不少过去无可考、难于找到书证的条目，出力多，用功深。这里不妨举几个例子。如女诗人姚月华，《全唐诗》收其诗六首。尚君先生考出其《怨诗寄杨达》二首出《才调集》卷十，《怨诗效徐淑体》出《乐府诗集》卷四十二，而另外三首诗，《有期不至》为白居易作，《怨楚妃》为张籍作，另一首亦疑为他人之诗混入。又如"李愿"条，令狐楚《御览诗》收其诗二首，《全唐诗》同。中唐时另有一李愿，为名将李晟子，元和、长庆间累历节度使。我与许逸民同志等合编的《唐五代人物传记资料综合索引》误将此二人合为一人。尚君先生所写的这一条，引用韩愈于贞元十七年《送李愿归盘谷序》，及元和时韩愈、卢汀所赠诗，证实此李愿与令狐楚同时，当是《御览诗》所载二诗之作者，与李晟之子非同一人；同时又据《新唐书·宰相世系表》，考出另有一李愿。类似的情况，如唐末有二陈峤，一未仕，一仕闽为殿中侍御史。这在《唐五代人物传记资料综合索引》中已加区分，但尚君先生所写此条之可贵处，为找出更早出处加以印实，前者据《南部新书》，后者据黄滔之《黄御史公集》卷六《司直陈公墓志铭》与《祭陈侍御》二文。又如房由，为唐初兵部郎中房德懋之玄孙，天宝十三载登进士第，与戴叔伦、郎士元为友。尚君先生所记其事迹，出处为《新唐书·宰相世系表》《郎官石柱题名考》《千唐志斋藏志》之《卢自省墓志》，并考《全唐诗》卷二〇九收其诗一卷，但沿《唐诗纪事》之误署作房白。这一点在以往《唐诗纪事》研究者中都未曾指出过。我之所以在这里不厌其烦地举这些例子，意在说明，辞典系成于众手，个人的独特成就往往不易见出。尚君先生在这里已不仅仅是写辞条，而是在史实的梳理、考析上，作出一篇篇浓缩的学术笔记，这在辞典的编纂上是极为少见的。

我于80年代中期曾邀约二十多位研究者，共同进行《唐才子传》的校勘和笺证工作。从笺证的内容说，要求做到这样三点：（1）探索材料出处；（2）纠正史实错误；（3）补考原书未备的重要事迹。这就是1987年至1990年陆续印出的四册《唐才子传校笺》。出版后听到的反映还是比较好的，但也发现一定数量的错误和疏漏。于是我就请尚君和陶敏先生作一次全面的检核，结果就是他们两位写成的三十余万字补正，作为《唐才子传校笺》第五册出版。正如蒋寅先生在《文献整理与唐代文学的学科建设》一文所说，第五册"补正"，"最大限度地展示了陶、陈两位多年积累的资料和考订成果"，"展示了唐代文献研究的最新水平"，并说"他们的工作不仅使《校笺》的资料进一步完备，也使诗人生平事迹的考订更臻精密"（《书品》1996年第3期）。

尚君先生在文献考订上不限于文学，还做史学方面的工作，譬如他为清人徐松《登科记考》作了补订，补录唐代科举人事七百多则，相当于徐松原书的五分之一。这是近人所作订补工作分量最重的一种（此文已在《唐代文学研究》第四辑上刊出）。又如《新唐书·艺文志》著录唐人别集五百零五家，五百三十七部。尚君先生又作《新唐书艺文志补——集部别集类》，根据史书、方志、笔记、唐宋人文集等记载，新补四百零六家，四百四十六部，所补约为原来的六分之一。此外，他还计划从事于《旧五代史》的重辑，这将比陈垣先生之作有更大的进展。

从近十余年来尚君先生著述，来看这本论文集，对他的治学路数与研究风格当有一个全面的了解。我觉得，尚君先生治学，一是勤而博，一是细而精，这两者往往是结合的。就是说，要搞一个专题，总要在这一专题所涉及的资料范围内，尽可能求全求实，同时在资料搜集考辨的过程中，细心发现前人未曾注意的问题，抉隐发微，提出新见。我认为这样做学问，特别是现在，是很值得使人思考的。

譬如本书中的《全唐诗误收诗考》，这篇文章最初发表于1985年中华书局所编的《文史》第二十四辑。在这之前编辑部曾将此稿送我审阅，我一看就觉此文出手不凡，在当时研究清编《全唐诗》，这是最有分量的一篇。关于《全唐诗》误收诗，宋代陈振孙，明代胡震亨，清乾隆时《四库全书总目提要》，清末刘师培，以及当代学者钱钟书先生等，都有所提及，但对误收情况作全面清理的，只有这一篇文章。此文收入本书时作了增订，近五万字，考出唐以前人所作，宋及宋以后人所作，而混入《全唐诗》的，诗七百八十二首，又句五十三，词三十四首，所涉作者一百一十五人，全文引书逾三百种，可见用力之勤。又唐人编选的诗歌总集，今存者约十余种，尚君同志在《唐人编选诗歌总集叙录》中，广泛收集材料，力图列出全部唐人所编诗歌总集目录，并对各书的名称、卷数、编者、编纂过程及著录存佚情况予以辑录考订，共考出一百三十七种，较今人已论及者多出八十余种，在各集考订中，并提供大量今人未曾注意的材料。又如唐开元、天宝时人殷璠的《丹阳集》即为唐人选唐诗的一种，其书久已亡佚，《殷璠〈丹阳集〉辑考》则从宋代的《吟窗杂录》等书中辑录殷璠自序、诗评，并考证所收十八位诗人的生平事迹，使我们对殷璠于《河岳英灵集》以外另一部已亡佚的诗选了解到大致面貌。近年我编撰《唐人选唐诗新编》，即请尚君先生将此重辑本列入《新编》中。另外，《唐诗人占籍考》是一篇颇有新意之文，文中根据现有研究成果，作了唐代诗人的地域分布及唐前后期变化的统计，对探索唐代文化地理极有参考意义。这一题目是可以作为一部专著来写的。

以上是这本论文集中以勤而博见长的（当然其他篇还有，如考劳格读《全唐文》札记等，限于篇幅，不一一列举）。我想再提一下以下几篇以细而精见长的，可能更引人入胜。

本书中《杜甫为郎离蜀考》、《杜甫离蜀后之行止原因新考》两篇，考察杜甫后期的行止、思想及诗歌风格，可以说是发前人所未发，是建国以来研究杜甫生平创作最值得玩味之文。过去一般认为杜甫在成都依严武幕，严武奏请杜甫为节度参谋、检校尚书工部员外郎；后严武卒，杜甫无所依靠，即离蜀东下。这几乎已成为定论。尚君同志经过文献资料对比、分析，认为杜甫于永泰元年离开成都草堂携家东下，时严武尚未去世；杜甫只是在途中才闻严武死讯，因此他之离蜀与严武之卒无关。而杜甫在严武幕时仅为节度参谋，并不带郎职，只是在他离幕后，严武奏请朝廷任命他为检校工部员外郎，并召他赴京。杜甫是带着返回长安、效忠朝廷之心离蜀东下的。考出这一点，对了解杜甫后期在夔州、江陵、湘中的思想与创作风格，十分重要，即使人换一新的视角。尚君先生对杜甫离蜀前后的诗篇作了细心考察,同时充分吸收史学研究成果,重新审视岑仲勉等史学家的看法,提出新见,对一般人容易忽略的检校郎官之为虚衔究竟始于何时作了踏实的考析,这对唐代的职官研究也是有助益的。

尚君同志确是很会做翻案文章,这些文章使人读了自然产生一种会心之感。如《全唐诗》收有张碧诗二十首,过去一向认为张碧乃中唐德宗贞元时人,因孟郊有《读张碧集》诗,是一铁证。本书中《张碧生活时代考》,即从此诗着手,考出此诗实为五代马楚时徐仲雅作,如此,则张碧就应是唐末或五代时人。这看起来并不算大问题,但能考出诗非孟郊作,推倒过去公认的说法,这确是读书得间之功。又如《温庭筠早年事迹考辨》一文,也很有特色,文中对温庭筠一首有名长诗《感旧陈情五十韵献淮南李仆射》,考出此李仆射并非李德裕,而应是李绅,订正了夏承焘先生《温庭筠年谱》的权威之说,因而得能重新考订温之生年,并进而考定其漫游南方和从军出塞之时间与路线,分析其在开成、会昌间与当时政治斗争的关系。

当然,这几年来最有影响之作是对《二十四诗品》的辨析。这应当说是尚君先生近年来最有力度的考证文章,引起唐诗学界和文论学界的极大震动。尚君先生在未写成文时曾与我口头谈起过,我本能地感到这确是石破天惊之说。我是赞同他的看法的。我觉得这篇《司空图〈二十四诗品〉辨伪》,主要解决了两个大问题,一是全面考察了唐宋元明长时期内对《二十四诗品》记载之有无,并有力检出元明间人所作《诗家一指·二十四品》(尚君同志初考为景泰、天顺间怀悦作,北大学者张健同志认为有可能出于元代虞集）；二是确证苏轼的那段话与《诗品》无关，仅是指司空图在《与李生论诗书》中列举其所作的两句一韵的二十四个例子。我觉得，《二十四诗品》究竟是否司空图所作，还可以进一步讨论，但我们应从材料本身在历史上存在的客观事实出发，而不应以所谓诗歌理论历史发展的主观推断为据。

从这里，我倒有一个想法。过去往往对史料考证不够重视，认为考证只不过是限于文献资料本身，无关宏旨。不说别的，仅从上述尚君先生的几篇考证文章，就可看出，资料的考证往往与作家作品的整个思想发展，与某一时期文艺观念的演变，有着密不可分的交叉联系。而考证，从治学路数来说，并非只是所谓饾饤之学，实是一种细密、清晰的理性思考，没有对某一学科的整体的把握和考察，没有具备一种综合的科学思维方式，是根本不可能进行有效的工作程序的。

综观尚君先生的治学路数，我觉得有三点值得提出：（1）熟练掌握目录学，对唐宋典籍的存佚状况可说已烂熟于心，据此即能较自如地工作，对所涉课题作竭泽而渔式的网罗，力争全面掌握史料；（2）有较明确的史源意识，在研究中能做到溯本寻源，有理有据，追求博证而不一味炫博，力求提出新见而又“实事求是，多闻阙疑”（清劳格语），充分尊重前人和今人已有之作；（3）治学兴趣广泛，虽专以考证为主，但对唐代的各种人事典籍，对唐前和宋代的典籍，多有兴趣，不局限于少数大家，也不仅局限于文学方面（这点我特有体会，每次与他见面，所谈多涉古今中外，不少佛学和医书的知识我多是从他得来的），这样就更能发现为人忽略的问题，而又能从多方面加以论证。

尚君先生自 70 年代末进入复旦大学,学习、工作、研究,至今已有二十年。我想他得益于复旦师友的治学风尚当是不小的。50 年代初院系调整后,复旦中文系集中了不少有个性、有成就的名学者,他们之中有好几位的著作我很早就拜读。我念中学时即读过陈望道先生的《修辞学发凡》,朱东润先生的《张居正大传》。50 年代前期在清华、北大上学时,读过郭绍虞先生的《中国文学批评史》,刘大杰先生的《中国文学发展史》,赵景深先生的几部戏曲、小说论著;后来又读过王欣夫先生关于文献目录学的书,王运熙先生的《六朝乐府与民歌》,蒋天枢先生的《陈寅恪先生编年事辑》,陈子展先生关于《诗经》、《楚辞》的直解。以大学中文系而言,我读复旦学者的书算是最多的了。我在清华中文系念过一年,深感清华自二三十年代所形成的学风在近现代中国学术发展史上有独特的地位与贡献,但可惜 1952 年院系调整后即流散了。而此时复旦则处于兴盛期,这一点就当时南北几所有名的大学来说,是很突出的。我不敢轻易对复旦学风有所评议,不过我觉得复旦中文系几位前辈学者,学术个性都极鲜明,不依袭旧说,议论通达,力争创新,而又重实证,重传统。所治之学可互不相同,各抒己见,但又能和衷相济,兼容并蓄。对年轻学子,要求极严,而又鼓励他们读书得间,不囿师说。因此我觉得,复旦学风确使人有宽松的学术环境与严格的学术准则之感。我想这对尚君同志的治学是有很大影响的。

　　当然,尚君先生自 80 年代以来进行学术研究,正值我国唐代文学研究处于繁荣兴旺时期,这对尚君先生做学问也是有助益的。这点我们大家都清楚,我就不多讲了。

我自 80 年代中期认识尚君先生，即不时见面、通信，还合作过一些项目，不敢说知之深，只觉得有一种学术之缘。但我不敢说能把握他的治学路数，我只能谈谈个人的一些感想，谨求教于唐代文学研究界与尚君先生本人。

1997 年春于北京

原载中国社会科学出版社 1997 年版《唐代文学丛考》，此据大象出版社 2008 年版《学林清话》录入，另收入《复旦大学学报（社会科学版）》1998 年第 1 期（题为：陈尚君教授与唐代文学研究）、安徽教育出版社 1998 年版《当代学者自选文库·傅璇琮卷》、京华出版社 1999 年版《唐诗论学丛稿》

《宁波风光画集》序

　　八十多年前,也即 1916 年 8 月,孙中山先生在宁波所作的一次讲演中,提出:"宁波风气之开,在各省之先。"回顾十余年来宁波在改革开放和现代化建设中所展现的辉煌业绩,重温孙中山先生的这句赞赏兼勉励的话,我们不得不钦佩这位伟大的革命先驱者这一远见和卓识。

　　今年是宁波作为国家确定的计划单列市,并建立进出口口岸的十周年,宁波市外经贸委特地编纂出版这本《宁波风光画集》,我觉得这对于把我们宁波建成社会主义现代化国际港口城市的宏伟目标,表现宁波深厚的历史内涵和鲜明的现实特征,是一项极有意义的文化举措,也是向中外友人提供表现我们时代精神的艺术精品。

　　作为历史文化名城,宁波具有丰厚的历史文化积淀和强大的文化优势。70 年代在余姚河姆渡发现的震惊中外的文化遗存,表明我们宁波地区的经济和文化,在新石器时代就有相当的发展。新中国成立以来的考古发现,证明浙东地区和中原地区一样,都同样存在着灿烂的原始文化,应当构成中华民族古代文化发源地的一部分。几千年来,直至现在,宁波的文化发展已经呈现方面广、层次高的格局，如为大家所知的，有以保国寺为代表的建筑文化，以天童、阿育王寺等四大丛林为代表的佛教文化，以青瓷窑地为代表的陶瓷文化，以天一阁为代表的藏书文化，还有具有商贸特色的如会馆、行庄、海运等民俗风情。至于自 80 年代改革开放以来创建的港口城市欣欣向荣的景象，更是众目共睹的具有现代国际意义的都市文化。另外如宁波籍的以及在宁波地区进行文艺、学术创作活动的历代文化名人，更可看出宁波文化在历史上达到的程度。

宁波市外经贸委这次别出心裁的，是邀请上海、杭州、宁波等地著名画家，以传统的国画艺术形式，来表现上述繁荣发展的自然景观和人文景观。这就使人们既观赏那托起朝阳的北仑港和镇海炼化厂，百舸争流、高楼林立的市中心三江口，还有如"溪深树密"、"幽花水香"（王安石诗）的天童山，群山环拱、茂林修竹的雪窦寺，以及夕阳春深的东钱湖，秀色可餐的它山堰，使人们在这一幅幅富于情韵的艺术珍品中，感到人世间和自然界本有的诗意和美感，似乎重新认识宁波的山山水水，大街小巷，产生一种领悟的喜悦，好像超越自我而达到新的境界。我想，这就是宋代范仲淹诗所说的"满面南风指四明，山长水曲不胜情"。这也就是我们宁波人呈献给中外友人的诗情画意。

1997 年 6 月

原载宁波市外经贸委编 1997 年版《宁波风光画集》，此据大象出版社 2008 年版《学林清话》录入，另收入大象出版社2004 年版《唐宋文史论丛及其他》

中国古典文学走向世界的启示

一、世纪之交的一项重要课题

历史告诉我们，无论是东方还是西方，无论在古代还是现代，世界各国瞩目中华文明时，无不对中国古典文学投以青睐的目光。因为这份丰厚的遗产，不仅荷载着中华文明的精华，而且它自身尤有一种卓尔不群的美质。它在国外的传播和影响，已经形成一种异彩纷呈、底蕴丰富的文化现象，为世界文学关系史增添光辉壮丽的一页。而在中外文化交流频繁、日益深入的当今时代，建立开放型的文学研究也已经成为历史的必然。我们作为古典文学和比较文学研究者，理应适应时代的要求，认真把握中国古典文学的这段外播历史，发掘其内容，总结其规律，使之在文学研究现代化的大潮中，发挥应有的作用。

在人们面向 21 世纪的今天，回顾一下本世纪的中国古典文学研究，当会产生一种学术上的迫切感，那就是这种研究不能总是囿限在传统的文献范围做文章,新一代学人应当把视野扩展到全世界,应当从历史角度回溯中国古典文学由近而远地走向世界的轨迹,而且应站在当代学术发展的高度,来审视不同的文化传统是怎样来触及和研究中国古典文学这一特异的文化现象。近几百年来,特别是本世纪以来,东西方学者对中国文化固有精神和价值的探索,实际上可以说是两种或两种以上不同文化的互相认识和补充。这也构成了近代世界史上文化交流的丰富繁复的图像。尤其是作为东方大国的中国,它的悠久的历史文化被世界所认识,以及这种认识的日益深化,这本身就是文化史上令人神往的课题。而对于中国学者来说,更是开拓学术领域,提高学术境界,使之成为中国文学的传统研究与世界现代文明相协调、相接轨的必要途径。

在上个世纪之交中西文化首次激烈碰撞的潮流中,我国新学先驱王国维曾经高瞻远瞩地预言:"异日发扬光大我国之学术者,必兼通世界学术之人,而不在一孔之陋儒。"(《奏定经学科大学文学科大学章程书后》)1907 年,鲁迅《摩罗诗力说》一文全面介绍英、法、德、俄等国具有自由、民主思想的文学家之后,特别提出:"国民精神之发扬,与世界识见之广博有所属。"鲁迅强调,处于20 世纪之初的中国,从思想文化来说,再也不能闭关自守,而应面向世界:"顾使往昔以来,不事闭关,能与世界大势相接,思想为作,日趋于新,则今日方卓立宇内,无所愧逊于他邦,荣光俨然,可无苍黄变革之事,又从可知尔。"(《鲁迅全集》第一卷《坟》)又过了将近三十年,1934 年 6 月,陈寅恪在论到王国维之所以能成为"大师巨子",其著作之所以能"转移一时之风气,而示来者以轨则"，因其治学有三大特点，其中第三点就与吸收外国思想观念有关，这一点又特别与文学研究直接相联系："三曰取外来之观念，与固有之材料互相参证，凡属于文艺批评及小说作品之作，如《红楼梦评论》及《宋元戏曲考》、《唐宋大曲考》等是也。"（《金明馆丛稿二编·王静安先生遗书序》）

由此可见，研究本国或本民族的文学，必须把目光投向更广阔的领域，要及时吸收国外的新思想新观念，把本国本民族的文学放入世界的大范围中，既要探索中国的古典文学如何由近及远传播到国外，又要掌握不同国家不同地区的学者如何从不同的角度来研究中国文学，这已成为本世纪我国好几代学人的共识。当今的世界是开放的世界，任何一个国家、一个地区要想发展，都必须借鉴、吸收人类文明的一切优秀成果。文学研究也不能例外，而且应当成为当前世纪之交古典文学研究一个不能回避的学术课题。鉴于此，我们目前正与一些志同道合的学者，组成科研小组，从事于名为"中国古典文学走向世界"的专题研究，以期在建立开放型文学研究中贡献自己的一份力量。

中国古典文学的外播与国外对中国文学的研究，是一种历史悠久、横贯东西、异彩纷呈、底蕴丰富的文化现象，我们应如何着手进行考察，才能窥见其全貌，捕捉其精蕴，从而获得有益的借鉴？

我们认为，要想全面而又系统地把握这一文化现象，应该采用历时研究与共时研究两种方法。所谓历时研究，就是从纵向角度去梳理中国古典文学向外传播的历史。众所周知，它在同质文化圈和异质文化圈里的传播情况，是互不相同、各有特色的。不同对象应该不同对待，具体问题需要具体分析。但无论遇到的是哪一种情况，我们都应该采用渊源学、媒介学和流传学的视角，分别描绘出外播的热点与重心、触媒与契机、途径与方式、际遇与影响。民族文学向国外传播的历史，并不完全等同于客观存在的实际事件，而是我们对于与之相关的客观存在的理性认识。因此，任何一种有关文学外播历史的描述，都必然与文化观、历史观有着密不可分的联系。只有站在时代的高度，本着实事求是的精神，才能体察世界文化与文学如百川汇海，既见融合又见分立的总趋势，才能明辨异国他邦对中国文学何以采取亲疏、迎拒态度的深刻原因，才能透过文学与文化交流那种错综复杂、千姿百态的表面现象，去把握其潜在的客观规律。

所谓共时研究，就是从横向角度去清理国外研究中国古典文学的成果。由于国外学者的主客观条件与我们不尽相同，因此，我们必然会对某些作家作品、某些文学问题持有不同的见解。他们也常常采用中国古今学者的定论成就，但即使论述的是同一个问题，在那种特殊的学术环境里，也不乏其独有的见解，弘论博识，以及可备一说的论断。显而易见，如果单纯地依靠纵向梳理中国文学外播史的方法，便不可能完善地总结这些可资借鉴的研究成果。而在具体的操作过程中，如果一味地述而不作，引而不论，当然也不可能取得良好的效果。应该说，针对那些纷纭、新奇的论点，辨明它们是正确还是错误，全面还是片面，公允还是偏颇，积极还是消极，也是十分必要的。中国的学者应该作出自己的判断，表现出自己的气质。由此看来，这项工作实际上还具有披沙拣金、采珠集玉的性质。

基于上述设想,我们准备撰写一套"中国古典文学走向世界"丛书,共有十本著作,分作纵向研究和横向研究两个系列。前一系列包括三种,它们是:

《中国古典文学外播史》东方卷

《中国古典文学外播史》西方卷

《中国古典文学外播史》俄苏卷

这里所说的"西方"基本上是个文化概念,与地理区划不尽相合。后一系列包括七种,其下又分体裁类和专题类。体裁类是:

《国外中国古典诗歌研究》

《国外中国古典散文研究》

《国外中国古典戏曲研究》

《国外中国古典小说研究》

专题类是:

《国外中国古典文论研究》

《西论的移植:方法与视角》

《中籍的英译:理论与实践》

我们希望通过这样一纵一横、纵横交织的探索,最终能够对中国古典文学走向世界这一文化现象,作出较为系统深入、全面细致的描述。

二、中国古典文学外播简况

虽说民族文学走向世界是人类文明发展史上的必然趋势,但像中国古典文学这样外播如此广泛而持久、影响如此巨大而深远的,实在并不多见。也许只有古希腊和古罗马文学庶几可比——不过,用西方汉学家的话来说:"希腊衰微了,罗马倾覆了,中国却跟我们同在,而且它的文学作品,直到今天依然如潮水般地涌现着……"①纵观中国古典文学的外播历程,不难看出,实际存在着近播邻国和远播欧美两大潮流。它的流播所至,影响所及,也正是所谓同质文化和异质文化或者说东方文化和西方文化两个领域。

中国文学的外播,同任何民族文学的外播一样,始自与近邻的文化交流。韩国史书有箕子入朝诗书从焉的记载(《东国通鉴》),这就是说,早在殷周之交,它就借助车马舟楫之便,传入了山水毗连的邻邦。此后它又东渡扶桑,南至菲越缅泰诸国,对于远东文化圈的形成起了促进作用。中国文学在邻国的播扬之中,以东浙日本最为引人注目。公元三世纪(日本应神天皇十五年),

①引自霍克思(David Hawkes)就任牛津大学中文教授的演说《古文:古典的、现代的和文雅的》(1961),后辑入约翰·明福特(John Minford)和黄兆杰所编霍氏同名论文集(香港,1989年)。

儒家经籍由百济传入了日本,这是它继续东播的肇始①。那时日本还没有本国文字,从外舶来的中国文学便成了唯一的书面文学,也成了以汉字为书写媒介的"汉文学"的催生剂。日本文学不仅借用语言符号,而且刻意模仿中国古代诗文的内容与形式:袭取意匠,因承手法,摹拟题目,采撷成句。随着文学思潮的兴替,汉文学作家追随中国文苑新说,步武文坛巨子者,代不乏人。甚至侍宴应制、聚饮唱和、登临抒怀、伤时感事等文人习尚,也以中国为摹本。后来出现的以假名创作的日本本土文学——和文学,仍然与中国保持千丝万缕的联系。明治维新以后,西方文学纷至沓来,中国文学的地位相对而言有所下降,但它的传播却借助现代学术而有了新的广度和深度。总之,中国文学对日本和其他邻国所产生的巨大影响,在世界文化交流史上实属罕见。正如有的西方学者所说:"即使拉丁语和希腊语,也未能像汉语对远东的影响那样,占据支配的、正统的地位。"②

中国与欧美相距迢遥,其间且有关山和海洋阻隔,中国文学的西播自然起步较晚。一方面,我国汉代曾经开拓西域,发使"黎轩"(《史记·大宛传》),但并没有把文学带到欧洲去。另一方面,虽然早在公元前希腊和罗马的历史学家就已经提及中国,后来柏朗嘉宾、马可波罗等人的报导也给西方人以多种遐想,但直到16世纪西班牙学者门多萨撰写《大中华帝国史》之时,西方史籍才稍稍涉及中国的语言和文学。1590年,西班牙人在菲律宾完

①日本史书《古事记》和《日本书纪》对此事有记载。
②孔雅瑟《亚洲文学》,载于《淡江评论》第3卷第2期(1972年)。

成了明代童蒙读物《明心宝鉴》的西译,迄今所知,这是中国文学正式西播的肇端。明末清初以前,西方传教士陆续来华,得以亲受中国文化的熏陶。他们出于传播宗教的目的,大量翻译儒经和其他经典,客观上却为中国文学的西播打下良好的基础。而且通过这些传教士,在中西文学交流史上出现了许多趣闻和佳话。例如,法国启蒙思想家伏尔泰移植中国话剧,德国伟大作家歌德称赞中国小说,英国东方学家威廉·琼斯爵士翻译《诗经》,都直接间接地与传教士的译介活动有所关联。进入本世纪以后,全球性的人文环境发生了巨大的变化——如两次世界大战对西方传统信念的震憾,中国作为独立之邦的复兴,西方现代派对异国艺术的孜孜追求,比较文学平行学派的隆然兴起等——这一切都给中国古典文学和传统文化的西播带来了前所未有的新机运,使它继而影响到西方的现代文学。诸如意象派、垮掉派、赛珍珠、布莱希特以及其他作家与中国古典文学的结缘,便是它在西播历程中的新篇章。异质文学姿态别具,彼此间易于截长补短,有着极强的互补性。鉴于这一点,我们完全可以预见,中国文学在西方的影响一定会日益广泛,日益深入。

中国古代典籍在世界各地的流传,几乎无不是通过学者的译介、注释和研究而完成的,所以,它外播伊始就与传入国的学术息息相关。经过长期的积累,在国外许多国家首先形成了综合研究中国文化的“汉学”(即“中国学”);后来渐渐分化,甚至文史、语文的综合研究也渐渐解体;中国古典文学研究终于脱颖而出,并形成了自己的治学风格和学派传统。但中国古典文学内容丰富,卷帙浩繁,学者们又不得不力求更加精细地分工,去专攻某代文学,某类文学,甚至某个作家。在历代文学的研究中,从大家巨擘到中小作家,从文人作品到民间文学,国外汉学界几无例外地拥有一些各擅胜场的专门家,取得了相当丰硕的研究成果。这标志着国外中国古典文学研究已经开始走向成熟。不仅如此,时至今日,世界各地的中国古典文学研究,已经大致形成了日韩、俄苏和西方三个学术实体,加上我们自己的学术,堪称四大板块。诚然,中国学术仍然无可争辩地是整个学术的主体部分,但其他板块在许多方面也堪与主体学术相媲美。这又不能不说是中外文化交流史上值得注意的现象。

既然国外学术已经发展到了如此成熟的阶段,我们就不应该无视它的存在,而应该采取积极态度,认真加以梳理、总结,引为丰富自己、壮大自己的借鉴。下面我们打算通过几个实例,对其借鉴意义作一说明。

三、影响研究:展示文学交往史的历程

一国文学走出国门,在另一国传播、渗透,并产生影响,与另一国文学建立实际联系,是世界文化交流史上常见的现象。而探索、梳理这些因素关系,便构成了影响研究。所以,法国比较文学的先驱者基亚说,影响研究旨在建立"国际文学关系史"。这种研究注重材料,讲求考据,以实证主义为哲学基础。它所触及的范畴是产生影响的全过程,也就是从播出到传递、接受的各个环节,从而形成侧重点互不相同的渊源学、媒介学和流传学。

实例一：日本学者小西甚一的《芭蕉与唐宋诗》。

论者说，江户时代著名俳谐诗人松尾芭蕉沿承杜甫、李白、寒山、苏东坡、黄庭坚等人，形成了自己独特的诗风，这是学术界的共识。但他并非直接接受中国诗人的影响，而是通过禅林学人的解说。从天和期到贞享期芭蕉风格的形成，以禅的模式理解唐宋诗乃是重要的契机。这是 17 世纪日本诗坛的一般动向，芭蕉卓有成效地表现出了这一点①。

实例二：美国学者劳伦斯·柴索姆的《费诺罗萨：远东和美国文化》。

论者以史实证明，美学家费诺罗萨在日本讲学期间，师从汉学家森槐南学习汉语和汉诗，撰有《汉字作为诗歌媒介》一文，与中国古典文学结下一段奇缘。他死后，其手稿落入西方现代派鼻祖艾兹拉·庞德手中，他整理发表，并为之宣扬，对西方诗歌创作产生了巨大的影响②。

上述二例即分别描述了中国文学外播的轨迹。第一例是：

唐宋诗→五山学僧→松尾芭蕉

第二例稍复杂些：

---

① 小西甚一的文章有白维国的中文译本，载于周发祥编《中外比较文学译文集》（北京，中国文联出版公司，1988 年）。
② 柴索姆的著作 1963 年于纽黑文、伦敦两地出版。

中国诗歌→日本学者→费诺罗萨→庞德→西方现代派

诸如此类的传播链中蕴藏着丰富的文化内涵和文学内涵，只有依靠影响研究才能把它们挖掘出来。

概而言之，开展这一研究首先有利于对中国古典文学作出总体评价。常常听人这样说："中国古典文学是人类文学宝库中的一块瑰宝。"其依据何在？显然论者在作出这种断言时，是把中国文学置于世界文学的背景上而加以考察的。然而，就目前国内外有关的研究而言，似乎还有许许多多重要方面、重要问题有待进一步深入探讨。而影响研究发微掘隐，溯往追来，正是为上述断言提供坚实基础的途径之一。在国际文化交流日益频繁的今天，全面而深刻地了解中国古典文学以何种形象面向世界，以何种地位自立于世界文学之林，这无疑是十分必要的，也是具有重要意义的。

其实，开展这一研究有利于全面描述文学现象。我们撰写文学史，往往只描述它在本土的发展变化，至多注意到外来文学或文化对它的影响，而较少重视它对外国文学的影响。这样一来，一些跨越国界而延续的文学现象，就会给人以一种面目不清的感觉，因而对之描述也会给人以一种探奥未尽的感觉。譬如说在印度、中国和日本之间，存在着一条交换小说题材的传播链，叙及此事时，似乎不应该只考察印中两国的情况，而应该连带考察日本的情况，对此也加上一笔①。"五四"以后，有不少古典文学研究

①当代学者已对此事做了考察，这是一种可喜的收获。参见王晓平《佛典·志怪·物语》（南昌，江西人民出版社，1990年）一书。

者勇于解脱自己,放眼世界,现在则似乎把中外文学关系史割让给比较文学研究者了。

详而言之,影响研究还能揭示文学交流史上的其他一些具体问题。例如:

(一)揭示实际影响。从表面来看,中国文学对周边国家的影响似是个单纯输入的问题,其实不然,如果仔细观察,就会发现具体情况又有很多变化。小西甚一的文章证实了这一点。日本学者一般认为,松尾芭蕉接受唐宋诗,是直接通过"唐诗选"之类的选本。但小西氏说,芭蕉是通过禅僧注本而受到了影响。因此,他的诗作主要是歌咏自身的实际感受,杜甫和李白诗所提供的只不过是一种机缘而已。若断定"唐诗选"等书直接左右了他的创作,便是试图建立一种伪影响。由此可知,中日文学间的异同之点,往往表现为同中之异,或异中之同,而不是单纯的相同或相异。显然在考察文学史时,不可忽视某一作家与同代人的交往。陈寅恪先生创"今典"之说①,与日人考证有异曲同工之妙。

(二)揭示外来文学特质。在文学交流史上,接受者多半不是一成不变地全盘接受外来文学,而是根据自己的美学思想进行加工。费诺罗萨任意拆解汉字的偏旁部首,就此任意发挥,以生发

----

①陈氏说,一般认为庾信写《哀江南赋》,取名于《楚辞》"魂兮归来哀江南"句,实际上他更直接受到了同代人沈炯《归魂赋》的影响。对他来说,《楚辞》是"古典",沈炯是"今典",读者如果忽略"今典",庾赋断难读懂,可见"今典"比明显的"古典"更为重要(见《读哀江南赋》)。美国华裔学者王靖献对此有所考辨。参见他的《历史学家陈寅恪诗歌研究方法之演进》,载于《中国文学》第 3 卷第 1 期(1981 年)。

汉字形体内所谓的诗意,庞德更是推波助澜,以讹传讹。结果他们创造出了一种非中非西、亦中亦西的事物,即西化的中国文学,也就是比较文学所谓的"幻象"。我们不能用保真尺度去衡量其价值,因为其价值在另外的地方:失真的"幻象"犹如写意画,播出国借此会更加明晰地观察到自己文学的特质,接受国则可借此来捕捉外来文学的神髓,并糅进自己的想象。那种异于己的特质,往往是新型文学的生长点。

(三)寻求完整的传播链。有时传播运动并非有往而无还,一去即中止,还有可能出现后续的"回返影响"。这就是说,一国文学传入他国后,引起他国文学的变化,后来自己又受到变化了的他国文学的影响。有不少学者看到,西方现代派对我国现代诗歌有所影响。美籍华裔学者奚密说,卞之琳身为介绍现代派的先驱,在创作诗歌时,处理意象、诗境和代言人,运用反讽、暧昧等技巧,无疑也受到了西方的影响。她试图描述的是这样一条传播链:西方现代派→卞之琳→其他中国诗人。参见奚密《现代中国诗歌》(纽黑文,1991 年)。鉴于庞德是西方现代派鼻祖,而现代派诗歌和中国古诗又都有跳跃、暧昧等特点,我们完全有理由说,上述两条一来一往的传播链,在某种程度上有着一定的联系。这种联系可简化如下:

中国古典诗歌→日本学者→费诺罗萨→庞德→西方现代派→中国现代诗人(如卞之琳)

这正是中国文学对外影响及其所受回返影响的全过程。回返影响由于荷载着更多的有关西方文学的信息,使中国文学的本色隐而不彰,这往往使人忽略它的所从来。深入而细致的影响研究,目的就在于寻求首尾完整的传播链。

四、平行研究:丰富文学研究的视角

实例三:捷克学者普实克的《薄伽丘及其同时代的中国话本作者》。

论者说,中国话本小说的写实手法有很高的艺术造诣,《十日谈》远远不及。后者结撰故事,通常是根据轶事、妙语或奇闻,以高潮骨架、喜剧情节为焦点。故事主角往往脸谱化,缺乏个性。话本小说则不然。如《任孝子烈性为神》,从一开始,就对主角的性格和社会地位做了细致的描述,主要情节也以细腻而准确的笔触进行铺展。人物形象鲜明、真实,与薄伽丘笔下的人物不同。篇中以言行写人物的所思所想,刻画得活灵活现。话本作者的兴趣转向了社会下层,是个巨大转变,由写英雄、帝王、贵族,到写普通人,甚至下层妇女也开始崭露头角。这种现象在当时的世界文学中是很奇怪的。话本作者堪称现实主义作家,话本故事堪称"细节真实"(莫泊桑语)的作品,它们几乎预示着欧洲到19世纪才逐渐形成的现实主义原则①。

实例四:美国学者韩南的《中国早期的短篇小说:方法论初

①普实克(Jaroslav Prusek)的文章有江原的中文译本,载于上引周编注。

探》。

　　论者旨在研究 16 世纪《宝文堂书目》编成之前的白话小说。为了说明这些小说的特点，他虽然也做了中西小说的比较（如与笛福、菲尔丁相类比），但一如副题所示，主要还是试图建立一种研究白话小说的方法论。他引进了诺思罗普·弗莱的"叙事模式"（根据主要的行为能力分作超常型、常人型、高模仿型、低模仿型和反讽型），以及"单一情节"、"缀合情节"、"上层结构"、"描述"、"展示"、"形式写实主义"等概念。他以这些西方理论概念为依据，确定中国小说的特点与性质。例如他说，在《水浒传》中，写武松的章节自成缀合情节体系，但与其他体系相串联；体系间的总链即偶遇后终成挚友的常见母题；此外，尚有高于并控制缀合情节的组织在焉，它便是上层结构，即英雄聚义、反叛始末。再如，他认为《金瓶梅》采用了单一情节，首次解决了中国小说整体与部分间的矛盾；主要人物虽取自《水浒传》，但其形象全然不同，"大于生活"的武松已被删除，原为反讽型的一些人物升为低模仿型；人物类型的升格，是早期和晚期小说普遍的不同之处，像杜十娘、花魁娘子这样的人物形象，在早期小说里是难以见到的。

　　平行研究是关于实际接触和影响的两国或多国文学的比较，中西文学常常构成它的考察对象。众所周知，中西文学的性质、构成和特点有同有异，研究者或者通过证同，寻求共性，归纳出通则或模式，或者通过辨异，区别并突现两者的个性。第三例即属于重在辨异的一种。普氏对中国话本小说的评价很高，竟然使之跻身于 19 世纪西方现实主义小说的行列。如果此说成立，那么，我们就应该重新考虑这样的问题：在世纪之交和本世纪初叶，中国的小说创作究竟向西方学习了些什么,而且在这一借鉴过程中,我们自己的古典小说究竟起到了什么样的作用。

更重要的是,由于平行研究的考察对象没有实际的历史关联,因此这一研究的重心发生了转移,转到了作品的"文学性"上来。也就是说,它旨在把作品当做作品,而不是当做史料或其他什么来研究。一些文学因素或与文学直接相关的问题,如主题、题材、文类、技巧、风格、神话、文学运动、文学史分期等,成了平行比较的主要内容。这些研究在长期实践以后,大多已获得相对的独立性,从而形成了许多亚类:

平行研究:主题学、文类学、类型学、运动与时期研究、比较诗学

虽然,上述第三例当属比较文类学。经过辨异证同,中西小说遂变得面目清晰,特点突出,使读者加深了对它们的共识。除文类学外,其他亚类均可在国外的中国古典文学研究领域内找到实例,因限于篇幅,我们不能一一举例说明。

比较诗学,尤其是中西比较诗学,是个相当重要的亚类。所谓"诗学",即文学理论;"比较诗学"是关于不同国家文学理论的研究。中西文化乃异质文化,它们所孕育的文学理论呈现着明显的差别,不过也有不少论说表达方式迥异,而内容相同。因此,中西文论的平行比较正广泛引起研究者的兴趣,有人甚至期望建立"共同诗学"。西方学者近来倾向通过中西比较诗学,更好地把握中国传统批评家的观点,以便更深入地了解中国文学。

第四例所体现的移植西方理论以研究中国文学的方法论，尤其值得注意。甚至要这样说，移植西方理论是西方汉学最为引人入胜的范畴之一。根据比较方式，平行研究还可区分出以下类型：

$$
平行研究\begin{cases}直接比较\begin{cases}作品与作品\\理论与理论（即比较诗学）\end{cases}\\间接比较——理论与作品\end{cases}
$$

西方理论是从西方作品归纳、总结出来的，因此西论中用可以说是通过西方理论而构成的中西作品的一种间接比较。我国现代学者如王国维、胡适、闻一多等，曾卓有成效地从事这种实践。建国后在文艺研究中主要运用马克思主义文艺观（它解决了文艺批评中的许多重大问题，但奉行者有时却因而排斥其他文艺理论），直到进入文学新时期，一些青年学者在改革开放的大潮推动下，才重又开始了移西就中的尝试。我们应该看到，西方汉学家因得到时空之便，这种尝试不仅未见中辍，而且规模愈来愈可观。西方大多新兴的理论和方法，如意象研究、诗语分析、神话与原型批评、新批评、结构主义、现象学、符号学、文类学、叙事学、比较文学等，均在中国古典文学研究中派上了用场。它们所提供的新视角，打开了一块块新的天地。作品间和作品内部各组成因素间的一些重要关系，如宏观与微观、系统与单元、内在与外在、局部与整体、意蕴与结构、表层与深层、历时与共时、动态与静态、并置与连续、时间与空间等，均获得了新的透视。这些信息如果反馈过来，当能在我国学术研究中提供有益的借鉴。

五、跨学科研究:扩大学术探索的视野

实例五:德国学者卫德明的《〈天问〉浅论》。

论者说,屈原《天问》是否为壁画题跋的抄录与设问,本是一桩公案,学者们对此一致持否定意见,如"先王庙宇公卿祠堂,何至于在江南野外放逐之地;庙壁祠墙,又何能任意涂写"(刘大杰《中国文学发展史》)。不过,即使持有种种理由可予以否定,也应该问个明白:究竟为何产生了《天问》一诗。他认为,比较宗教学的观点能够帮助解决这一问题。印度诗集《梨俱吠陀》、冰岛诗集《埃达》等均包含涉及宇宙和神话知识的诘问,一方面探讨其内容,一方面探讨其渊源。这些文学类似祭祀仪式上的提问。屈原熟悉故乡的祭祀和神话,就不断地从这个源泉中汲取灵感。这些问题具有宗教性的感染力,好像深深触动了这位身处逆境且忧心忡忡的诗人,他把痛苦的发问与自身的命运联系在一起了①。

实例六:法籍华裔学者程纪贤的《关于中国诗歌语言及其与中国宇宙论关系的几点看法》。

论者认为,在中国传统的宇宙观中,"虚实"、"阴阳"和"天地人"三组概念占据着重要地位。而中国诗歌语言在探索符号世界的奥妙时,总是根据它们来营造自身。语汇层次由"虚实"所决

---

① 卫德明的文章有李世隆的中文译本,载于尹锡康等编《楚辞资料海外编》(武汉,湖北人民出版社,1986年)。

定。词语有虚实之分,雅句应虚实均衡,以使气韵通畅;实词使诗句坚实、肯定,虚词则使之游移,较多暗示。虚词省略会引生歧义,而歧义能够打破句中单一的线性意义,丰富词与词之间的联系,以防止语意变得狭窄。句法层次由"阴阳"所决定。就对仗而言,它表明诗中结构与意义难以用释义法解说清楚。如"行到水穷处,坐看云起时"二句,字面意思很简单。如果两句同时看,就会发现每一对偶组合的隐蔽意义:"行、坐"意味着运动和静止,"到、看"意味着行为和思考。"水、云"意味着宇宙变化,"穷、起"意味着死亡和再生,"处、时"意味着空间和时间。在象征层次,意象组合以"天地人"为根基。"天地人"三者间的关系强化了宇宙的应和观念,而象征意象使维系万物的隐秘关系明朗化。古人用"比"、"兴"来说明这种关系。"比"基本上是从人出发至自然的过程,"兴"则离开自然回归到人。建筑在这两种辞格上的诗行,便组成了自然的动态循环①。

　　跨学科研究也称"科际研究",旨在沟通文学与自然科学、社会科学以及其他艺术间的联系。这一研究的比较对象极为繁杂,广涉数学、物理、哲学、历史、宗教、语言学、社会学等多种学科,和音乐、绘画、雕塑、舞蹈、电影、建筑等多种艺术门类。在它们之间,也构成了多处复杂的关系②,有些则是人为地建立起来的平

---

①程纪贤的文章载于林顺夫和宇文所安(Stephen Owen)编《抒情语吻的活力——汉末至唐代诗歌》(普林斯顿,1986年)。
②孕育关系如宗教是文学的源头之一;媒介关系如文学借语言而表情达意;渗透关系如神话成为文学因素;融合关系如诗剧与音乐结合而成为歌剧;影响关系如音乐给象征派以滋养。

行比较或阐释关系。研究对象的性质决定着研究方法的采用。跨学科研究主要采取如下三种方法:第一种是移植理论,即用其他学科或艺术的理论来阐释文学作品或文学现象(反之,也有移植文学理论而他用者,但较罕见);第二种是平行比较,探讨文学和其他艺术作品或现象间的异同;第三种是事实考证,探讨文学和其他科学、艺术间的种种关系。跨学科的触角已经突破了文学疆界,进入了文化领域,从而使比较文学具备了文化学科的性质。但这并不意味着它已侧重其他学科,而把研究重心放在了文学之外,恰恰相反,它关注的重点仍是文学。

上面引述的两种跨学科研究,是西方汉学领域里的显例。

其实,跨越学科以研究文学的现象无处不在,说先秦文学而及于哲理(如侯思孟的《孔子和中国上古的文学批评》),说民间词而及于法乐(见饶宗颐、戴密微的《敦煌曲》),说咏物词风而及于马夏画派(见林顺夫的《中国抒情传统的转变》)等,本来就是极其自然的事。学科之间既需要建立联系,互相支持,又需要交换视角,互相发明。卫氏的文章从宗教仪式着眼,为探寻《天问》的创作缘起,提供了一种设想;兼之论者从其他的民族文学找来佐证,进而增加了说服力。而程氏的文章,则试图用宇宙观把诗歌创作几个层次的艺术构思统一起来,让人觉察到同属一种文化的各个领域的互相沟通,给人以新颖别致之感。

学科之间有时存在着十分复杂的关系,文学和语言学这两个学科的关系,即是最为复杂又最为密切的一种。现在,试总结于下:(1)媒介关系——文学借助语言而表达;(2)类比关系——法国叙事学家把作品比做语句,认为作品的结构犹如语句的结构;

（3）直接借用关系——将语音学、语法学、语义学、修辞学等直接用于文学研究；（4）间接借用关系——现代语言学为结构主义、符号学等流派的形成打下了理论基础，而这些新兴流派的理论与方法又反过来广泛用于文学研究；（5）交叉关系——一般认为，风格学是介于两者之间而且与两者密切相关的一门学科。有趣的是，在国外（尤其是西方）的汉学研究中，这些关系有的得到了详尽而透彻的剖析，有的得到了鲜明而深刻的反映①。跨学科研究虽然古已有之（如论诗画关系），但及至本世纪经平行学派的倡导迅速发展之后，显然在文坛上已有重大的突破，因而对于扩大学术研究的视野必将起重要的作用。

与周发祥合撰，原载新疆人民出版社 1997 年版《中国古典文学研究回顾与瞻望论文集》，此据万卷出版公司 2010 年版《当代名家学术思想文库·傅璇琮卷》录入，另收入《传统文化与现代化》1993 年第 3 期（题为：海外中国古典文学研究综论）、安徽教育出版社 1998 年版《当代学者自选文库·傅璇琮卷》

---

①参见周发祥《西论的移植：方法与视角》（即将由江苏教育出版社出版）一书中的有关章节。

理性的思索和情感的倾注

——读朱东润先生史传文学随想

一

在老一辈的古典文学研究专家中,朱东润先生是我几十年来一直十分敬佩的一位。读朱先生的著作,总会感到一种人格的力量,又能受到做学问的一种极难得的启示和陶镕,那就是对中国古代的历史,既要有理性的思索,又要有情感的倾注,这样才能使传统的研究蕴含一种"秋冬之际"、"山阴道上"的眷恋情怀,又能有一种"仲春令月,时和气清"的舒朗气息。

朱东润先生的治学面是相当广博的。在先秦时期,他有《诗三百首探故》;两汉魏晋南北朝时期,有《史记考索》、《汉书考索》、《后汉书考索》;唐至清,有关于杜甫、梅尧臣、陆游、元好问、张居正、陈子龙等人的传记;古籍整理方面,有《左传选》、《梅尧臣集编年校注》、《陆游诗选》;在文学批评史方面,有《中国文学批评史大纲》；在小说方面，有《宋话本研究》、《水浒人名考》。我觉得，我们的老一辈学者，做学问的面是很宽阔的，博大与精深，往往是造就大学者两个互为联系的条件。在这方面，朱东润先生的著作和治学道路，是很值得我们深思的，在研究 20 世纪学术史时，我们确实需要从中吸取有益的经验。

朱先生在研究某一领域时，总是先详尽占有资料。我们阅读他的作品，总有一种实学的感觉，觉得他的话是有来头的，不像时下一些好发高论者，总使人有一种"游谈无根"之感。但朱先生治学可贵之处更在于从中表示个人的见解，而这种见解是力求在材料考证和梳理基础上所作的一种拓新。我过去看郭绍虞先生的《中国文学批评史》和罗根泽先生的《中国文学批评史》，都确有所得，它们都有不少材料，可供深入钻研。后来读朱先生的《中国文学批评史大纲》，就突然有一种涉足活水的喜悦，像纪昀、阮元那样学术人物，也列入批评史上来讲，确实拓展了批评史的天地。又譬如我最近才读到《史记考索》等三部书（华东师范大学出版社1996 年 12 月版），我个人认为写得最好的是《后汉书考索》，其中有不少吸引人的新见。如书中认为，范晔与司马迁、班固不同，并不把开国皇帝即写成少有大志，他认为在范《书》里，"光武只是一位逐渐发展而不是少有天授的人物"，又说"光武只是一个很平凡的人，他底成功，也只是平凡人底成功"。书中又肯定王鸣盛的意见，即范《书》里"宰相多无述"，"公卿不见采"，进而论述：在范《书》列传里面，我们看到后汉这一朝各式各样的人物，而不仅看到一群显宦；"换言之，这是一部人物大观，而不是一部缙绅录。这是范《书》底特色，我们也不妨借此估定范《书》底价值。"在《范晔作书的动机》一章,特别提出范晔认为只有儒家,"才能养成这一批担当国家大事死而后已的人物"。又说:范晔所着重之学,"决不是世儒章句之学,以及曲学阿世之学","他所重的,恰是那种把学问见诸事业的人"。这部名为"考索"的著作,却是笔法超脱,思路开阔,十分难得的史评。

我觉得朱先生写书还有一个不大为人注意的,就是他的好几部著作,往往是写成了并不就拿出来,好些是放着,大约是准备再加修改的。如《后汉书考索》写于抗战时期大后方,1942 年,稿成之后,未尝示人,1949 年又重写一过,还是放着;《汉书考索》初稿写于 1951 年,稿本自署"未定稿"。这两部书都一直藏在家中,直至朱先生过世后才得以问世(据朱邦薇同志《后记》)。朱先生对中国古代白话小说颇有研究,但我们过去是不大知道的,只是最近看到复旦大学中文系编、复旦大学出版社出版的《中西学术》(2),和上海古籍出版社 1996 年 12 月出版的《中华文史论丛》(第 55 辑),才得读到《宋话本研究》和《水浒人名考》。这两篇文章都写于 50 年代,材料翔实,但朱先生却一直没有拿出来。这里面可以见出老一辈学者做学问的一种内养功夫,他们自己有一种充实感,就不急于以一二部书来炫耀人。我觉得这倒不必以"淡泊名利"来称誉朱先生,我们自能从中受到学术节操的熏陶。

二

我想,朱先生的书最能吸引人的当是他的几部传记文学著作。这一点是得到当代学人公认的。王运熙先生说："在这方面，朱先生开拓了一个新的研究领域，取得了丰硕成果，值得我们钦佩和学习。"（《道德文章　永留人间》）骆玉明先生明确肯定："朱先生可以说是中国现代传记文学的主要开创者。"（《百年万从事　词气浩纵横》）陈谦豫先生引述朱东润先生自己的话："我的衷心愿望，倒是想当一名忠实的传记文学家"，"到我死后，只要人们说一句：'我国传记文学家朱东润死了！' 我于愿足矣。"（《想当一名忠实的传记文学家》）这些评论道出了当代学人的共识。朱先生在史传文学上留给我们的是一笔丰厚的思想遗产，我们要怀着深挚的感谢之情接受，更要用求索之心研讨。

可以说，朱先生在史传文学方面，早就有一大志，就是如何吸取西方近二三百年来在传记创作上的现代科学精神，以补当时中国本土学术的某些不足，"替中国文学界做一番斩伐荆棘的工作"。朱先生早年留学英国，他在 20 年代即留心阅读西方名人传记，在《张居正大传》的自序中就重点提到鲍斯威尔的《约翰逊博士传》、斯特拉哲的《维多利亚女王传》、莫洛亚的《狄士莱里传》、勃路泰格的名人传等。这几部书，除了《维多利亚女王传》由卞之琳翻译，40 年代初曾在香港商务少量印行，近年又经译者修订，由商务印书馆重印外，其他似尚未有中译本。商务印书馆 90 年代初开始有计划地编印《世界名人传记丛书》，现在已有两批，共 30 种，也还没有朱先生提到的鲍斯威尔、莫洛亚、勃路泰格的书。由此也可见朱先生在英国接触西方原著，时间既早，方面又广。

朱先生确是在史传文学研究和创作上做了不少准备工作。他除了阅读西方作品以外，还系统地研究中国古代各种体裁的传记文学,写了好几篇探讨性论文,如《中国传叙文学与人物》、《传叙文学之前途》、《大慈恩寺三藏法师传述论》、《传叙文学与人格》,并于1942年完成十余万字的专著《八代传叙文学述论》。

经过中西比较研究,朱先生当时得出这样的一种认识,即"在近代的中国,传叙文学的意识,也许不免落后"。具体的说,是:"《史》、《汉》列传底时代过去了,汉魏别传底时代过去了,六朝唐宋墓铭底时代过去了,宋代以后年谱底时代过去了,乃至最进步的著作,如朱子《张魏公行状》、黄榦《朱子行状》底时代也过去了。横在我们面前的,是西方三百年以来传叙文学的进展。"从这里可以看出,朱先生对中国古代传记文学确是下过功夫的,对其发展脉络具有整体的把握。他说"我们对于古人底著作,要认识,要了解,要欣赏"。朱先生并不是那种浅薄的民族虚无主义者,他在这里并非对我国古代史传文学一概否定。如上面提到的《史记考索》、《汉书考索》、《后汉书考索》,就是同一时期写的。他在提到《维多利亚女王传》时,即特别提及这本书"很有《史记》那几篇名著底丰神"。但朱先生认为,时至20世纪中期,我们要从事于传记文学的创作,毕竟不能只简单地仿效过去时代的列传、墓志、年谱、行状。如果不能摆脱过去时代的局限和束缚,那就是"古人支配今人"。朱先生说"我们决不承认由古人支配我们底前途"。我觉得这表现了朱先生一种独立而清醒的学术意识,在现在看来也是富有启发性的。

正如朱先生所说,"世界是整个的,文学是整个的",因此对中西作客观的比较,学习和吸取西方有学术价值的创作成就,这应该是文化学术发展在20世纪的必然趋势。王国维早在本世纪初就说过："异日发扬光大我国之学术者,必兼通世界学术之人,而不在一孔之陋儒。"(《奏定经学科大学文学科大学章程书后》)鲁迅1907年所写的《摩罗诗力说》也说:"国民精神之发扬,与世界识见之广博有所属。"朱先生在传记文学上所作的中西比较,倒是启示我们:研究本国或本民族的文学,必需把目光投向更广泛的领域,要及时吸取国外的新思想新观念,把本国本民族的文学放入世界的大范围中。这应当说已成为本世纪我国好几代学人的共同认识。

三

正如朱先生引佛家语"阅尽他宝,终非己分",他阅读和研究西方著作,只能是一种准备,一种过渡,终不能代替自己的创作,他希望用自己的实践来作一种开拓。于是从40年代开始,就一连串有好几部传记著作送到中国读者的面前,那就是40年代的《张居正大传》、60年代初的《陆游传》、70年代末的《梅尧臣传》、80年代初的《杜甫叙论》、80年代中的《陈子龙和他的时代》,还有尚未发表的《元好问传》,以及"文革"刚结束不久,写于70年代初期而1996年才出版的现代人传记《李方舟传》。

朱先生在传记文学写作中一个很大的开拓,也即对过去列传、墓志、年谱、行状一个明显的突破,就是着重对传主时代的研究,并用极大的篇幅充分展示时代的特色,特别是当时的政治情势,他认为这是传主所据以活动的场所和施展才能的舞台。这应该说也是他对西方著作长处的吸取而表现的理性的思索。

　　张居正是明代中期一位大政治家,在过去的一些中国通史著作中,讲到明万历时期的政治、经济,总要提到他的一条鞭法。但张居正作为一个人,他如何在那一时期的政治舞台上出没,在朱先生写的《张居正大传》以前,还没有人提供一个完整的既是政治家又是一个16世纪中国特殊环境中人物的形象。正如朱先生自己所说,"居正底一生,始终没有得到世人底了解"。而要了解张居正,就必须了解他的生活的时代,以使今天的人们认识到:"他只是张居正,一个受时代陶镕而同时又想陶镕时代底人物。"

　　《张居正大传》就以很大的篇幅,写出那一时期皇帝的专制与昏庸,朝臣的钻营与争斗,表面上的盛世酝酿着一场大乱的爆发,"到处都是谄谀逢迎的风气,政治的措施只能加速全社会底腐化和动摇"。书中说:"这就是张居正出生的时代。"朱先生说:"最困难的是一般人对于时代大局的认识。"我相信,通过《张居正大传》,人们对明代中后期的政治大局会有一个清楚具体的认识,也从而使人们更能了解这一个张居正。

　　《陈子龙及其时代》自序,有一段话很值得回味:"历史是无情的,它能培养人才,也能摧毁人才。当然,我们不是说历史是有意识的起这样的作用,而是说在某个特定时期,人才得到很好成长的环境,或是在某个特定时期,人才不但得不到培养而且会遭到压抑或打击。这是每个学习历史的人所经常遇到的问题。当然,任何人没有坐待时代支配的义务,但是在环境对他的成长不利的时候,即使他尽了最大的努力,有时还会遇到打击或挫伤。可是,一个有志之士,即使遇到不断的挫伤以后,决定不悲观失望、灰颓丧气,他得付出更大的努力,纵使遇到十次的失败,他还得争取第十一次的胜利。"

这篇自序写于 1983 年初,人们不难想见,这一段话是饱含朱先生在"文革"十年所遭受的血泪苦难之情的。但也正由于此,也升华了朱先生对时代的理性思考,而对我们来说,也可更进步体会朱先生在传记文学创作中为什么如此注重于时代的研索和描述。中国古代固然已有"知人论世"之语,但毕竟过于概括,朱先生对此实是一个巨大突破。

也正因此,《陈子龙及其时代》,差不多有一半以上的篇幅写明代后期的政治情势与军事斗争,其中尤其详细铺叙建州卫努尔哈赤几代对明代边镇的侵袭,明统治者在昏庸、专制下所表现的连续失策及至最后覆灭。自序中说:"他(陈子龙)是时代中的人物,他的一生的经历都和他的时代息息相关,因此我在这本作品当中,把他的时代写得比较多一些,这样的写法,在国外是经常见到的,不过在国内,由于数百年来八股文字的传统,可能有人认为离题太远,因此我在书名中特别提到他的时代,表示我对这个传统的正视。"西方的传记确是以较多篇幅记述传主时代的,如法国著名作家安德烈·比利(1882—1962)所写的《狄德罗传》,在书前《告读者》中,就说狄德罗的一生"是符合他的时代,也是为了他的时代",因此作者认为"很有必要给予他曾生活于期间以及他那高贵灵感所激励的社会以一席重要地位"。作者还幽默地声称:"本书如果称为'狄德罗和他的时代'也许过于狂妄,但是,如果称为'狄德罗和他的社会'还是相当合适的吧。"(商务印书馆,1984 年张本译本)这一席话与《陈子龙及其时代》的提法正好是一个巧合,由此也可见出学术上理性思索的相通之处。

在《杜甫叙论》自序中,朱先生说他曾考虑过写一本关于杜甫的比较完整的传记,但多少年来都没有动手,这是因为有些问题需要解决,其中之一即是"李姓王朝和吐蕃王朝、回纥王朝的关系"。在记叙杜甫生活和诗作时,他总是把这三者的关系作为大背景来处理的。他把唐帝国的动乱视为杜甫走向人民的关键。《梅尧臣传》写于"文革"前夕,出版于"文革"刚结束不久,可能也受到政治环境的影响,朱先生写作此书时,更注意作家身世、作品创作与时代的关系,说:"他的丰富而深刻的感情和他的身世存在着密切的联系。倘使我们对于他的时代和身世,没有切实的体会,怎样理解他的作品呢?"(《梅尧臣传》序)也正因此,书中写梅尧臣在任建德县令时,总是关心朝中的政治斗争。后来无论在京中任小官,还是在湖州任地方官,书中总是详细叙述宋与西夏的战争,以及这一战争的胜败如何萦绕这位看似超脱现实的清寒的诗人,使人更为全面地认识梅尧臣。在《陆游传》为陆游的《南园记》、《阅古泉记》作辨析时,也总是联系当时政治,特别是宋金战事,指出陆游是在关心国情的思想指导下与韩侂胄接近的。这些,都是想通过时代大环境来更好地理解人的内心活动。

四

在重视时代把握的同时,朱先生还强调要掌握传主作为历史人物的分寸,既不能过于颂扬,又不应过分要求。"进行创作的时期,对于传主不会不产生热情,但是这些自发的热情,往往会使我们失去应有的衡量";"我们进行批判,也不要忘去传主只是数百年以前的人物,我们不应向古人提出现代的要求"。这是写于1965年4月的《梅尧臣传》自序,那时正处在大动乱的前夕,极"左"思潮已逐步弥漫,朱先生能这样提出自己的看法,确实是很不容易的,表现出极为宝贵的冷静思考与学术良知。

张居正是明代中期有大功的政治家,对他的功绩应该予以充分肯定,但朱先生在书的序言中明确表示:"传叙成为颂扬的文字,便丧失本身的价值。"因此他在叙述张居正的政治生涯时,总是注意当时上层政治斗争的复杂性,在严嵩当权,与徐阶争斗时,张居正的态度有时是暧昧的,他要保护自己。后来徐阶当权,内阁中又有高拱、李春芳等勾心斗角,他更依违其间,因为他是"热恋政权"的。书中说"自隆庆元年入阁以后,直到万历十年身死为止,在这长长的十六年之中,他没有一天不在积极地巩固他底政权,也没有一天曾经放弃他底政权"。这样来看待历史上手操朝政的政治人物,应当说是合乎情理的,因此40年代所提供的这一个张居正形象,到现在还保持鲜活。

卞之琳先生在《维多利亚女王传》中译本重印前言中,提到斯特莱切在这本传记中表露了他对传记写作的看法。书中第七章第三节写到维多利亚女王的丈夫死后,她要臣下为其丈夫一再立传,后来出了几本皇皇巨著,表彰他尽善尽美,但问世后并未产生她所预期的效果:"世人见陈列出来给他们赞叹的人物倒像是道德故事里的糖英雄,而不像有血有肉的同类,耸一耸肩,一笑,或是轻薄的一哼,掉头而去了。"这当给朱先生以深刻的印象,他在

《张居正大传》的序言中虽没有明白提及斯特莱切这段描写，但序中再次强调，如果抱定颂扬传主的宗旨，那末"他们所写的作品，只是一种谀墓的文字，徒然博得遗族底欢心，而丧失文学的价值"。朱先生的几本传记文学作品，总是力求贯彻这一主张的。《陈子龙及其时代》虽然一再表示他要写出陈子龙先是名士，后是志士，最终成为一名斗士，但在自序中仍然提出："子龙是不是有缺点呢？他不是超人，不可能没有缺点的。因为要忠实于传记文学，我没有权利把他写成超人。"也正因此，已经问世的几部传记，传主都是有血有肉，现代的读者也能充分理解的活人。

在谈到朱先生传记文学的写法时，有一个重要之处决不能忽视，那就是书中对话的运用。这是朱先生特有的艺术手法，是现代中国传记文学的一大创新。他在写作《张居正大传》时，就运用得极为纯熟。他说"对话是传叙文学底精神，有了对话，读者便会感觉书中的人物，一一如在目前"。我是有切身体会的。我第一次读《张居正大传》，是在 1948 年，那时我虚岁十六岁，初中三年级，在宁波读书。因为时常向开明书店的《开明少年》投稿，稿费所得即邮购出版社的书。那时我不自量力的函购了《张居正大传》，一捧到厚厚的四百页的大书，实在不敢读，而且也确实读不太懂，但在大篇记述文字和引文之后，忽然出现几句对话，立刻吸引了我，那几句简短而传神的对白，忽然使我接近了那个时代。这种阅读的喜悦感，至今仍印象深切。

可贵的是，朱先生所写的对话，不像时下一些号称传记佳作的书，加油加醋，凭空捏造，以求得广告效应。朱先生是以严肃的学术准则来对待的，他自己说在写《张居正大传》时，"只要是有根据的对话，我是充分利用的，但是我担保没有一句凭空想象的话"。

作为文学性传记，朱先生经常用抒情性的笔调来写，使人得到美的享受。梅尧臣是皖南人，请允许我抄录一段《梅尧臣传》第一章开头的一段：

> 从皖南峄山山脚宛转北向的宛溪，经过宛陵城下，和绩溪东来的句溪合流，带着欢腾的浪花，直奔小阳镇，这时称为水阳江。水阳江浪涛滚滚，过了黄池以后，再会合青弋江，下至芜湖入江。这一大段地区，是自古以来有名的宣城郡。六朝时候，多少豪门贵族、诗人文士都愿意到宣城当一任地方长官，那时称为宣城太守，他们的主要目的，是到这里来，享受这山水胜景。

人们翻开书本，读到这第一段充满诗情画意的文字，是自然而然地会把这山水佳景与梅尧臣的诗歌风格联系起来。

又如《杜甫叙论》在记叙《旅夜书怀》一诗"细草微风岸，危樯独夜舟。星垂平野阔，月涌大江流。名岂文章著，官应老病休。飘飘何所似，天地一沙鸥"时，写道：

> 杜甫已经到了走投无路的时候了。文章也写，诗歌也写，但是在这茫茫一片的江上，向上是灿烂的群星，向下是一江的皓月，可是自己呢，正是走投无路，不知道到哪里去，也实在没有可去的地方。自己是天地间的一只沙鸥，荒寂、孤

独,天地虽大,栖身无所。

这一段真是倾注了朱先生作为学者兼诗人的感情的,不只真切地传达了原诗的情意,而且再创造地显示了特有的艺术美感。

我以为,朱先生的几部传记文学,是有不同的风格的。《张居正大传》以凝重著称,《杜甫叙论》与《陈子龙和他的时代》有一种悲壮的情调,《陆游传》在清丽中带有意气风发,而《梅尧臣传》则确有宋诗风格——淡泊与舒闲。

朱先生的传记作品还有一种神来之笔,那就是在讲述历史时,忽然会把过去的生活拉到现代来,增进人们的时代意识与生活情趣。如《杜甫叙论》第七章讲杜甫在巴蜀因战乱而流徙,东奔西走,非常痛苦,作《严氏溪放歌行》一诗。书中在引了这一首诗后,写道:"在读到这首诗的时候,我仿佛听到近代乐曲里的《二泉映月》。在那首曲子里作者只是凄凉地存在,谱奏他那惨痛的生活。他拉的是二胡,但是在那愁苦的一拉一送之间,活活地把他的生活在两条弦子里抒奏出来。"在谈到杜甫《王命》、《征夫》、《西山》、《遣忧》等诗所写吐蕃军队趁地方军阀混战,因而打开松州的大门,从西山打过来,而内地的军队,自己相杀还忙不过来,更顾不到西边人民的生活,书中又插了这样一段话:"也许有人还记得关东军占领东北的情况吧!'我的家在东北松花江上!'多少中国人民是流着热泪奏这些歌的!一千二百年后又来一次痛苦的歌声!"朱先生这样把历史与现实叠在一起描写,不但并不使人感到生硬勉强,反而加强人们的历史情怀与现实感受。

他有时还援引外国文学名作。在记述杜甫到江陵,为自己的生计不得不对地方长官作违心歌颂时,书中说:"杜甫是不是乐于为此呢？当然不是。对于这样的滑稽悲剧,他是理解的,也是痛恨的,但不是深恶痛绝,他还要靠扮演这幕悲剧吃饭,因此一边是痛恨,一边还要继续扮演,这正如雨果《笑面人》所写的那位主角的独白一样,心上是极端的沉痛,但是脸上还是刻板的喜悦。"这也真是神来之笔。朱先生能达到如此化境,是与他对中外文化的深厚素养分不开的,这也确实激励我们要努力提高自己的文化素质与艺术涵养。

五

末了,我想附带说几句。朱先生确是有儒家风度的学者,一身正气,因此他所选择的传主对象,差不多都是关心国计民生的有为之士。他强调关切现实,拯救危亡,尊崇气节与品格。这都是可以理解的。但可能受特定环境的影响,有时不免太强调某种政治标准。譬如论杜甫《茅屋为秋风所破歌》,诗中的"安得广厦千万间,大庇天下寒士俱欢颜",说杜甫"只是说寒士,不是广大的饥寒交迫的人民",又说这个士"只是骑在人民头上的人,士是可以向上爬的"。又指责杜甫把孩子(村童)诬为"盗贼",因而说:"杜甫只是处在一个阶级社会,他关心的是统治阶级,特别是和他一样的下层的士,而不可能是广大的人民。"这与他把杜甫和李白相比,以杜甫更接近人民而高于李白,看似矛盾,实是一致。朱先生的传记作品,有一种过分重视某种政治参预的倾向,这点如何评价,还可作进一步探讨。

　　听说朱先生对陈寅恪先生写《柳如是别传》不以为然,认为以80万言为一妓女立传,实在不值得。话虽这么说,朱先生还是读过这80万言的著作的。《陈子龙及其时代》末尾曾引述《柳如是别传》第三章的文字(虽然他对陈说并不同意)。陈寅恪先生是详细考述过陈子龙于崇祯年间与柳如是的交往的。据陈先生所考,陈子龙最早在崇祯五年即与柳氏相识,后在松江同居,感情甚深,最终则于崇祯八年秋分离,但此后两人的诗词中仍有深挚的怀念之情。柳如是则因与陈子龙等名士交往,"不仅为卧子之女腻友,亦应认为几社之女社员也";"继经几社名士政论之熏习,其平日天下兴亡匹'妇'有责之观念,固成熟于此时也"(《柳如是别传》第三章,第282页,上海古籍出版社1980年版)。陈、柳交往,对柳如是是一种识见的提高,对陈子龙也是一种诗情的交流。陈子龙的早年生活应该是多方面的,他与柳如是的合与离,也从一个侧面反映明代末期江南士人的生活风习。朱先生的书只以不到一页的文字作了极为一般的交代,陈寅恪先生则以二百多页的篇幅详作疏证,两位先生的看法实有较大的差距,这一学术现象也是可以探讨的。

原载《文学遗产》1997年第5期,此据万卷出版公司2010年版《当代名家学术思想文库·傅璇琮卷》录入,另收入安徽教育出版社1998年版《当代学者自选文库·傅璇琮卷》、首都师范大学出版社2010年版北京社科名家文库《治学清历》

记钱锺书先生的几封书信

最近，浙江文艺出版社寄赠我一本《钱锺书散文》，这是汇编最全的钱锺书先生的散文集。钱先生的散文，连同他的小说《围城》，我在年轻时就爱读的，但由于专业的缘故，我读得最多的还是他的几本学术著作，如《谈艺录》、《管锥编》、《宋诗选注》等。不过这本散文集中收了好几封致友人的书信，却引起了我难以忘却的回忆。

我自 80 年代起就因工作缘故与钱先生常有交往，他先在中华书局出版《管锥编》，后又修订重印《谈艺录》。《管锥编》第五册出版时，由于我们中华书局出版发行工作做得不协调，连钱先生自购的二十本书，出版后三个月，才送去十本，其余十本，虽钱先生屡催，一直未有着落。不得已，他就写信给我，告知此事，却出之以极其幽默的语气："亲故索书如追逋，作者避债未筑台。旷日持久，推诿词穷。足亦必当遭此窘境，当能深体下情。"我接到此信，大吃一惊，马上请有关部门迅速妥善办理，当时内心的歉疚之情至今难忘。

我对钱先生是心仪已久的，但过去长时期总是不敢去拜访他,更不敢贸然写信。直到我的第一部学术专著《唐代诗人丛考》于1980年1月出版后,才偕同中国社科院文学所的沈玉成同窗学友到钱先生家去,把这本书奉送给他。钱先生过后则又特地写了一封信给我,说:"前蒙偕玉成兄枉过,神交二十余年,终获快晤,亦老来一幸事也。顷奉赐《唐代诗人丛考》,急稍披寻,其精审密察,功力更胜于《江西诗派》之仅以渊博出人头地者。君于兹事,殆冠时独步矣。"信中说"神交二十余年",则应当是50年代末、60年代初,那时我还不到三十岁,但仍编有《杨万里范成大研究资料汇编》、《黄庭坚与江西诗派研究资料汇编》。这当给钱先生的印象很深,信中所说的《江西诗派》,即指此而言。由此也可见钱先生对晚辈的提携与扶掖。

钱先生对我年轻时埋头读书、跑图书馆,得以编出这七十余万字的资料书,是很赞赏的。有一次在他家里,他就说:你的这本《江西诗派研究资料》,我是放在身边书架上的;我的《谈艺录》,说的都是古人,提到现代人的,只有两个,一个是吕思勉,一个就是你的这本书。当时我听了脸忽然红了起来,以为钱先生是故意开玩笑。后来我的一本《李德裕年谱》于1984年10月在齐鲁书社出版,因书名由钱先生题写,故出书后我立刻给钱先生送去。钱先生当然还是称赞我,说"足下著作,严密缜栗,搜幽洞隐,有口皆碑,年力方强,撰述必且又新日富也"。同时又提到他曾在口头上说过的话:"拙著428页借大著增重,又416页称吕诚之丈遗著,道及时贤,惟此两处,亦见予之寡陋矣。"此处的"拙著"即《谈艺录》,书中的第428页确实引了我的《黄庭坚与江西诗派研究资料汇编》。接此信,读此数语,我总有一种愧疚之情。

每当我有新出版的书送钱先生,他总是极口赞誉,我心里明白这是前辈勉励督促之意。但钱先生对学术是执着认真,绝不敷衍了事的。80年代中期,北京大学古文献研究所计划编纂《全宋诗》,我曾参与其事。当时大家讨论,认为此书主编非钱先生莫属。于是由我与古文献所所长孙钦善同志到钱先生家去,力请他主持这一大工程。钱先生说得很委婉,但很坚定,说他只能自己写书,绝不出门当主编,更不能挂虚名。当时我们自然很失望,但我心里是真正佩服钱先生这一严谨学风和高洁人品的。

后来《全宋诗》前五册出来,我收到钱先生一封信,可以说是给予严厉的批评。当时钱先生身体已不大好,每天服中药,他说因此而吃不下饭,睡不好觉,说"老病废学"。但他还是仔细翻阅了第一、第二册,举了好几个不该有的错失。这里不妨摘引其中一小段:

> 如唐宋人名句,全集可征,而误读笔记,过信类书,别嫁主名(如卷三范质"大署去酷吏"一联乃杜牧《早秋》五律中联是也);而搜检之诗句,出处未得其朔(如卷三杨朴《村居感兴》引《后村题跋》,然后村明言"放翁跋",盖本之《渭南文集》卷二九《跋杨处士村居感兴》,又《老学庵笔记》卷十有异文,是也);补入断句实已见作者全诗中(如卷四六田锡"秋色⋯⋯"本《浩然斋杂谈》,实已见卷四二田氏《桐江咏》,只一字异,是也);补入一人之断句实已见另一人集中全诗(如卷一〇一补丁谓"子美集开诗世界"据《海录碎事》,实已见卷六五王禹偁《日长简仲咸》,乃传诵之王氏名句,是也)。

我在这里不厌其烦地写录钱先生的这段文字，是为了让读者具体地感受这位大学者对编书做学问的一丝不苟、从严求实，更可以见出钱先生的博识专精：他所举的这几个例子，并不是专门翻书得来的，而完全凭他的记忆，这在当代学者中可说是凤毛麟角了。而在信的最后，他仍以其特有的雅兴写道："自恨昏眼戒读书，寒舍又无书可检，故未能始终厥役，为兄作校对员耳。不足为外人道也。"

有一次，我因读《管锥编》，发现一些引文上的问题，就不自量力地写信给钱先生，却引来钱先生实实在在的自我批评，说：

奉惠函，甚感读书不苟。适以中寒，后患齿疾，遂稽作报，歉仄歉仄！比因就医凿齿易牙，杜门谢事，重寻拙著一、二册，误字漏字固置之，援据疏讹，赏析浅率，已见数十事，愧汗无已。即就《太平广记》卷论之，如660页误以《瀛奎律髓》卷四七作《朱子语类》卷一四〇；744页《唐语林》补遗作"王缙"，虽或作臆改，而刘克庄尚可以自解。此类尚望精博如先生者随时指正，万一重版，得以纠正，不敢掠美也。

读者可以看出，钱先生对他人所编的《全宋诗》之误从实指出，而对于他自己的著作更苛刻要求。这种风度真能使人廉立。

但钱先生一直是幽默处世的。就在这同一封信中，就我提到的一处有关唐人常建诗事，提出不同意见，认为我不懂当时的人情世故，于是风趣地说："先生为人笃实，为学朴至，故不知世之诗人文人虚诞诬妄，先天生性，后天结习，自古已然，至今未改。"于是随手举了两例,一是有位鲁迅研究专家,"未尝得见鲁迅一面,仅通函敬慕而已,今则著文自记曾登鲁门拜访,同去者某某(其人流亡台湾,十年前逝世)"。另一例为:"弟今春在纽约,得见某女士诗词集印本,有自跋,割裂弟三十五年前题画诗中两句,谓为赠彼之作,他年必有书呆子据此而如陈寅恪之考《会真记》者!"后又云:"上月三联书店遣范用同志相访,要弟写《回忆录》,弟敬谢不敏;正因弟虽粗解把笔,而无诗人文人自欺欺人之本领,不宜写自传。一笑。"

有一次钱先生写了他的旧作两诗寄我,还特地附了一封信,说香港一些报纸刊登他的诗,"事先既不征询,事后亦不送阅,大有李铁牛背人吃肉之风"。又提及一些人拿了他的诗,自以为与著者相识,仿作如诗,投寄报刊,因云:"弟向谓自传不可信,回忆录亦不可信,今切身经受,愈觉吾言非要,身外是非谁管得,隔洋听唱×××耳。"

读者可以看出,我所介绍的钱先生的这几封信,真可谓堪与顾炎武《日知录》、钱大昕《十驾斋养新录》比美,又能与《世说新语》、《东坡志林》同调,实乃当世之奇文。

原载 1997 年 12 月 29 日《人民政协报》,此据北京联合出版公司 2013 年版《濡沫集》录入,另收入《新华文摘》1998 年第 5 期、大象出版社 2004 年版《唐宋文史论丛及其他》、北方文艺出版社 2008 年版《书林漫笔》(题无"书"字)、万卷出版公司 2010 年版《当代名家学术思想文库·傅璇琮卷》、首都师范大学出版社 2010 年版北京社科名家文库《治学清历》

"何时一尊酒,重与细论文"

——杂忆《学林漫录》

中华书局曾于 80 年代编辑、出版一套别具一格的学术随笔,共十三集,名曰《学林漫录》。这套书后来未能继续编印,使得文化界、读书界不少人深为惋惜。使人欣慰的是,这十三本书近日将一次性重印,并还有可能再编下去。80 年代末我曾写过《学林漫录琐忆》一文,收于姜德明先生主编的《书香集》(华夏出版社)。最近因整理书箱,发现一些与此有关的信札,故特撰此短文,以抒缅怀之情。

《学林漫录》的具体编辑工作由我和当时古代史编辑室张忱石、文学编辑室许逸民两位同志共同担任的。初集的"编者的话"由我起草,其中说:"不少文史研究者或爱好者,愿意在自己的专业领域内,就平素所感兴趣的问题,以随意漫谈的形式,谈一些意见,抒发一些感想。而不少读者,也希望除了专门论著之外,还可读到学术性、知识性、趣味性相结合的作品,小而言之,可以资谈助,大而言之,也可以扩大知识面,开阔人们的眼界,启发人们的思想,丰富人们的精神生活。《学林漫录》的出版,正是为了适应这样的要求。"1979 年筹备组稿时，我先是向素所敬仰的启功先生求助，他欣然交下两篇，一是《记齐白石先生轶事》，一是《坚净居题跋》。启先生这两篇可以说是代表《学林漫录》的两大部分内容，即一为记述近现代有建树的艺术家、学者、作家事迹，二为包括各种内容的学术漫笔。这些，对不少人来说，都有一种新鲜感。《学林漫录》初集于 1980 年 6 月出版，就在同月 6 日，启功先生即给我一信："陈老纪念文，尚未着笔，本月必交卷。"果然，启先生不几天就把稿子寄来，这就是刊于第二集的《夫子循循然善诱人——陈垣先生诞生百年纪念》一文。

我还保存了谢国桢先生的几封信，其中之一是 1979 年 11 月 6 日写的，说："昨日电谈至快。兹附去拙文两篇，即希审阅后，以当补白如何？"另一信是 1980 年 3 月 24 日写的："《学林漫录》何日问世？亦望示及，无任感盼。"可见谢老对《学林漫录》的出版十分关注。此时，谢老已为八十高龄。他的《说沈涛的著述》一文亦于初集刊出。初集的作者，除了启功、谢国桢两位先生外，还有王永兴、王绍曾、吴小如、王仲荦、周振甫、钱伯城、黄裳、郁贤皓、朱金城、金性尧、陈友琴、杨廷福、蒋天枢、郑逸梅、黄苗子、刘叶秋、舒芜、王利器、刘世德、邓绍基、卞僧慧等，真是名家荟集，美不胜收。

我这里想提出的是，黄裳先生对《学林漫录》特别予以支持。一听说出此书，就把《关于柳如是》一文寄给我（刊于初集）。他写此文时，陈寅恪先生的《柳如是别传》还未出版，黄裳先生当然未能见到，但黄先生的论点，大多与寅恪先生不谋而合，依我私见，有些还较《别传》更为通脱。我曾请他写关于钱谦益一文，他来信说:"承命新题,确亦重要人物,但研究太少,读此翁著作不够,不敢贸然下笔,况陈寅恪先生巨著将出,必于此人有所论列,更宜谨慎也。"但他还是写了明清之际文人的一篇极为精彩的文章(即《鸳湖曲笺证补记》),并在信中说:"曾少读吴梅村,新中国成立后颇有人论梅村诗,惟无较深之看法,至为可惜。此文请指教。"《学林漫录》初集印出后,黄裳先生于同年10月间特地给我一信,说:"刊物印刷装帧皆佳。尊撰'大政方针'极是。近来'正经'学术刊物甚多,然质量殊不足与招牌相符。原因可能是人才廖落,后继者少。鲁迅有言,不妨大家降一级试试看,即试写此种小文,不端架子,反能可有新意。"我想,黄先生这番话,不仅对当时,即使对今天也是值得人们思考的。

《学林漫录》的组稿信发出,不少前辈学者确是"不端架子"而寄赐文章。黄苗子先生于1979年9月间给我一信中说:"前嘱关于《酉阳杂俎》一文,一时尚无法整理。先检附此稿,系从旧笔记中整理出者,送请察阅。"这就是初集中的《画史识微》一文。舒芜先生不但自己撰文,还特地推荐同为"五七战士"的安徽两位学者:吴孟复、程仁卿。令人遗憾的是,程先生一文未及刊出,即已去世,舒芜先生后来信深致惋惜之情。我本想请冯其庸先生写关于无锡国专一文,冯先生于1980年12月来信说:"承惠《漫录》,随手翻阅,觉琳琅满目,美不胜收。"但他解释说他入无锡国专不久即离开参加革命工作,不好写,就谨重推荐上海杨廷福先生写。《漫录》四集刊载了杨廷福、陈左高两位的《无锡国专杂忆》后,引起极大反响,后来九集刊出黄汉文的《无锡国专杂忆补正》,开头说,读了杨、陈两位之文后,"如临故地,如温旧事,如聆师训,如对旧友"。我想，不少学友对此是会有同感的。

　　不少学者的信都对《学林漫录》表示关切之情。如苏仲翔先生信云："特寄上一份博粲，此种体裁，未悉尚合时宜否？如获发表，固所愿也。"陈友琴先生信云："《学林漫录》不知最近有出版消息否？顷缮《李清照及其漱玉词》拙文一篇，请是正。"特别是初集刊载了蒋天枢先生《〈烟屿楼文集·记杭堇甫〉辨证》一文后，他给我来信，说此文原系在复旦大学所作的学术报告，复旦的人不知，又收入学报增刊，他闻讯后急令其抽出，已来不及，特此告知，希望不寄稿费。蒋天枢先生后来还寄来一文（《旧校本〈世说新语〉跋》，七集）。现在重读诸位先生的书札，真有一种"高山仰止"之感。

1997 年 12 月 31 日，写成于年夜。

原载 1998 年 1 月 21 日《中华读书报》，此据首都师范大学出版社 2010 年版北京社科名家文库《治学清历》录入，另收入大象出版社 2004 年版《唐宋文史论丛及其他》

感　召

前些日子听说《叶圣陶文集》已经出版了,想来卷帙一定繁富,可惜无缘拜读。近来因偶然的机会,从我所在单位中华书局的文书档案中,获睹几件叶圣陶先生手迹的复印件,读后受到一种人格与文品的感召,久久不能平静。特记于此,谨以自勉。

从 1958 年起,中华书局即致力于《永乐大典》散佚本的辑集,至 1959 年,已从国内外公私所藏收集到 720 卷。为供学术界研究、观摩,中华书局于该年 9 月选印其中一册,全照原书大小式样,影印仿制出版。这一仿制本前面有一篇出版说明,由编辑部一位同志起草,当时中华书局总编辑金灿然同志即特地将这篇出版说明送请叶圣陶先生修改。

这篇出版说明篇幅不长,大约只有一千二百来字,由 720 字一张的稿纸誊写,共 32 行。使人惊异的是,几乎每一行都有叶老修改的笔迹。叶老修改,每一个虚字、每一个标点都不放过。譬如文中说《永乐大典》"辑入古今图书七、八千种",叶老把"七"字下的顿号删去,并在旁边批注:"此顿号无论如何不能要。"有一句"未毁者几全被劫走",叶老改为"未毁的几乎全被劫走"。原稿

"劫"字写成"刼",叶老特地勾出来,用毛笔正楷写成"劫"。最后一段原稿说:"要说明《永乐大典》这一类型的百科全书,这一册的内容是具有代表性的。"粗看似也说得过去,但被叶老划去了,并特地在文末写了三行字:"一册的内容具有代表性,可以知道全书的体例和规模,我觉得想不通,恐怕一般读者也想不通。因此,代表性的说法不如删去。如果必须保留,就该说得明白些,说明从哪几点可以见出这一册的代表性。"经这几句一点,真使人豁然开朗。

叶先生当时的工作是很忙的。他在给金灿然同志的一封信中说:"我在最近两三个月内,忙碌殊甚,每日上下午非开会即商量文稿,傍晚归来,颓然无复精神。"但他还是对这样一篇极为平常的文稿作那样仔细的审阅和修改,一点"大名人"的架子也没有。

1959 年至 1960 年间,中华书局准备重印朱自清的《经典常谈》。这是朱先生以通俗的笔法介绍古代经典文献的著作,解放前即出版,无论专业研究者还是一般读者,都爱读。这次中华书局重印时,拟请叶老写篇序。由叶老为此书作序,当然是最合适不过的了。中华书局文书档案内保存了叶老为此事给金灿然同志的一封信,信中说:

> 作序之事,非我所宜。您应了解我,古籍云云,我之知识并不超于高中学生。人皆以为我知道什么,我实连常识也谈不上。此一点恐不能叫人相信,以为我谦虚。您与我相识十年,且非泛泛之交,当知我言非虚也。苟我稍有真知灼见,则

佩弦为我之好友,于其遗著,有不肯欣然作序乎? 至希亮詧。

我想,读了这几行信中语,就不必再说什么了。叶老的人品,真如光风霁月,能使人胸中连一点灰渣尘屑也可以去除得干干净净。叶老说他于古籍,其知识并不超于高中学生,因而不敢为朱自清先生的《经典常谈》作序,我相信这是叶老真诚的谦虚,也是真正学者的一种自爱。现在,社会上有些人,被捧为什么"大师",有时却连起码的常识性错误也会在笔端中流出,却颐指气使地训斥别人,对照叶圣陶先生的这几行文字,不知会有什么想法?

原载湖南人民出版社 1997 年版《濡沫集》,此据北京联合出版公司 2013 年版《濡沫集》录入

历史的沉思

最近抽空读了两本有关中国近代史方面的书，一本是晚清容闳的《我在美国和在中国生活的追忆》，一本是美国人 A. 柯文的《在中国发现历史》，副题为"中国中心观在美国的兴起"。这两本书一起读，感到很有意思。不同时代、不同文化背景的两位学人，对中国近代社会所作的认真的思考，倒使我们可以从日常繁琐的事务中稍有超脱，起一种悠然的历史的遐想。

容闳的书原是用英文写的，1909 年在美国出版，商务印书馆于 1915 年出了中译本，取名为《西学东渐记》。这是研究中国近代思想史所必读的书。我最早接触这本书是 1949 年下半年宁波刚解放不久，我还在中学读书，从学校图书馆尘封中捡到这本书。中译本用的是文言文，但接近于林琴南译《茶花女》那种文体，我当时虽是高中一年级，倒是大体上读了下来。解放初对"美帝国主义"的仇恨当然很深，而容闳的这本书却使我知道了美国生活的另一面，但也使我疑惑，觉得像容闳那样眷恋故土，一心希望国家富强的志士仁人，却认为只有西方教育才能救中国，这倒底对不对呢？

现在的中译本是由王蓁同志翻译的,比起原来的译本当然有极大的提高,用现代汉语译也更接近于原作的精神。但不知怎的,我总觉得原来的书名《西学东渐记》似乎更能表达容闳作书时的用意;"西学东渐"这一简单的词组,真能勾勒出那一整个的时代,以及那一时代不少忧国伤时之士的深切情怀和血泪向望。

1828 年容闳出生于澳门以西一个小岛(现属广东省中山市)上的穷苦人家,1839 年进入英国传教士郭施拉夫人创办的学校,后又升入一所英国商人在澳门建立的马礼逊学校。后来容闳随这所学校迁往香港,中间曾因父亲去世,生活困难,辍学在一家印刷厂做工。由于他勤奋向学,刻苦上进,受到学校的重视,遂于1847 年他 16 岁时由马礼逊学校的教师美国人勃朗带到美国学习,并且进入美国第一流学校耶鲁大学。他于 1854 年毕业时面临人生道路的选择。这时他已是美国公民。就在这时,他思想中极可珍贵的火花闪现了,他说:"教育已明显地扩展了我的心灵境界,使我深深感到自身的责任。"他为了求学,远涉重洋,由于勤奋克己终于达到了渴望已久的目的。他真诚地自问:"把所学用在什么地方呢?"

就在这人生道路上的关键时刻,他作了今天使人读了尚为之感奋的决定:"我决定使中国的下一辈人享受与我同样的教育。如此,通过西方教育,中国将得以复兴,变成一个开明、富强的国家。此目的成为我一展雄心大志的引路明灯,我尽一切智慧和精力奔向这个目标。"

容闳始终是一个真诚的人,他的这一番话完全是出于内心,一点虚伪、做作都没有,而且此后他一生就是这么做的。他在当时完全相信美国所代表的西方生活方式与思想远胜于他"无时无刻不渴望她走向富强"的故国。虽然他"无时无刻不在怀念她"，但这样的社会却在在使他失望。他回国以后所接触到的现实，最使他伤心的，是"整个官僚组织千疮百孔，由上到下都行贿成风，美其名为馈赠，实际上就是贪污纳贿"。他认为清朝政府必然走向没落的主要原因，即在于"腐败"，"一切都是交易，出价最高者就可以得标"，"整个机构是一个庞大的欺诈舞弊的组织"。

容闳根据当时的现实，说："中国的历史，和她的文化一样，至少有两千年之久，就像一潭死水，充分表现出陈陈相因的民族特色。"正因此，他在童年时一见到郭施拉夫人，就本能地感觉到："一个全新的世界已经展现在我的面前。"

容闳凭他的英语能力，凭他的学识，回国以后，在洋行中做事，经商致富，是一帆风顺的路。事实上也有人保荐他做买办。但他终于谢绝，说："买办固然是个赚钱的好差事，但终归奴仆性质。"他在回国后曾对他母亲说过，"大学教育的价值远超过金钱"。而后来在不同职务中，他总是把这一信念牢记心中："至少有一个中国人是把洁白的名誉和诚实的品格看得比金钱更重。"

正因如此，他不屈不挠地努力，说服曾国藩和其他一些实权人物，争取向美国派遣留学生。当清朝廷根据容闳的建议，决定分批向美国派遣12至14岁120名学生时，真使容闳感奋不已，竟高呼"在中国历史上开创了一个新纪元"。他天真地以为，这样一来，可以"从而建立起以西方文明为基础的东方文明，使旧中国变为新中国"。

近代社会确有不少人是主张向西方学习的，但多数着重于兴工厂、办洋务、开宪政，等等，只有少数人着眼于教育。第一个出使于英国的郭嵩焘，根据其亲身经历，曾说"英国富强之业一出于学问"，而西方之所以强盛，"其源皆在学校"。严复也认为西方之所以强大，乃在于"——皆本之学术"（《严复集》第 11 页，中华书局版）。曾参加变法维新而被革职的诗人陈三立，在一篇传记中，转述传主的话，"以为富强之术，宜专教育人材"（《散原精舍文集》卷二）。

但结果怎样呢？容闳所极力主张的向美国派遣的留学生，终因官场的倾轧，封建当权派的无知与偏执，未到年限即被中途召回，这批学生遂即也就星流云散。

容闳毕生所追求的事业是以失败而告终的。现在看来，在他那个时代，那个社会，这种失败是必然的，而且也是最平常不过的了。现在问题是，他的那套想法究竟对不对呢？他的那套教育设想，即"将西方教育与东方文化交融在一起"，并以为这是"使中国走向改革和复兴的最适宜的办法"，到底有没有价值呢？

似乎是来回答这个问题，本世纪 80 年代初美国一位研究中国史的专家 A. 柯文写了一本《在中国发现历史》，以极富思辨色彩的文笔来回答应当怎样看待近代中国发展的走向，决定中国发展走向的到底是哪一种力量。

对中国读者来说，这本书确有两方面的价值，一方面它较全面地介绍了战后美国研究中国近代史的一些代表学者，他们治学的方法、成果和趋向；另一方面作者明确地提出了"中国中心观"，并对其他有关的论点进行分析和批评，这对我们进一步认识中国近代社会发展中西方的影响有极大的参照作用。

柯文以整整三章的篇幅分别论述和批判了三种西方中心的模式,这三种模式分别为"冲击—回应"模式,"传统—近代"模式,帝国主义模式。它们的具体内容有所不同,但它们有一个共同点,即是认为,中国社会内部是始终不可能产生近代工业化的前提条件的,只有西方入侵,才引起中国社会内部的变化。此书第二章一开头,即用形象的语言来表述这三种模式的共同主张:"一个停滞不前、沉睡不醒的中国,等待着充满活力、满载历史变化的西方,把它从无历史变化的不幸状态中拯救出来。"作者在另一处说,美国历史学界,直到二次大战后的五六十年代,仍然本着"从19世纪继承下来的一整套假设",那就是:"认为中国是野蛮的,西方是文明的;中国是静态的,西方是动态的;中国无力自己产生变化,因此需要外力冲击,促使它产生巨变;而且只有西方才能带来这种外力;最后认为随着西方的入侵,'传统'中国社会必然让位于一个新的'近代'中国,一个按照西方形象塑造的中国。"

作者是对美国同行所作的批判,但读了这些文句,却使人感到美国史学界自我批评的勇气;正因能这样正视自己,不隐讳自身的短处,才有真正的活力。

其实,作者认为三种模式是美国学者的"一整套假设",也不尽然。上面说过,像容闳这样赤诚为报效祖国而奔走呼号的中国读书人,即坦诚地主张"以西方文明为基础"来建立"东方文明"的。他认为这样才能"使旧中国变为新中国"。他在甲午中日战争后,曾向张之洞建议,一方面要聘请外国人士在外交部、陆军部、海军部和财政部担任顾问;另一方面还可挑选一些青年有为的学生在这些外人手下工作。容闳天真地以为"这样可以使政府根据西方方式改造中国的行政机构,使他们根据西方的原则和概念进行改革"。

可见,这所谓西方模式,确实并非美国人的假设,而是 19 世纪一批中国知识阶层的真诚的追求。当然,历史的进程到底也证明这些都不过是美丽的幻想。

柯文的"中国中心观"有好几处,最主要的一点是:"从中国而不是从西方着手来研究中国历史,并尽量采取内部的(即中国的)而不是外部的(即西方的)准绳来决定中国历史哪些现象具有历史重要性。"

这种说法,在我们今天看来,似乎算不上什么新鲜和深刻。我们会说,我们不是老早就这么看的吗? 但我想,一种认识,看起来似乎再简单明白不过的了,认为人人都能理解的,但在某个特定时期,就会硬是不被承认,直至那一时期过去,人们迎来另一时代环境,回头一看,才明白原来早就应该如此。我们自己的经历,譬如"文革"时期的一些提法、做法,事后回想,不也正是如此吗?

时代决定意识。美国史学界的中国中心观的这种趋向,反映了二战后整个西方社会发展的一种新情况。随着民族运动的兴起,第三世界的力量与作用日益明显。过去,西方总是以自己为核心来看待他种文化,把西方的经验看作是所有国家、民族走向现代化的普遍道路。战后资本主义世界的各种矛盾,在美国特别是越战后对社会心理所造成的震动,迫使他们中的一部分有识之士,从自造的文化囚笼中走了出来,使他们看到了一个在自身之外的广大世界,使他们感到这一块世界确有他们所不及之处,于是,西方中心论就在烂熟了的西方文化体系中日趋瓦解。第三世界文化创造的被认识，这应该是本世纪后 50 年世界文化新进展的一大标志。

实事求是地说，柯文的"中国中心观"，在这本书的正面阐述中还不是很充分的，有些地方又稍嫌枝节、散漫。但是，任何一本历史书都不可能解决它所面对的历史时期的所有问题，正好像我们不能要求一个历史人物来解决他所面对的所有社会问题一样。主要应看他怎样提出问题。容闳在 19 世纪腐朽没落的封建末世，提出向西方学习，要用西方资本主义的教育来造就新一代的读书人，这虽然是空想，却可以给人以启示。柯文在当前整个世界文化的转型期，提出不能以西方模式套用非西方民族的历史，要重视各民族自身的传统，这看起来与容闳的想法正好相反，但也仍给人以有意义的思索。历史就是这样使人们在沉思中提高自己的。

原载湖南人民出版社 1997 年版《濡沫集》，此据北京联合出版公司 2013 年版《濡沫集》录入

卢文弨与《四库全书》

乍一看，这个题目很怪，读者可能发问，卢文弨与《四库全书》有什么关系？

卢文弨与《四库全书》确实没有什么关系。问题出在：前一阵子文史学界似乎有一股《四库》热，炒清朝所修的《四库全书》做文章。有某一位大学问家，讥斥别人不读书、不查书，说乾隆时修《四库全书》，集中了全国学者几千人，随后举了几个人名，其中有卢文弨。这位学问家的说法，引起了一些人的议论，《中华读书报》今年 6 月 21 日陈四益先生《读书真不易》一文曾有所驳正。不过我想，卢文弨也是清朝一位大学问家，名气不小，请他参加修《四库全书》，总不至于信口而谈吧。这些年来自己看书作文，养成了一种不好的考据癖，不免查些书，随即写下了这篇读书心得。

我先查了《四库全书总目》前面所刊乾隆四十七年七月开列的所谓"办理《四库全书》在事诸臣职名"。这是《四库全书》修成以后历次参与其事的总名单，一共 330 人，这里有只领空衔的皇子，有管理行政的大臣，真正修书的学者不过一半左右，所谓几千人,不知语从何来? 而在这一长串的名单中,独独没有卢文弨。这难道是当时搞名单的人把他漏掉了? 那末为什么竟没有人提出加以纠正呢?

我于是书性大发,把卢文弨的《抱经堂文集》二十四卷,冒着酷暑,翻阅了一遍。又连类而及,查核了与卢同时的几个学者的集子,如翁方纲的《复初斋文集》,段玉裁的《经韵楼集》,臧庸的《拜经堂文集》,吴骞的《愚谷文存》,以及《清史稿》、《清史列传》,终可以下一断语,即:卢文弨虽生活在乾隆盛世,并且与《四库》馆中学人如戴震、王念孙、翁方纲、谢墉等都有交往,但他自己却确确实实没有进入过《四库全书》馆,始终未参与其事。

翁方纲是有名的金石学家和文论家,段玉裁是有名的小学家,臧、吴二人自称是卢的学生,他们于经学史学都极有根柢。翁、段写有卢的墓志,臧写有卢的行状,吴则为《抱经堂集》作序。概括诸人所述,卢的生平大致是:

卢文弨字绍弓,浙江杭州人。生于清康熙五十六年(1717),乾隆十七年,以一甲第三人成进士。按当时制度,一甲前三名即可授翰林院编修。二十九年,升翰林院侍读学士。三十年,充广东乡试正考官。三十一年,会试同考官,提督湖南学政。过了两年,不知怎的,他忽然对学政发表一些意见,不合朝中某些人的心意,竟被"降调还都"。于是第二年,他就索性辞官回杭州。吴骞说得很明确:"俄因言事,议左迁。旋请养归,遂不复出,林居余二十年。"

卢文弨是乾隆三十四年辞官归里的,"林居余二十年",则至少已是乾隆五十四年。而《四库全书》开始修纂，是在三十七年，至四十七年大致完成。这就是说，在这十年中，卢文弨都不在北京。

那么卢文弨这些年在做些什么呢？传记资料表明，他这些年历主钟山、崇文、紫阳、晋阳等书院，一边讲课，一边校书，完全是自己做学问。这从他的文集中也可得到证实。为避免繁琐，我不一一举其文章的卷第、篇名，大致是：乾隆三十八年至四十二年，在金陵（南京）钟山书院，四十三年至四十五年，在杭州崇文、紫阳书院，四十六、四十七年，在太原晋阳书院。这些，都可从其所作序跋题记中找到根据。

卢文弨一般不讲大理论，不像有些学问家动辄以宏观阔论惊世骇俗。他一生埋头校勘群籍。他自己说："余今年七十有六矣，目眵神昏，而复自力为此亦不专望于子孙，第使古人之遗编完善，悉复其旧，俾后之学者亦获得见完书。"这样的工作，恐怕要被一些人瞧不起的，认为坐图书馆、藏书楼，搞搞目录版本，算不上什么学问。但历史是最好的见证人，卢文弨一生校定的古籍，镂版行世的如《经典释文》、《逸周书》、《贾谊新书》、《春秋繁露》等等，都是流传不衰的佳书，他的《群书拾补》，其精审的校勘更是某些浮言空论所不能望其项背的。

古人说：学术乃天下之公器。学术上之是非，只能靠实实在在的工夫才能辨析，绝非一时意气之盛所能取胜。写至此，忽然想到《南齐书·王僧虔传》所引王僧虔诫子书中的几句话，姑引于此，借以作结："汝开《老子》卷头五尺许，未知辅嗣（王弼）何所道，平叔（何晏）何所说，马（融）、郑（玄）何所异，《指》《例》何所明,而便盛于麈尾,自呼谈士,此最险事!"

原载湖南人民出版社 1997 年版《濡沫集》,此据北京联合出
版公司 2013 年版《濡沫集》录入,另收入北方文艺出版社
2008 年版《书林漫笔》

热中求冷

　　《中国文化报》的编辑陆璐,写信给我,说她负责的"文化生活"版近期内新开辟"人生旋律"栏目,要我写一篇短文。一见"人生旋律"四字,不知怎地,就忽然联想起目下所谓"潇洒走一回"的时髦语。我从1958年开始就一直做编辑,每天无非是伏案看书,执笔改稿,而且做的又是古籍编辑,面对的无非是圈圈点点,早已被人讥嘲为"饾饤之学"。这样的生活,实在无"旋律"可言,因此苦于无从下笔,不敢交稿。

　　但年岁毕竟大了,可能是人生通病,年纪越大,越爱回头看,觉得有些事,细嚼起来倒还有味道。这样,慢慢地也领悟出人生经历中的一些道理。

　　我于1955年在北京大学中文系毕业后,即留校做助教。开头几年似乎过得还不错。正好碰上所谓"向科学进军",又所谓"风华正茂",年轻人在一起,颇有点"指点江山"的劲头,头脑发热。忽然,1958年初通知我,说因1957年夏中文系几个人想搞同仁刊物,我也在内,就补划我为右派。随即从北大贬出,到商务印书馆当编辑。

到商务那会儿，也不过是二十五六岁的青年，但那时自我感觉似乎忽然已入中年。那时商务在北总布胡同 10 号，整个布局由几个四合院组成。我所在的古籍编辑室，正好是北屋西头，面对的是一个颇为典雅幽静的小院子。室主任吴泽炎先生打算在由云龙旧编的基础上重编《越缦堂读书记》，他可能觉得需要一个助手，也或许看我刚被从大学贬出，得收收心，就叫我帮他做这一项事，步骤是将由云龙的旧编断句改成新式标点，并再从李慈铭的日记中补辑旧编所漏收的部分。

　　李慈铭也可算是我的乡先辈，小时读《孽海花》，对书中所写的他那种故作清高的名士派头，感到可笑，但对他的认识也仅此而已。现在是把读他的日记当作一件正经工作来做，对这位近代中国士大夫颇具代表性的人物及其坎坷遭遇了解稍多，竟不免产生某种同情。我是住集体宿舍的，住所就在办公室后面一排较矮的平房，起居十分方便。一下班，有家的人都走了，我就搬出一张藤椅，坐在廊下，面对院中满栽的牡丹、月季花，就着斜阳余晖，手执一卷白天尚未看完的线装本《越缦堂日记》，一面浏览其在京中的行踪，一面细阅其所读的包括经史子集各类杂书，并在有关处夹入纸条，预备第二天上班时抄录。真有陶渊明"时还读我书"的韵味，差一点忘了自己罪人的身份。

　　那时商务总编是陈翰伯。他也是文人，对像我这样的人似乎不放在心上，有点听之任之的味道。在商务只几个月，后来改入中华书局。商务那段短暂而悠闲的生活，算是"此情可待成追忆"（李商隐《锦瑟》语）了。这种"热中求冷"，或许也可算是"人生旋律"吧。

1958 年 7 月到中华书局，马上转入纷繁紧迫的编书生涯。刚到中华，在文学编辑室，即碰到新编唐诗三百首。在 1958 年的大浪潮中，对古人一切都要推倒重来，说是乾隆年间蘅塘退士的《唐诗三百首》，美化封建社会，毒素很大，我们要新编一本三百首来加以消毒。于是反其道而行之，要揭露其黑暗面，重点收录所谓民间谣谚，及相传为黄巢的反诗，再加上白居易、杜荀鹤等反映民生疾苦的作品。不只选诗，还要在注中表现批判的观点。我从北大出来，总算学过一些新理论，就把我作为主要劳力，晚上加班，星期天上班，赶在当年国庆节前出书。那时编辑室一位副主任，自称"三八式"干部，解放前曾在邓拓同志手下做过事，有老交情，于是就请邓拓当顾问，请他阅稿，又请他写"前言"。当时大家都洋洋自得，认为牌子硬，书一出来，马上向上级献礼，真是热昏了头。

殊不料福兮祸所伏，1966 年上半年批"三家村"，把《新编唐诗三百首》也端出来了，说是邓拓借选诗，把唐诗中描写黑暗的作品大量选入，是借此攻击大跃进、总路线，把一个好端端的新中国描绘得暗无天日，一塌糊涂。那时我正好在河南安阳农村搞"四清"，春夜寂静时，读到《人民日报》的这一揭批文章，真是目瞪口呆。因为我是参与者，知道诗是编辑室内的人选的，只不过选后给邓拓看看，怎么忽然变成邓拓选的了，而且是邓拓借此而作为反党反社会主义的工具。我一看就知道，这篇文章的作者是谁，他是明白前后过程的，但却要曲意为此。安阳是殷墟的旧地，甲骨文是我们文明的老祖宗，我倚伏于中原大地上一家农舍昏微的灯光下，面对这篇檄文，真感慨于我们古老的历史传统中一种可怕阴森的东西。

　　人生旋律中热、冷两方面，确可以来回转换，关键是自己如何把握。限于篇幅，不得不打住了。临了，还想说一点，1969 年至1973 年我随文化部到湖北咸宁"五七"干校，最后一二年，人走得差不多了，由热转冷，劳动战地变成休闲场所，晚饭后我有时找萧乾、楼适夷诸先生聊天，后即转入屋内，点起煤油灯看书。咸宁地处楚泽，广漠的平野常见大湖返照落日的奇彩。晚间我遥望窗外，月光下的远山平湖，仿佛看到这屈子行吟的故土总有一些先行者上下求索而悲苦憔悴的影子。这时心也就渐渐平静下来，埋首于眼前友人从远地寄来的旧书中。

　　　　原载湖南人民出版社 1997 年版《濡沫集》，此据北京联合出版公司 2013 年版《濡沫集》录入，另收入北方文艺出版社2008 年版《书林漫笔》

张清华《韩学研究》序

　　河南省社科院文学研究所张清华先生自 80 年代中以来，即以主要精力投入于韩愈研究。除了专题论文外，于 1987 年完成五十余万字的《韩愈诗文评注》（中州古籍出版社）。1992 年 4 月，在河南孟州召开"韩愈国际学术研讨会"，并成立中国唐代文学学会韩愈研究会，张清华先生被推举为副会长兼秘书长；会后计划编印《韩愈研究》（第一辑），为出版此书，清华先生又不顾疲累，奔波操劳。而在这期间，他又超然于仕途，沉潜于书斋，对韩愈进行全面的研究，终于又撰成这部约七八十万字的《韩学研究》，由江苏教育出版社出版。这十余年来，清华先生于韩愈研究事业，不论是在学会的操作上，还是在学术的研讨上，其功不可没，是有目共睹的。

　　《韩学研究》一书，于韩愈的生平、思想、学术、文学，以及对后世的影响，论述得非常全面。全书分上、下两册。上册为"韩愈通论"，分上、下两编，上编论思想，又分列哲学思想、政治思想、文学思想、教育思想、伦理观念与道德情操等；下编论文学，又分列韩愈与古文运动、散文、诗三节。下册为"韩愈年谱汇证"，每一年之下分为"时事"、"文坛述要"、"韩愈事迹",以辑集文献资料为主,间有考证。书的最后,则有孟州韩愈博物馆尚振明先生整理的"韩愈家谱",及韩愈后裔所撰的"韩氏家乘考"、"韩文公后裔家族世系表"等。近十余年来,有关韩愈的研究论著,已出版不少,但就范围之广,论述之全,材料之齐来说,这部《韩学研究》可以说是较为突出的。清华先生在书中还吸取了前人和时贤的不少研究成果,并不时出以新见,材料扎实,议论通达,这样的治学风尚,在目前是很值得倡导的。

书名《韩学研究》,特标出"韩学"二字,我觉得很有意思。在我的印象中,正式提出"韩学"这一学术概念,并予以科学解释的,是撰写于本世纪50年代初陈寅恪先生的《论韩愈》一文。陈先生文章的第一段虽然还把韩愈定在"唐代文化史"的"特殊地位"上,但在具体评论中是超出唐代一朝的范围的。文章的最后一段话很值得我们思考:

> 综括言之,唐代之史可分前后两期,前期结束南北朝相承之旧局面,后期开启赵宋以降之新局面,关于社会政治经济者如此,关于文化学术者亦莫不如此。退之者,唐代文化学术史上承先启后转旧为新关捩点之人物也。

以中国封建王朝的体系而论,唐朝是一个独立的时期,但从整个社会经济、政治、思想、文化的发展来说,唐朝确实可分为两个阶段:前一阶段是结束南北朝的分裂局面,建立统一的国家,无论经济、政治等都有新的开创,但这种开创大抵仍属于中古社会时期;后一阶段则不同,它的各方面都能与宋以后相连,它已进入封建社会的后期,各方面都发生新的变化。韩愈正是生活在中唐这个前后转换的关键时刻,他既适应时代的变化,提出符合当时社会要求的各种主张,而又以其睿智的历史眼光,在哲学思想、文学创作等方面,作系统拓新之举,"开启来学"。陈寅恪先生认为在同辈文士中,官位有比他高的,名声有比他大的,但以整体成就能"不绝于世"来说,是无人能与他相比的,所谓"诚不可同年而语"。这不只是同辈,即以唐代前后期来说,以文学而论,在此之前如李白、杜甫,在此之后如李商隐、杜牧,都有突出的成就,有些方面还超出于韩愈,但他们的成就只是在某一方面(如诗歌),韩愈则在诗、文、哲学、伦理、教育等都有"承先启后、转旧为新"的历史贡献,这就很不一样。应当说,在文化学术史上,像韩愈这样的人物,是不多见的。尽管在历史上,对韩愈有褒有贬,争论不一,但其历史地位是客观存在的。而且,正因为有褒有贬,议论不休,更可证明他是一个有历史影响的人物。

陈寅恪先生从六个方面论述韩愈的历史文化贡献:

一曰:建立道统,证明传授之渊源;

二曰:直指人伦,扫除章句之繁琐;

三曰:排斥佛老,匡救政俗之弊害;

四曰:呵诋释迦,申明夷夏之大防;

五曰:改进文体,广收宣传之效用;

六曰:奖掖后进,期望学说之流传。

这六个方面的提法和具体阐释,我们今天仍可从学术角度,进行探讨,但陈寅恪先生有一个说法是极为坚定的,他认为韩愈的地位价值是如此重要，"而千年以来论退之者似尚未能窥其蕴奥"。之所以如此，依我的私见，一是过去还没有如《论韩愈》那样，对韩愈的文化、学术成就作多方面的整体探讨，而只是从某一方面，即只是从儒学、思想、政治、教育、诗文等作单线的研究；二是过去的研究缺乏历史贯串，特别是像陈先生所指出的，韩愈一方面总括儒家道统之说，而一方面又"开启宋代新儒学家治经之途径"，这后一点尤其重要。

我认为，正因为如此，根据本世纪以来，特别是近二十年以来我国的学术发展，在韩愈研究上，是应该提出建立"韩学"的时候了。这将促使我们对韩愈的研究从两个方面开展：一是整体把握，二是历史演绎。我们不能把韩愈的思想仅局限于儒家范围，韩愈自己就说过："余以为辩生于末学，各务售其师之说，非二师之道本然也。孔子必用墨子，墨子必用孔子，不相用，不足为孔墨。"（《读墨子》）这几句话曾受到程颐、朱熹的非议，我们今天看来，这应当显示出韩愈的一种大家气派。更有甚者，在《送孟东野序》中提出"物不得其平则鸣"的著名论断，而所举"善鸣者"，除伊尹、周公、孔子是"鸣之善者也"外，还提到杨朱、墨翟、管、晏、老、庄、申、韩、张（仪）、苏（秦）。可见韩愈一方面承认儒家道统，所谓"建立道统，证明传授之渊源"，但同时并不为正统所囿，这是他所以能启示后学的一个很重要因素。我们今天研究韩愈，也当开拓视野，从整体来对这位大学者、大思想家、大文学家作学术史的探索。韩愈是有不少名言的，除了人们所熟知的以外，其他如："取其一不责其二，即其新不究其旧"；"贤不肖存乎己，贵与贱、祸与福存乎天，名声之善恶存乎人"；"文章之作，恒发于羁旅草野"；

"仆少好学问，自五经之外，百氏之书，未有闻而不求，得而不观者"，等等，都很值得在 20 世纪学术发展的高度，作新的科学的诠释。因此，我认为，"韩学"的建立，对于我们今天来说，可以说适其时也。

目下，在舆论界，确有一种趋时之风，即建立什么张、王、李、赵等学之类。我们现在提出"韩学"，完全是出于学术史研究的实际需要，是一种严肃的学术要求。当然，韩学具体包括哪些内容，如何进行，根据目前学界情况，可以作哪些分工，等等，这完全可以如实讨论。我相信，这在我们唐代文学界，特别是在韩愈研究者中，是完全可以做到的。

由张清华先生的《韩学研究》，想到"韩学"的问题，谨借此陈述一些不成熟的意见，仿陈寅恪先生《论韩愈》一文的结语："以求当世论文治史者之教正。"

1998 年元月 9 日，

北京丰台六里桥寓所

原载江苏教育出版社 1998 年版《韩学研究》，此据大象出版社 2008 年版《学林清话》录入，另收入京华出版社 1999 年版《唐诗论学丛稿》

《唐宋八大家文钞校注集评》序

　　《唐宋八大家文钞校注集评》是由陕西师范大学中文系高海夫教授任主编，并邀约西北大学、陕西师大、三秦出版社等单位二十余位学者共同合作，经过五六年的辛勤劳作，终于完成字数近六百万、颇具规模的古籍新注本。令人惋惜的是，当各位学者初稿写就、统一定稿之际，高海夫先生不幸以病去世（1997 年元月17 日）。现在这部大书即将出版，执行主编薛瑞生、淡懿诚以及参与定稿的阎琦同志，希望我为此书写一序言。我与高海夫先生交往不多，只在过去召开唐代文学会议时见过几次面，但从高先生的著作中，从与他的弟子接触中，我觉得高先生治学严谨而通达，处世执着而淡泊。这在此书的校注风格中也有所体现。为怀念这位于此书有开创之功的学者，也为向读者介绍这部数百万字大书的特色，我也就勉力著笔，虽然我深知实不副所望。

　　首先，我认为将《唐宋八大家文钞》介绍给今天的读者，以了解我国古代散文发展的一个高峰成就，是选择确当的。《唐宋八大家文钞》的编撰者茅坤（1515—1601）是明中叶时人，在他之前，在明代文坛上有所谓秦汉派，也就是李梦阳等人为代表的明七子，他们主张文必秦汉，诗必盛唐，"西京而后，作者勿论矣"，"文自西京、诗自天宝而下，俱无足观"。面对这种风气，唐顺之、茅坤等人则大力提倡唐宋古文。唐顺之曾选取韩愈、柳宗元、欧阳修、王安石、曾巩、苏洵、苏轼、苏辙八家之文，辑为《文编》一书，共六十四卷。而茅坤在此基础上，更为扩展，选辑韩愈文十六卷，柳宗元文十二卷，欧阳修文三十二卷，王安石文十六卷，曾巩文十卷，苏洵文十卷，苏轼文二十八卷，苏辙文二十卷，共一百四十四卷。这样做，不但表现了茅坤对中国散文发展的历史眼光，而且为当时及此后散文创作提供了明确的创作范例。这部书，明清时也曾有人对其中的缺失提出批评，如王夫之、黄宗羲、纪昀等，但纪昀于《四库全书总目提要》的一段评语，在今天看来也还不失为公允之论："然八家集浩博，学者遍读为难，书肆选本，又漏略过甚，坤所选录，尚得烦简之中。集中评语，虽所见未深，而亦足为初学者之门径，一二百年以来，家弦户诵，固亦有由矣。"《明史·茅坤传》也说："其书盛行海内，乡里小生无不知茅鹿门者。"

明清时期，城市的商品生产已很发达，但书籍终究是一种独特的文化现象，有其自身的规律，这就是它本身的价值。明代后期，有些书印数很多，市场很大，特别是一些艳情小说及科场习作，往往板刻盛行，风行一时。但曾几何时，不少书也就灰飞烟灭。只有本身有文化内涵的，才能在历史上站得住脚。《唐宋八大家文钞》之所以广为乡里小生所知，盛行海内，家弦户诵，确有其本身的因素。

关于唐宋这八位大家的散文成就，高海夫先生的前言已有论列，不少文学史著作也多谈到，我在这里就不再复述。我个人以为,《唐宋八大家文钞》之所以在历史上能站得住,一是作家选得准确,二是作品选得完实。唐宋两代散文,除了这八位作家外,确实还有不少有成就者,如唐前期的王勃、李白、李华、萧颖士、独孤及,中期的陆贽、裴度、权德舆,中晚期的李德裕、陆龟蒙、皮日休、罗隐;宋代则更多,特别是南宋,散文及四六文体均甚有特色。但真正要选取散文的创作能反映时代生活、表现其整体成就的,这韩、柳、欧、王、曾、三苏是无可替代的。这也就是自这部《文钞》问世后,唐宋八大家从此在历史上成为中国古代散文总体代表的一个重要原因。另外,此书所选这八位作家的文章,篇数应该说是相当多的,清《四库提要》说烦简适中,实际上自明以来,直到现在,在散文选本中,还没有一部在数量上超过这部《文钞》的。即使单个作家的选集,我们现在编《韩愈文选》,能有十六卷,编《欧阳修文选》,能有三十二卷,编《苏轼文选》,能有二十八卷的吗?而且所选的作品,除一般抒情记事的艺术性文章外,还包括奏议、书状、志铭、表札、制文等政治性、实用性文字,这是符合我国传统的散文范围的,也就是现在所说的"大散文"。这就是说,此书不但篇数多,而且样式全,我们有此一编,就能了解我国散文最发达时期的各种体式的文章。

从古籍整理的角度来看,这部书的注释是很有特色的。我认为特别要提出的,是一种难得的下苦功夫的精神。据说在撰写之初,高先生对参加校注者就要求很高很严,并亲自执笔写出例稿以示范。成稿之后,高先生已在病中,仍强支病体初审以过。正当准备精审时,昊天不仁,却强使他久卧病榻。弥留之际,对家事无所甚嘱,却念念不忘此书,留下"要反复修改,精益求精"的遗言。至不能言，仍掐指以数，于八而止，终于赍志而没。这种痴于学术，为学术事业死不瞑目的精神，是令人听之动容的。此后为完成先生遗命，执行主编薛瑞生、淡懿诚又会同阎琦对全稿再次通审，毅然决定将其中数十卷推倒重来，进行精修细改，这不由使人联想到海尔集团当着全体职工的面挥泪砸毁了自己不合格产品的做法，其精品意识是显而易见的。经过编者与作者年余的日夜辛劳，这部书终于修定成帙，付梓出版了。我不敢说这部大书就是精品，这个结论要众多专家与读者来下，还要经过时间的筛选与检验。但在目前古书重印，今注今译，不免抄袭成风，伪劣相尚之际，这部《校注》的出版当能树立精心出细品的标格。

前面说过，由于茅坤所选的面较广，他所选的不限于一般抒情性散文，很大一部分是各类实用性文字，这些文章往往是当今选家所不选的，这次作注就等于白手起家；再加这八位又都是学问大家，文中用典极多，除经、史外，还多旁及本朝时事，这就极大地增加注释的难度。前人及今人也有一些整理、校注本，其成果可以参考，但无可讳言，其中也颇有误失，本书采取是者从之，错者正之，漏者补之，据云其纠错补失达数百处。而且，本书的注文，凡及典故、史事的，都力求注明出处，言必有据，表现了注释工作的独立性、原创性。

因时间关系，我未能通览全书，但从已阅的一部分来看，自感得实益者甚多，使我想起五六十年代时读北京大学中文系游国恩先生主持、吴小如先生等参与的《先秦文学史参考资料》、《两汉文学史参考资料》那样，有一种真正学到手的充实感。限于篇幅，我只能举几个例子，谈谈我的感受。

书中凡注故典、今典，都力求以第一手资料为据，不是简单地抄抄工具书或转引他人之作，这样不但能帮助读者准确理解原意，还能纠正某些工具书及古今注本之误，甚至发现原书作者之误。如欧阳修《谢校勘启》云："非元凯之解经，孰知门王（一作"五"）为闰。"典出《左传》襄公九年：晋伐郑，"十二月癸亥，门其三门。闰月，戊寅，济于阴阪，侵郑"。杜预（元凯）注云："以长历参校上下，此年不得有闰月戊寅，戊寅是十二月二十日。疑闰月当为'门五日'，'五'字上与'门'合为'闰'，则后学者自然转'日'为'月'。晋人三番四军更攻郑门，门各五日，晋各一攻，郑三受敌，欲以苦之。癸亥去戊寅十六日，以癸亥始攻，攻辄五日，凡十五日，郑故不服而去。明日，戊寅，济于阴阪，复侵郑外邑。"准此，当知文中"门王（五）为闰"实乃"闰为门五"之误。又如《谢进士及第启》，有句云："间出之有异人，文章炳乎汉德；选知言于九变，东都下深诏之辞。"其"选知言于九变"出《汉书·武帝纪》元朔元年春三月诏："诗云'九变复贯，知言之选'。"颜师古注引应劭曰"逸诗也"。这里欧阳修又误武帝诏为"东都（东汉）"诏。又如苏轼《鲁隐公论二》云："郑小同为高贵乡公侍中，尝诣司马师。师有密疏未屏也，如厕还，问小同：'见吾疏乎？'曰：'不见。'师曰：'宁我负卿，无卿负我。'遂酖之。"自南宋以来，颇具权威的郎晔《经进东坡文集事略》仅于此注云："出《魏氏春秋》，小同即郑玄之孙。又附见玄本传注。"《魏氏春秋》今不存，然查《后汉书·郑玄传》注引《魏氏春秋》文，"司马师"则作"司马文王"，即司马师之同母弟司马昭。东坡于此弟冠兄戴，而郎晔亦以误传误了。又，《论边将隐匿败亡宪司体量不实札子》云："秦二世时，陈胜、吴广已屠三川,杀李由,而二世不知。"郎注云:"《史记》:二世使人案三川守李由与盗通状,至则楚兵已击杀之矣。"然据《史记·陈涉世家》载:"吴广围荥阳。李由为三川守,守荥阳,吴叔(即吴广)弗能下。"《史记·项羽本纪》云:"沛公、项羽乃攻定陶。定陶未下,去,西略地至雕丘,大破秦军,斩李由。"其时陈胜、吴广均已死,乃知东坡文与郎晔注均误。其余各家原文引典与前人注文误者亦时有所见。注中对这些误失能加以考出,是很有意义的。

　　此书不惟重视引录第一手资料以释今故典,而且十分重视对有关人文事实的考证,这对帮助读者理解文意与写作背景乃至作者当时的心境是十分重要的。如柳宗元《答韦中立论师道书》,被视为韩愈《师说》的姊妹篇,是一篇十分重要的文章。其中有这样一段话:"独韩愈奋不顾流俗,犯笑侮,收召后学,作《师说》,因抗颜而为师。世果群怪聚骂,指目牵引,而增与为言辞。愈以是得狂名,居长安,炊不暇熟,又挈挈而东,如是者数矣。"一般注家可能仅注难字难词以疏通文意而已,《校注》却不惟如此,而是将重点放在对最后两句的笺证上,按云:"韩愈《师说》作于贞元十八年(802),时愈为四门博士。十九年,愈拜监察御史,同年冬末因上疏言事,贬阳山(今属广东)令。永贞元年(805)徙江陵府法曹参军,次年(元和元年)召拜国子博士,因遭飞语,自请分司东都。自元和二年至元和六年,韩愈先后任国子博士分司东都、都官员外郎守东都省、河南令。虽俱在东都(洛阳),似与其作《师说》关系不大,亦未'如是者数矣'。柳宗元为了替自己'不敢为人师'作解,或有意夸大了韩愈'抗颜为人师'以及作《师说》的副作用。"

《校注》对八大家文较为普遍地采用了这种做法，只要有资料可证的，都以人文事实以实之。在我看来，这样的注释，就将文章注得题无剩义，因而才显得胜义明出了，其学术价值是显而易见的。

　　《校注》之尤有学术价值者，乃是对一些文章系年、赠主的考证。搞古籍整理的人都深知为古人诗文系年是一件颇为繁难而又不易见效果的事情，往往遍翻史乘却所得无几甚或一无所得，即有所得，也是翻遍数万字甚或数十万字的资料，写到纸上才几行甚至几句而已。然而令人可喜而又可敬的是主编、执行主编与作者们都在这方面肯下死工夫，笨工夫，因而不仅纠正了前人在系年上的一些错误，而且能对前人未曾系年的一些作品予以系年。如苏轼《代张方平谏用兵书》，清人王文诰《苏文忠公诗编注集成总案》被认为东坡诸《谱》之冠，却谓神宗熙宁十年（1077）二月诰下，东坡以尚书祠部员外郎直史馆徙知徐州，四月过商丘，谒张方平于乐全堂，代张作此书。现在注中据《宋史》外国传、种谔传、刘昌祚传，考书中所言实为元丰四年（1081）之事，王文诰系年误。元丰四年，苏轼经过乌台诗案之后死里逃生，被贬黄州，为罪官，还敢代人上书言事议政，这对苏轼研究不是很有参考价值么！又如欧阳修《论逐路取人札子》，南宋人孙谦益等编、周必大跋之《欧阳修全集》谓作于治平元年（1064），现据文中所言事实及《宋史·选举志》与欧阳修行实，改编于治平四年（1067）。《校注》也还有纠正今人之误失者，如欧阳修《谏议大夫杨公墓志铭》，墓主为欧阳修岳父杨偕，文中提及墓主善为赋（《宋文鉴》收其《皇畿赋》）。但今人的一部赋史著作却谓杨偕其人"生卒年及籍贯均未详"，实则杨偕"初名偘，后避真宗皇帝旧名，改曰大雅，字子正"，

《宋史》卷三百有传。又如苏洵《修礼书状》一文，注中引《续资治通鉴长编》、宋人胡柯所作欧阳修年谱，考出此文写作年月，以订正今人对《嘉祐集》校注的失误。

应该说，纠正前人或今人系年之误，还是比较容易的。因为前人或今人毕竟还提供了依据，从依据中发现了矛盾，也就发现了纠正错误的途径。而对那些前人或今人根本未曾涉及的作品予以系年，就不那么容易了，需要更加睿智的眼光与功力。如苏轼《上皇帝书》（系另一书，非《万言书》），东坡诸《谱》均不载。因文中有"至日"及"十二月五日"数字，当然可由此断定必作于冬日在十二月五日之年。然后查《两千年中西历对照表》，知苏轼生齿区间十二月五日冬至者为宝元二年（1039）、嘉祐三年（1058）、熙宁十年（1077）、绍圣三年（1096）。宝元二年东坡始四岁，嘉祐三年东坡丁母忧归蜀，绍圣三年东坡贬居惠州，均不可能写此书，故知写于熙宁十年，时东坡在徐州任。又如苏辙《上刘长安书》，孙汝听《苏颍滨年表》不载，古今学者均未曾提及。校注者据文中内容，断其为应进士或应制科试时投献名公以求引荐之作；又据宋人常以所居官之地尊称对方之习，断其书是写给一刘姓而曾知永兴军路（治所在长安）者。然后查《北宋经抚年表》，知此期是刘姓知永兴军者惟刘敞一人而已。《年表》载："嘉祐五年（1060）九月知制诰刘敞知永兴，八年（1063）八月召还。辙于嘉祐二年中进士后即返蜀丁母忧；四年十月终制，与父洵兄轼出川，翌年正月至京，三月授河南府渑池县主簿，嘉祐六年应制科。"故知此书必写于嘉祐五年（1060）九月以后（此前刘敞未知永兴军路，不能称"刘长安"）或六年初应制科试之前。这样用扎实的资料考据来为作品编年并定赠主的办法，显然是科学的，可信度极大的。当然，他们的结论是否为学界所公认，是否无懈可击，那是另一回事，但他们所下的功夫以及学术方法与学术思路却无疑是值得肯定的。

尤其值得一提的是对曾巩《答孙都官书》一文作年与赠主的确定。在八大家之中，对曾巩的研究是一个薄弱环节。这孙都官是谁，文作于何年，过去都未曾有人提及。现在注中根据曾巩文集中的诗篇，王安石文集中的墓志铭（《广西转运使孙君墓碑》），同时人余靖文集中的序文（《孙工部诗集序》），考出此孙都官为孙抗，此文作于仁宗皇祐三年（1051）前后，即孙抗任广南西路转运使前。这一约九百字的题注无异于一篇精练的考证文字，发前人所未发，不但有助于对文意的了解，还能增进对当时西南民族关系的认识。

注文的细致有时是令人惊讶的，如苏轼的一篇上神宗皇帝万言书，注文有三百六十八条。又书中所载《宋史·王安石传》，注中所引的史料，据我初步统计，依次有《曾巩文集》、《避暑录话》、《石林燕语》、《宋史·职官志》、《宋史·选举志》、《欧阳修文集》、《续通鉴长编》、《王荆公年谱考略》、《续通鉴长编拾补》、《十朝纲要》、《挥麈录》、《靖康要录》。读者可以想见，光是查检这十几部书，注者就要花多大精力。

这部近六百万字的《校注》，除了其学术价值之外，还有一个特色，就是兼及普及性，也可以说是古籍的普及书。但我认为，这绝非一般普及读物，而是普及与提高相结合的高层次的古籍整理著作。现在古书注本，包括各种鉴赏、赏析作品，数量繁多，五花八门，令人目迷五色，应接不暇。我曾听到有读者说："凡我懂的你都注，凡我不懂的你都不注。"这是一种，还有一种是不懂装懂，以意为之，如注"赤地千里"为"千里大地一片红色"的。这样的笑话实不罕见。我以为对古籍的整理，古书的普及，现在应该作深层次的研讨，不要停留在简体横排体现普及方向这样表面性的言论上。古籍的整理可以有几种做法，如影印、校勘、标点、笺注、考释、辑集，等等，这种传统的整理方法和治学格局，是不能废止的，即使到 21 世纪，仍然要做，这代表我们传统文化研究的不断深入与拓展。同时，普及也应注意不同的层次，不能把普及仅仅归结为白话翻译、汉语拼音，或加一些艳文丽词的装饰语作现代商业性的包装。要有一种在专门研究基础上向具有中层文化水平以上的人所作的普及，这可以是普及的中间环节，由此可以再作浅近一些的普及，这样的普及才具有严格的知识传授的意义。我觉得，这部《唐宋八大家文钞校注集评》实可为我们提供作这方面研讨的很有代表性的实例。

当然，这部成于众手的数百万字的大书，也不是没有可议之处。如因各人行文习惯不同，因此语言风格不同，尽管编者费了好大力气力图使之互相"靠拢"，其差异还是明显的。繁简差别也较大。当然对此也不能划一，应该是当详则详，当略则略，但也不可否认，有的该注的词却失注了，有的可不注的却注了。甚至有些注释所引史料过繁，影响阅读，这也都可作进一步的讨论。还有一点，也可能是因为个人喜好与专业的关系，我对注文中有关人文事实的笺证性资料很感兴趣，这不仅对专家学者有参考价值，而且对一般读者理解文义也大有好处，可惜却没有在全书中贯彻始终，有些该笺证之处被忽略而过了。还有哪些优点与缺失，我因未能通读全书，就只能请专家与读者去评论了。

拉杂书此，容有失当，也谨供评议。

1998年5月上旬，于北京香山，

时为北京大学举办汉学研究国际会议。

原载三秦出版社1998年版《唐宋八大家文钞校注集评》，此据大象出版社2008年版《学林清话》录入，另收入大象出版社2004年版《唐宋文史论丛及其他》

《百年学科沉思录》序

1997 年 8 月中旬,在哈尔滨—牡丹江召开"20 世纪中国古代文学研究回顾与前瞻"研讨会。这次会议是由中国古代文学学会筹委会、《文学遗产》编辑部与黑龙江大学主办的。出席会议的有中外学者将近一百人,确是一次具有广泛代表性的国际学术盛会。会后,一些代表对论文进行了修改补充,也有些代表将会议发言整理成文,由《文学遗产》编辑部与黑龙江大学中文系共同编纂,选录三十五篇论文,汇编为《百年学科沉思录》一书,由人民文学出版社出版。

这次会议,开幕式在哈尔滨的黑龙江大学举行,而学术讨论则在牡丹江的镜泊湖畔一个普通的招待所进行。奇异的湖光山色更增加了与会者的探索兴致和审美情思。在短短几天中,大会发言凡四次,有二十八位代表就一些共同感兴趣的问题作了重点发言;在分组讨论中,不少学者更是自由交谈,畅所欲言,时有切磋交锋,更有"何时一尊酒,重与细论文"之感。我有幸应邀参加了这次会议,听到不少精辟的见解,很受启发,这次遵命为论文集作一小序,就再次通读全书,又深受教益。

会议的宗旨,对这次学术讨论的要求是很高的,那就是:系统总结 20 世纪中国古代文学研究的经验与教训,明确今后研究方向,更好地继承古代文化遗产,发扬中华民族优秀人文传统,促进社会主义精神文明建设。黑龙江大学中文系韩式朋教授曾就这次会议写过一篇详细综述,刊载于《文学遗产》1998 年第 1 期。韩教授将这次讨论内容概括为四个方面,即:第一,对百年来古代文学(各种文体)研究的回顾;第二,对文学史学发展嬗变的回顾;第三,对新时期古代文学研究方法的回顾与评述;第四,关于古典文学研究的前瞻(结合"回顾"适当展开)。

　　我觉得,韩式朋教授的这篇综述,是大致反映了这次会议的讨论内容的。这部论文集所收的文章,作者们也是认真翻阅了大量资料,在各自的专业范围内总结百年来的研究历程,提出研究中的诸种问题和开拓未来的研究领域。总结过去,开拓未来,这应当是处在世纪之交的我们古典文学界的双重任务。但我个人认为,这次哈尔滨—牡丹江的会议,以及这部论文集,从这双重任务的要求来说,从会议宗旨提出的"系统总结 20 世纪中国古代文学研究的经验教训"来说,只能说是开了一个头,或者说开了一个好头。真正要全面探讨 20 世纪中国古典文学研究的全过程,总结经验教训,瞻望未来发展,是要做不少实实在在的工作的。正如本书的书名《百年学科沉思录》所标示的,需要沉思,而这一沉思,则不是一两天甚至一两年所能思出来的。沉思须要摆脱各种外部干扰,各种人为矛盾,而还需要有一定的时间距隔,这样才能平心静气、客观公允。试想,对 20 世纪初古典文学研究的几位大家如梁启超、王国维,以及后来的陈寅恪等,90 年代的评价与 50

年代初的评价,究竟何者更客观,更符合实际:真正的历史评价是需要时间积累的。我相信,再过五十年,也就是 21 世纪的中期,那时来评价我们 20 世纪的学术历程,肯定会比我们现在站得高,看得全。当然,这样说,并不是说我们要放弃这一世纪之交的课题,而是说我们不必把这一课题想望得过高,我们可以把我们目前所做的工作也作为学术史料的一部分,留给后人,这也就是无限的学术进程中一个新的接力点与起跑点。

我们现在正处于改革开放和现代化建设的新时期,正在向全世界展示出中华民族全面振兴的灿烂前景。而我们走过的这一百年,对于中国社会来说,也确是变化最巨大、最剧烈、最深刻的时期,对于学术研究者来说,也是最牵动感情的时期。上半个世纪有连续不断的战争,下半个世纪的前三十年又有频繁掀起的政治运动,这样的社会环境对于学术发展所起的严重影响,可以留待一定的时间对此作历史的估量,但是我们作为 20 世纪的人,确曾看到一批又一批的学者,尽管身处逆境,历尽坎坷,但仍不畏艰辛,以难以相信的毅力处理难以容忍的境遇,坚忍不拔地从事文化事业,写出一篇篇、一本本专文、专书,为我们民族的文化积累作出可贵的贡献。这是很不容易的。陈寅恪先生一生是执着于做学问的,他在 50 年代前期曾满含感情地写下这样两句诗:"文章我自甘沦落,不觅封侯但觅诗。"(载《论再生缘》,见《寒柳堂集》)他晚年曾告一友人说:"默念平生固未尝侮食自矜,曲学阿世,似可告慰于友朋。"(《赠蒋秉南序》,见《寒柳堂集》)我觉得,陈先生所感慨、所谈论的,实是一种学术奉献精神,这是 20 世纪中国学人的骄傲;这种不顾各种残酷的环境仍然坚持学术、独立不阿的气质,是我们作世纪学术总结时首先要珍视和倡导的。

20 世纪学术史的回顾,确有不少课题可做,因为中国古典文学本身就有世界少有的丰富内涵。我对这方面缺乏研究,不敢铺开来谈,但我有一个感觉,我觉得 20 世纪中国古典文学研究,如果要找一个词来概括最基本经验的话,那就是创新。20 世纪初,由梁启超、王国维等带头,促使中国古典文学研究由传统向近代化或现代化转变,这已经是当前学界的共识。这个转变是怎么来的? 它的基本特点是什么? 我认为就是梁、王等人在他们所涉及的学科领域内力求创新的精神。没有创新,就不可能从传统的治学格局中冲破出来。在这以后,凡是能在学科建设中有所建树的,都莫不基于创新。为什么自 80 年代以来,我们古典文学界能取得令人瞩目的成绩? 也是靠这一时期前辈学者、中年学者,特别是八九十年代崛起的一批硕士生、博士生,力求打破已有的格局,创设新思路,这已经成为我们面向新世纪的新的发展方向和学术态势。创新,不只是表现在理论阐发上,即使如文献考证这一传统学科,20世纪以来,特别是近二十年以来,也都有一种新的科学建构。可以说,创新,是走向 21 世纪的希望所在,不单自然科学是如此,社会科学、人文科学包括我们古典文学研究也是如此。我们要有一种高品位的不断创新。这应是我们百年回顾需要汲取的精神财富。

当然,创新不是炒新,现在社会上确有一种以炒代创的现象。有些所谓新开辟的专题,实际上不过是以往研究的重复。有些大肆宣扬的新见,只不过是原已清楚的史事,换一些词句,重新组装一番而已。现代学科的健康发展,需要严谨的科学思考,我们这百年中凡有建树的著作,在创新的同时莫不伴有求实——这应当也是我们百年学术史值得总结的一条，也是我们走向未来、开拓新境必须遵守的学术规范。为了避免低水平的重复，以及杜绝抄袭现象，在古典文学界是否可做一种知识材料库的工作，把已有的成果，包括理论阐述的，文献考证的，作一次系统的梳理。我们应当发挥学界的群体优势，把古典文学研究作整体推进，构建符合新世纪要求的科学思想库。

我自 50 年代中期以来，一直从事于古典文学研究与古籍整理出版工作，至今已有四十余年，时间不算短了，所接触的前辈学者、同辈学者和新一辈学者，为数也不少，但由于各种社会因素，我真正能安下心来读书做学问，还只是 70 年代后期的事。因此我在古典文学研究园林中只是一个普通的园丁，实不配为这部涉及百年学科这一大范围的论文集写序，只是借这一难得的机会谈谈我个人的意见。同时，我以为，这一有关学科研究的论文集能在人民文学出版社出版，也十分合适。人民文学出版社于 50 年代初成立，至今也将近半个世纪，我国现当代文学的发展与人民文学出版社是不可分开的；同样，古典文学研究的历程也与人民文学出版社密切相关，50 年代出版的一套古典文学读本丛书，包括余冠英先生的《诗经选注》、《汉魏六朝诗选》，冯至、浦江清等先生的《杜甫诗选》，钱锺书先生的《宋诗选注》，等等，对我们一代人是起了培育、辅导作用的。因此我也想借此机会表达学术界的敬意，并希望人民文学出版社为我们多出精品好书。

1998 年 6 月，北京

原载人民文学出版社 1998 年版《百年学科沉思录》，此据大

象出版社 2008 年版《学林清话》录入，另收入大象出版社2004 年版《唐宋文史论丛及其他》

独立不阿的人品　沉潜考索的学风

——纪念邓广铭先生

　　我于60年代前期曾见过邓广铭先生。那时我在中华书局编辑部,本在文学编辑室,后因中华书局拟加快"二十四史"的整理出版,1963年下半年,当时总编辑金灿然同志对编辑部人员作了部分调整,把我调到古代史编辑室,担任《宋史》的点校和编辑工作。因为工作需要,我就有时到北大向邓先生请教。但不久就搞起政治运动,1965年秋,我随大流到河南安阳农村搞"四清",接着1966年"文革"风暴起,一切正常的文化事业也就停止。但想不到1967—1968年间,忽然说要恢复"二十四史"整理,于是除了中华书局编辑部本身外,还请来了几所大学的专家学者,那时邓广铭先生也被邀请作《宋史》的点校。这几位学者(还有如高亨、唐长孺、王仲荦等)都住在中华书局旧址翠微路二号的西北楼宿舍。邓先生刚来,我到他房间去看他,他还兴致很高。食堂离住处还有一段路,他也每天三餐自己拿着碗到食堂,与我们一起排队,领取饭菜。这段时间虽然不长(大约一年左右,后因1969年去"五七"干校,工作中止),但处在那一时期总的动乱中,总算也是乱中偷闲,忙中作乐,我时常向邓先生讨教点校中的一些问题,过得相当愉快。

邓先生的几部著作,我是很早读过的。我于1955年毕业于北大中文系,留校作浦江清先生助教。浦先生那时教宋元明清文学史,我一边担任教学辅导,一边研读宋代的几个大家文集。1958年夏我调到中华书局,在当时的政治环境中,我不便于写文章,就重点搞资料工作,于1959年至1962年,先后编成《黄庭坚与江西诗派研究资料汇编》和《杨万里范成大研究资料汇编》两书,并作范成大佚文的辑集。在此期间,我就抽时间读邓先生《〈宋史·职官志〉考正》、《稼轩词编年笺注》、《辛稼轩年谱》,以及他所作的王安石、岳飞、陈亮等人传记,邓先生在文献资料上所下的功夫,其搜集之广博,考析之深刻,对我启示极大。那时我还不到三十岁,但我觉得我此后的治学道路,邓先生著作的影响是不可没的。

后来我读到陈寅恪先生的几篇文章。陈寅恪先生一生也多坎坷曲折,但他始终坚持以学术自守,"默念平生固未尝侮食自矜,曲学阿世,似可告慰于友朋"(《赠蒋秉南序》,载《寒柳堂集》)。他非常看不惯做学问的一种只求声誉、到处挂名的"夸诞之人",他讽刺这种学风为"声誉既易致,而利禄亦随之"(《陈垣元西域人华化考序》,载《金明馆丛稿初编》)。因此他在抗战时期为邓广铭先生的《〈宋史·职官志〉考正》作序,极力赞扬邓先生摈弃世务,"庶几得专一于校史之工事",并且极为郑重地说:"不屑同于假手功名之士,而能自致于不朽之域。"(载《金明馆丛稿二编》)

正因为读了陈寅恪先生的文章,更加深了我对邓先生人品、学品的认识。前一时期读了邓先生的《治史丛稿》(北京大学出版社,1997年6月),邓先生在自序中曾引用清人章学诚对马端临《文献通考》的评论,并说"章学诚所最反对的,则是一个撰述者在其撰述的成品当中,既不能抒一独得之见,又不敢标一法外之意,而奄然媚世为乡愿"。邓先生用极重的笔调写道:"我以为,对于今天从事研究文史学科的人来说,也应当把这些话作为写作规范";并且再次强调:"至于'奄然媚世为乡愿'的那种作风,更是我所深恶痛绝"。我觉得,这几句话,确实体现了邓广铭先生一生的学术追求和令人钦敬的学术风范。邓先生那种独立不阿的人品和沉潜考索的学风,是很值得当今学界研思的。

由此我想起了两件具体的事。这两件事都与书有关。

1986年,北大中文系古文献研究所得到高校古委会的经费资助,开始编纂《全宋诗》。我当时被邀为主编之一,经常参与编纂工作。邓广铭先生则受聘为全书的学术顾问。1989年,前五册编成,编委会就请邓先生题写几句话,下面即是邓先生那年2月7日的一段题词:

> 这部《全宋诗》,搜采广博,涵容繁富,名家巨制,散篇佚作,全部荟萃于斯。而考订之精审,比勘之是当,亦远非《全唐诗》所可比拟。不惟两宋诗坛之各流派各家数均可借此而探索其源流,而三百余年之社会风貌,学士文人之思想感情,亦均借此而得所反映。因此,这部书不仅是攻治宋诗以及宋代文学史者之所必须披读,亦为攻治宋史者所必须备置案头的参考读物。

《全宋诗》前五册出版后,北大古文献研究所于 1991 年 12 月 28 日召开一次座谈会,邀请在京一些学者对此书作一些评论。许多先生是肯定这一成果的,当然也提了一些意见。在我印象中,邓先生的意见提得最实在,最见功力。如邓先生提到,此书第三册第 1835 页所收李宸妃《卜钗》,出于清人所编《历代名媛杂咏》,应是清人之作,非宋李宸妃诗。按这确是我们编纂中的疏失,但一般人如不细心察看,是查不出来的,由此可证邓先生在《治史丛稿》自序中所提到的章学诚《文史通义》的两句话:"高明者多独断之学,沉潜者尚考索之功,天下之学术不能不具此二途。"邓先生确实兼具独断之学与考索之功。

　　邓先生对《全宋诗》中范仲淹诗的整理颇致不满,他认为小传中将范的仕宦经历不分先后堆在一起,看不出升迁贬谪。又说小传的版本说明中提及以宋本《范文正公集》作参校本,但整理者是否真正看过这宋本,值得怀疑,如宋本末首是《落星寺》,但现在这《落星寺》诗却据方志补入(按整理者系据宋王象之《舆地纪胜》)。邓先生又提到北宋夏竦的两首诗,一是《奉和御制读隋书》,诗中有夏竦自注,几次提到杨玄感,四库本因避康熙名讳,改作杨感,现在整理本未予补正;二是《奉和御制读五代汉史》,注中有"杜重威引契丹,临城谕之",应作"杜重威引契丹主临城谕之",当据《五代史》补"主"字。

　　邓先生的这些意见,使我想起钱锺书先生。在《全宋诗》编纂工作刚开始,我曾与北大古文献研究所所长孙钦善同志去钱锺书先生家,敦请他出任主编,钱先生谦和地谢绝了,但表示支持这项规模较大的文化工程。前五册出版后,钱先生给我一信,具体开列书中的问题（此事我已写有一文，题《记钱锺书先生的几封书信》，刊于《人民政协报》1997年12月29日，又转载于《新华文摘》1998年第5期）。这些，都可见出我们这一时代真正有学问的前辈，一方面对有意义的事业出于真心的支持，同时又对学术负责，不惮烦地自己动手翻检书籍，提出严格的要求。（按，北京大学出版社于1995年《全宋诗》第二次印刷时，已根据邓先生的意见作了相应的改正。）

　　另一本书是司马光的《涑水纪闻》。此书是邓广铭先生与张希清同志合作整理，于1989年9月在中华书局出版，列入"唐宋史料笔记丛刊"。大约在90年代初，有一年北京市要评选优秀图书奖，北大拟申报这部书，但需有校外一人写推荐意见。当时邓先生提出：这份意见请傅璇琮同志写。我当时听了确受宠若惊，因我自知我的学力实为不配。但既受此嘱咐，我就仔细阅看了全书。这部书我过去在搜辑宋人诗文时曾看过，但看的是丛书本（大约是《学津讨原》或《学海类编》本）。现在的新整理本，邓先生特地在书前写了一篇《略论有关〈涑水纪闻〉的几个问题》长文，把《涑水纪闻》当初的撰写，及后来的收藏、流传、印刻作了系统考述，并联系南宋初期的政治情况，及与南宋时几部史书（如江少虞《宋朝事实类苑》、李焘《续资治通鉴长编》）相比较，具体论述这部司马光生前尚未定稿的书所具有的特殊史料价值。我觉得，邓先生这篇文章，作为此书的前言，不单可为宋人史料笔记的整理，也可为古籍整理研究，提供一个既是高水平又具有实际操作性的范本。

　　《涑水纪闻》的校勘确实花了不少工夫，用以参校的书，除了现存的几种主要抄本、刻本及《续资治通鉴长编》、《五朝名臣言行录》、《三朝名臣言行录》外，据我初步统计，仅第一卷，就用了下列十种书：《锦绣万花谷》、《宋朝事实类苑》、《类说》、《宋会要辑稿》、《宋史》、《古今事文类聚》、《太平治迹统类》、《三朝圣政录》，以及《说郛》中所收书。其他卷中还有《古今合璧事类备要》、《赵清献公文集》及《永乐大典》那样的大书。

尤其值得提出的是，邓先生对张希清同志于此书所付出的劳力，所作出的贡献，一再提及。在点校说明中，他明确地说，这部《涑水纪闻》的校勘工作是张希清同志做的，说"他在接手之后，首先把《纪闻》的各种抄本和刻本都进行了一番对比"。又说，尤袤《遂初堂书目》著录有《温公琐语》一书，为宋代其他书目所不载，现在尚有明人的一个抄本，这次即以此为底本，并与《三朝名臣言行录》及《说郛》所引录的加以对勘，附于整理本《纪闻》之后，"这项辑校工作也是由张希清同志作的"。又说，《涑水纪闻》、《温公日记》和《温公琐语》三书，原来全无标目，而《宋朝事实类苑》从《涑水纪闻》引录近二百条，则加了标题，现在整理时，即参照此例，将这三本全部拟制标题，并依先后次第编为序列号码，这也"一律由张希清同志"作的。最后还说，由张希清同志编制全书《人名索引》，"以求对参考此书的人提供一些方便"。我们知道，张希清同志原是邓先生指导的研究生，一直在北大历史系任教，他们的师生情谊是很深的，而邓先生在与张希清同志合作搞这一项目时，一是共同署名，二是邓先生具体叙明张希清同志所做的工作，绝不掩人之功，掠人之美。这与时下有些名人动辄以主编自居，自己并不动手，却不提他人，名利全归己，比较起来，邓先生这样做,真可谓有针砭之力。

　　最后我还想提一下的是,1991 年,匡亚明先生接受国务院任命为第三届古籍整理出版规划小组组长,并于 1992 年 5 月在北京香山召开全国古籍整理出版规划会议。邓广铭先生以古籍小组顾问参加了这次全国性会议,并作了重点发言。今据这次规划会议的《辑要》(1992 年 9 月编印),录邓先生的发言如下,于此可以见出邓先生对我们传统文化研究所作的理论阐述与宏观审视,借以作为本文的结语:

　　　　我们是在建设具有中国特色的社会主义文化,大量吸收外来文化必须与中国传统文化相结合,唐代玄奘的唯识宗之所以后继无人,就是因为没有与传统文化相结合,失去了生根开花的基础。毛主席就是把马列主义与中国革命实际、与传统文化相结合的典范。我们中华民族的文化在世界处于领先地位,英国李约瑟博士的《中国科技史》对中国文化作了很高的评价,我们有责任把传统文化研究好,与社会主义建设相结合,决不可妄自菲薄,我们的工作是社会主义建设所需要的,前途是光明的。

　　　　　　　　　　　　　1998 年 6 月,于北京六里桥寓所

原载河北教育出版社 1999 年版《仰止集——纪念邓广铭先生》,此据首都师范大学出版社 2010 年版北京社科名家文库《治学清历》录入,另收入大象出版社 2004 年版《唐宋文史论丛及其他》

《当代学者自选文库·傅璇琮卷》自序

　　承安徽教育出版社盛意,把我的有关论著列入《当代学者自选文库》之中,这对我实是不虞之誉,真如在最近接到上海文艺出版社出版、由王元化先生任名誉主编的一套四大厚册新书《释中国》,选录本世纪初至 90 年代约一百十余位学者的学术研究论文,其中有我《进士试与社会风气》,把我这篇文章与王国维《殷周制度论》、梁启超《中国历史研究法》、陈寅恪《论韩愈》等名著并列,实感汗颜。

　　我曾不止一次说过,80 年代以来,我虽然写了一些书,但总是想为学术界做些实事。我真正做研究工作,并非在大学或研究机构,而是在出版社。我自 1958 年由北大进入中华书局,一直没有离开过编辑部。编辑工作确实有所谓"为他人作嫁衣裳"的味道,但真正投入者会有大学、研究机构所不易具备的求实、广学、高效三者兼备的机能。这之中最主要的是求实。我曾说过,我所写的几本专著,以及所编的几部资料和索引,自问都有为后来者铺路的性质:"我希望多做一些实在的事,这不但在自己写作的时候是这样,在所从事的编辑工作中,我总也力求组织一些切实有用的

书稿,使我们的学术工作有一个丰厚的基础。"(《〈唐诗论学丛稿〉后记》)

我于1951年秋入清华大学中文系读书,1952年秋高校院系调整,北大、清华、燕京三校合并,我改入北大。1955年毕业后留校做浦江清先生讲授的宋元明清文学史助教,自以为从此可以在教学、科研上坦途前进,不料1958年初,因所谓办"同人刊物",与乐黛云、褚斌杰、裴斐、金开诚等一起被打成右派集团,我即于1958年3月被贬出至商务印书馆,同年7月又至中华书局。当时中华书局总编辑金灿然告诫我:要在工作中好好改造。他在延安时曾与范文澜一起编写过《中国通史简编》,知道爱惜人才,因此并不安排我去下放劳动,而是把我圈在书稿中,一会儿交我经顾颉刚先生校点过的清人姚际恒《诗经通论》,叫我写一篇出版说明,一会儿把北大中文系的《魏晋南北朝文学史参考资料》交我审读。我那时还不过二十五六岁,就上自《诗经》,下至黄遵宪《人境庐集外诗》,忙个不停。我那时天真地立下一个志愿:我要当一个好编辑,当一个有研究水平的专业编辑。

按照我当时的政治处境,是不能写文章往外发表的。于是我白天审读、加工稿件,晚上看我要看的书。当时我处理陈友琴先生的《白居易诗评述汇编》,我提议,由中华书局搞一套"中国古典作家研究资料汇编",领导同意这一方案,于是把陈先生的这部书改名为《中国古典作家研究资料汇编·白居易卷》,后来又相继组约《陶渊明卷》、《陆游卷》,及编辑部自己编纂的《李白卷》、《杜甫卷》,我自己就搞《黄庭坚与江西诗派卷》、《杨万里范成大卷》。我平时从中华书局图书馆借书,夜间翻阅,每逢星期天,则到府右街的北京图书馆看一天书,中午把早晨所带的馒头伴着图书馆供应的开水当一顿午饭。我的近二十万字的《杨万里范成大研究资料汇编》和七十余万字的《黄庭坚和江西诗派研究资料汇编》就是在这种情况下编出来的,这也就是我真正做研究工作的起点。我没有荒废时间。

我那时就想尝试一下,在出版部门,长期当编辑,虽为他人审稿、编书,当也能成为一个研究者。我们要为编辑争气,树立信心:出版社是能出人才的,编辑是能成为专家学者的。

这些年来,我确实也受到学界友人的鼓励和赞许。如南开大学中文系罗宗强先生为我的《唐诗论学丛稿》作序,说"《唐代诗人丛考》出版时,我们刚摆脱古典文学研究的单调浅薄的模式不久,这部著作一下子便把唐文学的研究推进到一个新的层次"。1998年第4期《文学遗产》有董乃斌(中国社科院文学所)、赵昌平(上海古籍出版社)、陈尚君(复旦大学中文系)三位"关于20世纪唐代文学研究的对话",陈尚君说:"傅璇琮《唐代诗人丛考》的出版,对于唐代文学研究起了很大的推动作用。他受陈寅恪、岑仲勉治唐史的影响,追求广泛、全面地占有文献,在考订中注意分别史料的主次源流。"赵昌平则认为近二十年来唐代文学研究"有更深更广的开掘",这就是"史料学带上了文化学意义,傅璇琮先生的考证,就是借鉴了丹纳关于地域文化和诗人群体的艺术理论"。中国社科院文学所蒋寅研究员在评陈尚君、陶敏所作的《唐才子传校笺补正》时说:"傅璇琮先生对学科建设怀有强烈的责任感,从80年代中期以来他一直有计划地组织领导着唐代文学研究的学术活动,他对唐代文学学科建设所作的贡献,应该说要超

过实际获得的荣誉。"(《书品》1996年第3期)

我不是想借他人的话来作自我宣扬，上面说过，我是想为我们的编辑同行争气。我是一个编辑，编辑当然首先要把本职工作做好，审读稿件，把住质量，开阔视野，组织选题，但同时还要提高本身的文化素质和学术修养，尽可能使自己在某一专业领域发展。学术研究与审读书稿，是互为影响，互补互长的。中国的出版社，与外国一些纯粹商业店家不同，它还带有一定文化学术机构性质。我曾说过，回顾本世纪的出版史，凡是能在历史上占有地位的出版社，不管当时是赚钱或赔钱，它们总有两大特点，一是出好书，一是出人才。我们一提起过去的商务，总会自然想起张元济、沈雁冰、郑振铎、傅东华；一说起开明，就会想起夏丏尊、叶圣陶、徐调孚、周振甫。50年代的人民文学出版社古典部，有冯雪峰、周绍良、顾学颉、王利器、舒芜；而中华书局五六十年代则有张政烺、陈乃乾、宋云彬、杨伯峻、傅振伦、马非百、王仲闻。出版社要具备文化学术意识，就得在编辑部门中有专门家、学者，他们可以不受某种潮流的冲激，甘心于为文化学术事业而执着一生。

列为本书第一篇的《高明的卒年》，就是我在工作中得到重要线索作出的。大约1960—1961年间，我负责审读孔凡礼先生的《陆游卷》资料，他所辑集的资料中有清陆时化《吴越所见书画录》卷一高明、余尧臣《题〈晨起〉诗卷》两文。他是作为后人对陆游《晨起》诗的评论而收辑的，但我在阅稿过程中却注意到高明（则诚）这篇文章是过去有关其诗文辑集的材料中未曾见的，这也算是对其佚文的补辑，尤其是余尧臣的一篇，其中说高明作这篇题记为元至正十三年,越六年即病逝于四明(今浙江宁波)。我由此考出高明的卒年在元至正十九年(1359),这离明代建国即洪武元年(1368)还有九年,而过去的记载,从明代的《南词叙录》、《留青日札》、《闲中古今录》,至现代人著作,包括一些文学史书,都说这位《琵琶记》的作者曾应明太祖朱元璋之召征修元史,后以老病辞归。这在过去差不多已成定论。

我这篇文章刊于当时中华书局刚创办的《文史》杂志第一期(1962年)。刊出后曾为一些文学史论著所引用,但也遭到驳难。使我感到欣慰的是,我的这一说法近几年来已逐步得到学术界的认可,杭州大学的徐朔方先生和中山大学的黄仕中先生都赞成此说,并进一步补充了论据。去年黄仕中先生把他的新著《琵琶记的研究》一书(广东教育出版社1996年10月版)寄赠给我,书中关于高则诚的卒年还专设一章加以考辨。我并不是专门研究戏曲的,但高则诚卒年的考定应当说是这些年来戏曲史研究一个不小的创获,而就我说来却是于无意中得之的,得益于编辑的阅稿工作。这就是说,为他人作嫁衣裳,自己也并非一无所得,而且有时所得还要超过这所"嫁"之"衣"。

本书所收文共三十四篇,大致是按写作的时间先后编排的,但其间也考虑到有些文章内容相近,为便于读者查考,虽时间先后不一,仍排列在一起。这样,大致分为七组。第一组共两篇,除上述的《高明的卒年》外,还有《〈杨万里范成大研究资料汇编〉重印后记》,算是我在"文革"前60年代初治学的反映。这篇后记中有录自《永乐大典》的杨万里之子杨长孺所作《石湖词跋》一文,其中述及杨、范的交谊及南宋当时人对范成大词的评论,是他处少见的,自我录出后,我见到已为一些文章所引用,这也使我感到欣慰。

第二组共五篇,主要是有关《唐代诗人丛考》之文。这里选录《李嘉祐考》一文,对大历时期作家群作了整体的考察和分析,指出当时南北诗人,"大致可以分为两大群,一是以长安和洛阳为中心,那就是钱起、卢纶、韩翃等大历十才子诗人,他们的作品较多地呈献当时的达官贵人。一是以江东吴越为中心,那就是……刘长卿、李嘉祐等人,他们的作品大多描写风景山水。当然,这其间也有交错,如卢纶、司空曙也写过南方景色,皇甫冉、严维也曾在洛阳做过官。但据诗歌史的材料,大致可以分为这两大群,两个地区,诗歌的内容和风格也有所不同"。这样做也是作家群研究的一种尝试,后来有些评论者对此给予肯定。扬州大学于1995年10月曾举办过一次"世纪之交的中国古代文学研究"学术讨论会,会上也论及我的这一说法,认为"他的工作给群体研究奠定了基础,从而也为文学史面貌的揭示带来转机"(《扬州大学学报》〔社会科学版〕1996年第2期)。

第三组,从时间上是接着《唐代诗人丛考》来的。我于1978年11月写成《唐代诗人丛考》自序,接着我想作中晚唐研究,但感到中晚唐就文献材料来说,较初盛唐复杂得多,其间有不少作品真伪需要清理,不能如前期那样可以一个一个作家分别考述。因此我与友人合作,索性对整个唐五代的人物作一个综合性的传记索引。我们收辑了八十三种唐宋人的著作,大约花了两年的时间编成了一部一百三十多万字的大书:《唐五代人物传记资料综合索引》。我的这篇万余字的序言写于1980年6月,除了论述全书体例外，还对所辑的八十三种史书作了介绍，可以视为简要的唐代文献史料概述。接着我就作《李德裕年谱》，我在此书的序言中曾说："牛李党争中，核心人物是李德裕。中晚唐文学的复杂情况，需要从牛李党争的角度加以说明，而要研究牛李党争，最直接的办法则是研究李德裕。"当时我作《李德裕年谱》，确是冒一定风险的，因为李德裕主要还是历史人物，他的一生牵涉到不少政治活动，而我又不是专门治唐史的，何况牛李党争又甚为复杂，因党争之故而造成晚唐史实的真伪更使不少人头痛。但我当时还是立志于作成这部四十多万字的年谱，自序中引了法国作家雨果的一句话："艺术就是一种勇气。"真正的学术研究，同艺术创作一样，是需要探索和创新的勇气的，当然，这还需要下真功夫作冷静、细致的史料考辨。这方面占用了我不少时间，我差不多整整两年，除了《李商隐研究中的一些问题》外，没有写过别的东西。我很感谢罗宗强先生对我这一工作的评论："在对纷纭繁杂的史料的深见功力的清理中，始终贯穿着对历史的整体审视，而且是一种论辨是非的充满感情的审视。这其实已经超出一般谱录的编写范围，而是一种历史的整体审视了。"（《唐诗论学丛稿》序）我在作完年谱之后，曾想对李德裕的《会昌一品集》作系统的整理，但苦于没有时间，十年之后，才与安庆师院周建国同志合作，于近年完成《李德裕文集校笺》，将由河北教育出版社出版。我们希望，作这部校笺，不只是对李德裕的著作作一次历史性的清理，而是想通过我们的工作，表示在当前古籍整理出版上如何体现真正下功夫以出精品的要求。

　　限于篇幅，我就不可能对所收文章详作介绍了，只能概而言之,好在本书的附录载有两位年轻博士刘石和张仲谋同志的文章,他们出于对当今学术发展的研究来评我的治学思路,也可以见出八九十年代年青研究者与过去不同的鲜明风格与特异文采。

第四组是有关唐代科举与文学的文章,我是想通过科举来了解唐代知识分子的生活道路与心理状态,以进而探索唐代文学的历史文化风貌。第五组四篇文章,论述闻一多、陈寅恪、朱东润三位前辈学者的治学特点。第六组,主要考索唐代特有的诗论著作体式《诗格》及唐人选唐诗。我于1996年出版一部《唐人选唐诗新编》(陕西人民教育出版社出版),是想对50年代出版的《唐人选唐诗(十种)》作较大的更新。

最后一组则是几篇序言和后记。80年代以来,我曾应学术友人之嘱,为他们的著作写了一些序言。我曾说过:"本来,我是服膺于'鱼相忘于江湖,人相忘乎道术'这两句话的,但在目前我们这样的文化环境里,为友朋的成就稍作一些鼓吹,我觉得不但是义不容辞,而且也实在是一种相濡以沫。在这些序中,我也表示了对某些学术问题的看法。"这些序,大部分已收于我的另外两部书中,即《唐诗论学丛稿》与《濡沫集》,这里所收的是两书未收的近年之作。最后两篇,是我近几年来从事的两个大选题,一是以"唐五代文学编年史"为基础提出中国文学编年通史的设想(关于这一点,苏州大学文学院潘树广教授最近由安徽文艺出版社出版的《古代文学研究导论》中还提到:"傅璇琮倡导的'文学编年史的研究'更为全面,从最阔大的视野考察一时代社会生活对文学的影响");二是与中国社科院文学所周发祥先生合作,编一套"中国古典文学走向世界丛书",立足于世界的范围来研究中国文学本身的价值及对外传播(此书已陆续由江苏教育出版社出版)。

总之,我总是希望,在学术研究中,一要求实,二要创新,并力求出原创性的作品,这样才能真正在历史上站得住脚。

最后,我要感谢责编唐元明同志,他在审稿、看校样的每一环节中,都能全力投入,认真细致,我的书稿中过去未及改正的排校错误,这次也由他提出,加以更正。

1998 年 8 月,于北京

原载安徽教育出版社 1998 年版《当代学者自选文库·傅璇琮卷》,据以录入

唐代长安与东亚文化

　　由杭州大学日本文化研究所举办的"遣唐使时代的东亚文化交流"国际研讨会,今天如期在杭州举行,我感到有非同寻常的意义。中国和日本都有数千年的悠久历史,文化交流源远流长,共同开拓、创造了东方文明。中国历史发展到唐代,无论在经济、政治、文化等各方面,都达到高度的繁荣,与周围国家,特别是与日本、新罗等国,交往频繁,尤其是文化交流,更在高层次的水平上进行。这一很有特色的文化现象已日益为当今世界所认同,并成为文化史上令人神往的课题。这也共同构成了近代世界史上文化交流的丰富繁复的图像。

　　中国历史学界有一位老辈学者向达先生,素以研究敦煌学著称,他于20世纪50年代中期把他数十年间论述唐朝与西域诸民族的交往,以及关于敦煌文献的研究论文,汇成一集出版,名为《唐代长安与西域文明》(人民出版社,1957年4月)。这一书名是颇吸引人的。我觉得,唐代除了西边的丝绸之路以外,东边的海上交往也是那一时代具有璀璨文化色彩的通道。中国现代的史学大师陈寅恪先生,在30年代时曾写过宗教史名篇《天师道与滨海地域之关系》,其中特别提出,两种不同民族的接触,"其关于文化方面者,则多在交通便利之点,即滨海港湾之地";又说,"海滨为不同文化接触最先之地,中外古今史中其例颇多"。陈先生的不少论点多带有预测性和推导性,但由于他有深厚的文化素养作底子,这种预测性和推导性往往蕴含合理的因素,其中有些深刻的见解又常能引发新课题的开拓。他在这里提出中国历史上滨海地区与外来文化交往接触的关系,在当时是空谷足音,在现在已为不少学术成果所证实。我认为,在唐代,由海上交往所引发的文化拓展,比丝绸之路,其范围更广泛,影响更深远,是很值得我们作进一步科学研讨的。因此我这篇讲话稿,套用向达先生的书名,题为《唐代长安与东亚文化》,以期望处在世纪之交我们中日学者研究领域的新进展。

我们今天中日两国学者,济济一堂,以文会友,这使我们想起唐代不少著名诗人与日本学人互相唱和、切磋诗艺的学术情谊。日本遣唐使中不少人与中国各方面人物有广泛的交往,结下深挚的友情。阿倍仲麻吕(晁衡、朝衡)于唐玄宗天宝十二年(753)归国时,著名诗人王维时在长安,特地作诗相送(《送秘书晁监还日本国》,《全唐诗》卷一二七),王维在诗序中称颂他"名成太学,官至客卿",而且还以春秋时期的孔子、季札相比。当时赠诗者还有赵骅、包佶等(均见于《全唐诗》)。阿倍仲麻吕在途中遇险,后又辗转从安南返回长安。大诗人李白在听到险情时,特地写了《哭晁卿衡》诗(《李太白文集》卷二五),其中"明月不归沉碧海,白云愁色满苍梧",抒发深沉的哀思。

这是盛唐时期,中唐、晚唐都有这种以诗相赠的交往。中唐时素与白居易等交往的徐凝，有《送日本使还》诗（《全唐诗》卷四七四），末二句"相望杳不见，离恨托飞鸿"，情致颇深。（按：此诗，有的论著将其列于送阿倍仲麻吕之时，误。徐凝为中唐后期人，与天宝时期相距约百年)《入唐求法巡礼行记》著者圆仁，返回本国时，中国诗僧栖白有《送圆仁三藏归本国》五律一首（《全唐诗》卷八二三）。晚唐时中国江南两大诗人陆龟蒙与皮日休，也以互相唱和之作赠日本友人。皮日休曾有《送圆载上人归日本国》（《全唐诗》卷六一四），在第二首《重送》一诗中还特别提到：如果我不是贫穷而且有病，这次我一定也乘船伴大师远游（"不奈此时贫且病，乘桴直欲伴师游"）。然后陆龟蒙即作了《和袭美重送圆载上人归日本国》（同上，卷六二六）。他自己还有一首：《闻圆载上人挟儒书泊释典归日本国更作一绝以送》（同上，卷六二九），说"从此遗编东去后，却应荒外有诸生"。

不但日本学人，新罗也有不少在唐朝与中国诗人有文学交往，如大家知道的崔致远，十二岁时就离家西游，其父嘱咐他一定要在长安考取进士，后他终于在僖宗乾符元年（874）登进士第，同科有安徽诗人顾云。崔致远长期在淮南节度幕府供职，与东南一带诗人如杜荀鹤、周繇、周繁、罗隐等来往，成为当时东南诗人群体之一。又如唐德宗贞元十六年（800）四月，唐朝廷派遣司封郎中兼御史中丞韦丹出使新罗，离长安时不少朝士相送，当时在文坛颇有影响的权德舆除了作《送韦中丞奉使新罗》诗（《权载之文集》卷四）外，还写有序文一篇（同上，卷三六）。与韩愈齐名的诗人孟郊也有《奉同朝贤送新罗使》（《孟东野诗集》卷四），其中说"送行数百首，各以理奇工"。送行之诗达数百首，可见其盛况。

当然,这是送中国的使臣,但由此也可见当时中国对与新罗交往的重视。

文化交流的主体是人。文化人的诗文赠答,不只是感情的交流,更是不同民族的文化接触和比较,甚至一定程度的融合。这方面是有不少工作可做的。我建议,把自隋唐以来,中日、中朝,以及日朝之间文化人(包括作家、艺术家、学者、僧人等)的交往材料,作系统的搜辑与研究,将会极大丰富东亚文化交流史的内容。

文化交流和融合,相互吸取优势和特色,这在中日文化史研究中也有不少课题可做。众所周知,相当于盛唐和中唐时期,日本编有三部汉诗集,即天平胜宝三年(751)编撰的《怀风藻》,嵯峨天皇弘仁五年(814)编撰的《凌云集》,弘仁九年(818)编撰的《文华秀丽集》。这三部汉诗集对日本文学的发展,影响是不小的。值得注意的是,这三部诗集的序,其中的语句和观念,多有与唐人相通之处。如《怀风藻序》中有云:"调风化俗,莫尚于文;润德光身,孰先于学。"十分强调文化教育之功。而唐太宗李世民在贞观末曾作《帝范》以赐太子李治,其中《崇文篇》,即有"弘风导俗,莫尚于文;敷教训人,莫善于学"。又如《怀风藻序》所说的"腾茂实于前朝,习英声于后代",也可在《崇文篇》中找到类似的思想:"端拱而知天下,无为而鉴古今,飞英声,腾茂实,光于天下不朽者,其唯为学乎?"可见成于8世纪中期的《怀风藻序》,是吸取了7世纪中期《崇文篇》的某些观念的。又如《文华秀丽集序》中说及的"或气骨弥高,谐风骚于声律;或轻清渐长,映绮靡于艳流",日本学者波户冈旭曾指出"气骨"之说实出于唐天宝时殷璠《河岳英灵集》中的《集论》;而"或轻清渐长"二句,有些中国学者指出谓可参见初唐四杰之一卢照邻的《南阳公集序》所说的"北方重浊"、"南国轻清"。

应当提出的是，平安时期的"崇文"文学观与中国唐初政治家所倡导的崇文观，内容上尚有不同的侧重。比较起来，日本学者更强调音律和形式之美，以及情调的赞赏。由此可见，不同民族在文学观念和创作意向上，彼此既有所汲取，而又各自有所选择。

由《怀风藻》等三部约相当于唐时期的日本汉诗集，我想到，中国方面似应加强对日本汉诗的研究。据日本学界统计，从奈良时代到明治时代，先后问世的日本汉诗总集与别集达 769 种、2339 册。以每册收诗百首计算，总数当超过二十万首。这一数量是相当惊人的，而且其中还有不少名句佳作，不少汉诗作者，写出了颇有声韵之美的效法初唐歌行的长篇，也有许多精细工巧的律绝。我很欣赏一些颇有宋人风致的绝句，如广濑谦的《春寒》："梅枝几处出篱斜，临水掩扉三四家。昨日寒风今日雨，已开花羡未开花。"又如"钟声云外寺，树色雨余村"，"眉雪老僧时辍扫，落花深处说南朝"。中国晚清时期一位大学问家俞樾，由于得到日本友人的帮助，曾编有《东瀛诗选》，正编四十卷，补遗四卷，共收入日本汉诗作者五百多人，诗五千二百多首。虽然后来日本学者曾对此书有"选择失当"、"篇幅过大"的讥议，但应当说俞樾编此书实为中日汉籍交流史上极为难得之举。我们今天应有一部规模适中、编选精当，且有详细诠释的日本汉诗选，这对于进一步沟通中日两国文化交流，对于中国学者研究中国古典诗歌在历史上的域外传播，认识日本古代诗人的汉文化造诣和精致玄微的审美心理，都是极为有益的。

日本遣唐使的一大历史功绩，就是携带大量中国书籍到日本，这一方面促进日本文化的发展，另一方面则保存了中国的不少珍贵文献。在这之后，中国的宋元时期，中日贸易发达，又有不少中国典籍输往日本。应当说，从日本所保存的中国书籍来说，无论数量和质量，都大大超过敦煌、吐鲁番文献的。日本所藏的中国典籍，在新的21世纪，对中国传统文化研究将会起更大的作用，这也是中日文化交流研究中值得投入更大力度的课题。

就我个人以往的研究来说，我从日本所存汉籍方面，是得益不少的。如80年代中期我邀约中国十几位唐代文学研究者作《唐才子传》的校笺，其笺证的内容，大致包括：一、探索材料出处；二、纠正史实错误；三、补考原书未备的重要事迹；而校勘部分，则希望提供迄今为止最为详确的校定本。这部校笺本，自1987年起到1995年，共出版了五册，将近二百万字，出版后受到国内外的好评。可是大家知道，元人辛文房的这部《唐才子传》十卷，自明代中叶后即在中国失传，清乾隆年间修《四库全书》，从《永乐大典》辑集佚书，也只有八卷。而这部十卷本却完整地保存在日本，日本学者对此书的整理也下过不少工夫。我们之所以能在新时期作成这一校笺本，就是依靠日本所保存的完整原本的。

又如中国的盛唐著名诗人王昌龄，史书上曾记载他有一部论诗专著《诗格》。清人所修《四库总目提要》曾讥斥此为伪书，后来《提要》之说即被认为定论。我于1987年详细翻阅空海大师的《文镜秘府论》，从中勾稽出书中所引的王昌龄《诗格》材料，以与明人《格致丛书》所辑相比较，写成专文《谈王昌龄的〈诗格〉》(刊于《文学遗产》1988年第5期，后又载于拙著《唐诗论学丛稿》，台北文史哲出版社,1995年),论证王昌龄确实著有《诗格》,现存的《诗格》不能完全认为伪书,这一论点也已为学界所赞同,而我的主要论据则是出于《文镜秘府论》的。

90年代初我开始作《唐人选唐诗新编》(按:此书已由陕西人民教育出版社于1996年出版)。其中《翰林学士集》,共收唐太宗时君臣唱和诗五十一首,清代所编《全唐诗》只有其中的十二首。这部书对研究唐初宫廷唱和的盛况,具有很大的参考价值。但中国早已失传,只有在日本保留,晚清时有人影写携归。这次我请复旦大学陈尚君先生作了整理。又如唐末诗人韦庄编有《又玄集》,共三卷,收初唐至晚唐一百四十六人,诗二百九十九首。此书曾在《宋史·艺文志》著录,但从南宋以后即未见全本,中国一直不存。20世纪50年代,日本京都大学清水茂教授把日本所藏影成胶片寄赠杭州大学夏承焘教授,中国才见全书。此书所收诗,有不少是中国未见的,可补唐人诗篇的不少。如晚唐时张为《诗人主客图》中"瑰奇美丽主"下载赵嘏诗句"一千里色中秋月,十万军声半夜潮",此为历来传诵的名句,但其后南宋计有功的《唐诗纪事》,及宋人诗话、笔记,直至清编《全唐诗》,都只载此二句残诗,而现在从这一《又玄集》中,我们却看到了全篇。千百年来之名句得有全璧,赵嘏如在地下有知,也应感谢日本的文化学术界。

另外,我与一友人合作,近数年来整理中晚唐时名相兼文人的李德裕著作,编撰《李德裕文集校笺》一书(即将由河北教育出版社出版)。此书就用日本所藏惟一的影宋抄本作底本,这是目前所见最好的本子。

以上只是从我个人的研究出发，大致介绍日本所藏中国典籍的可贵。就唐代文学来说，还有不少文献资料可作进一步探讨的，如初唐时李峤《杂咏》诗的张庭芳注，《文馆词林》，白居易集的手抄本，等等。中日两国所藏典籍的考索，应是文化交流研究的大题目，这方面，近二十年来，中日两国学者已有不少成果。希望有一个系统的研究计划，在今后若干年内能逐步得到落实，这将是一个跨世纪的东亚文化交流史的大工程！

本文为 1998 年 8 月杭州大学"遣唐使时代的东亚文化交流"国际研讨会发言稿，此据北京联合出版公司 2013 年版《濡沫集》录入，另收入日本勉诚出版所 1999 年 4 月"遣唐使时代的东亚文化交流"国际研讨会文集、大象出版社 2004 年版《唐宋文史论丛及其他》、北方文艺出版社 2008 年版《书林漫笔》、万卷出版公司 2010 年版《当代名家学术思想文库·傅璇琮卷》

我和古籍整理出版工作

一

我于 1933 年 11 月出生于浙江宁波。宁波古称明州,自唐宋以来即为沿海对外贸易港口,特别是 1840 年鸦片战争以后被列为五个对外开放城市之一,与海外交往更为频繁。宁波至上海的轮船,一夜的时间即可到达,交通方便。因此我念初中时虽还在新中国成立前,即解放战争时期,我自己就订阅了当时上海的《大公报》和开明书店出版、由夏丏尊、叶圣陶等先生主编的《开明少年》、《中学生》等杂志,较早地得悉当时国内政治、文化情况。

我那时虽然还是初中学生,但已向《开明少年》、《中学生》投稿。当时开明书店有一规定,像对我们这样年轻学子,刊登稿件后并不付现钞,而是寄赠向开明书店购书的书券。这对我正好,因为当时我需要的正是书。我记得我那时用购书券就买了一本大书,即朱东润先生写的厚达四百多页的《张居正大传》。说老实话,作为初中生的我,是看不懂这部专著的,但很奇怪,那时我还是通读了一遍,书中颇有现代特色的人物对话,给我印象很深。这也促使我在以后把朱先生的所有传记著作都读了,还在前年专门写了一篇学术性的纪念文章:《理性的思索与情感的倾注——读朱东润先生史传文学随想》(《文学遗产》1997 年第 5 期)。可以说,我在六十余岁写这篇文章,是植根于十五六岁在宁波中学求学时的课外读书生活的。

二

1951 年秋,那时我离高中毕业还有一学期,我就按当时的情况投考大学,第一志愿即清华大学中文系。由浙东一个偏远城市来到北京,由一个普通中学来到名牌大学,人忽然变了样子,什么都感到新奇。

但清华当时是比较宽松的,似乎有以前留下的一种民主风气。我们一般是上午上课,下午自由活动。我吃了午饭,有时好好睡一觉,就到清华颇有西欧建筑风格的图书馆阅报看书。清华图书馆地下一层有一很大房间,陈列有各省的省报。据说中文系的王瑶先生是每隔一二天都要到那边把各地报纸浏览一遍的。我们受他影响,也时常去看报。当时生物楼旁有一音乐厅,放有一二十架钢琴,可自由进去弹,也有人教,不收钱。外语课,当时已设有俄语,但也有英语课,可自己选择;当时我因受传统影响,觉得俄语语音太复杂,不好听,还是继高中所学,选修英语。那时对考试的分数似不怎么放在心上，第一学期结束后，到第二学期开学，我偶尔见到在工字厅一条走廊上贴有各系考试的分数单，我看见我的中国通史分数为 95 分，倒也有些高兴，但也仅此而已，未与人说，同学也不互相议论，好像未曾见过似的。

我们一年级的课，老师讲得也很轻松。诗人陈梦家先生当时教语言文字概论，他每次来上课，总先要讲路上乘车时碰到什么人，这几天看了什么书，星期天有时还请我们到他家（当时住燕京大学的燕南园）去玩，夫人赵萝蕤先生出来招待我们喝咖啡。王瑶先生教大一国文，有一次讲沙汀的一篇记述四川茶馆的小说，就大讲四川茶馆怎么怎么好，乐得我们满堂大笑。李广田先生教我们文艺学引论，有一次他参加国庆盛典回来，就到我们宿舍，随便聊天，当时他还兼中文系系主任。教中国通史的历史系两位教授，先秦至唐是孙毓棠先生教，宋至清是丁则良先生教。两位先生风度不同，孙先生颇有英国绅士气度，一件短大衣，西装皮鞋，典雅而谦和；丁先生则是中山装、布鞋，说话质朴而间有风趣。但可惜这几位老师后来大多遭到不幸，丁则良先生不久分配到东北，在政治运动中自杀。陈梦家、孙毓棠先生 1957 年被划为右派。李广田先生于"文革"中在云南大学投河而死。

除了上课外，当时还有一种特殊机缘，就是 1952 年上半年，随着"三反""五反"运动，知识分子思想改造也作为运动搞起来了。我们学生，是可以自由去听一些教师的自我检讨的。我当时有幸听过金岳霖、冯友兰、张奚若等老先生的自我批评（当时似还不叫批判），大开眼界，我觉得他们讲得很真诚，自我检讨、自我批评中又结合各自的学科，讲得很专，像在做学术解剖，这与以后的光戴大帽子而无实在内容的空洞批判,真有天壤之别。我那时好像不是在听政治批判,而是在上学术思想交流的课,这是在一般课堂上听不到的,因此也养成我探索不同学科治学路数的兴趣。

可惜在清华只待了一年,1952年秋,当时学苏联经验,进行高校院系调整,清华变成单一的工科大学,北大不设工科,成为文理科综合大学,燕京大学取消。我们就并入北大,地点则为燕京旧址。应当说,这次调整后,北大中文系的师资力量是大大增强了,但我感到,学习的宽松气氛却大大不如头一年的清华。首先是太看重分数,当时实行五分制,似乎非得优(5分)不可,得个良就要流眼泪的。其次是政治运动越来越多,我们班上不断有同学遭到批判,党团骨干就是班上的领导、统帅。1955上半年,快要毕业的时候,我就遭到前所未有的政治审查。原来1952年秋院系调整后,外语课一律学俄语,不许再学英语,于是我就从二年级起改学俄语,从最初级的拼音学起。但不知怎么,我对俄语很感兴趣,而且学习成绩还不错,并当上了课代表。学了两年后,我得到一本俄文的苏联文学史教学提纲,这提纲是以苏共十九大的精神来写的,在当时算是有新精神、新观点。我就试着翻译成中文,投给高等教育出版社,出版社认为我的语法方面有些错误,但中文较流通,在几份同类译稿中选择了我的,并正式出版。这是我生平第一次也是惟一的译著。此后,我也译过苏联报刊上的有关文艺理论文章,投寄给上海新文艺出版社,我的通讯地址则写当时教我们俄语的一位老师宿舍。不料1955年上半年反胡风运动起,说是上海的新文艺出版社是胡风反动集团的一个重要据点,对他们进行了审查。大约从来稿中见到我的姓名,认为我有与胡风集团联系的嫌疑，于是追藤摸瓜，找到了北大。北大党委专门派人找我谈话，进行政治审查，我在班上也受到政治孤立，在情绪上受到极大的打击。

这次审查后来总算是不了了之，随即就到了毕业阶段，我被分配为留校任古典文学助教，这在我们班上是惟一的一个。后来我即具体做浦江清先生所讲授的宋元明清文学史助教。浦先生也是从清华过来的，治学的面很宽，他的关于屈原生卒年考证文章在50年代前期《历史研究》第1期刊出，影响很大。新中国成立前写的《花蕊夫人宫词考》、《八仙考》都卓有学术声誉。他对我也是很宽的，我经常在他晚饭后到他家聊天（当时他住燕东园）。浦先生于20年代在南京一所大学学英语，后来到清华做陈寅恪先生助教，说是学梵语。我曾问浦先生，那时他怎么向陈寅恪先生学的。他说：陈先生学问太高，我们不敢学，那时主要还是我们一些年轻助教一起谈学问；谈学问主要是互相交谈最近看了什么书，这部书写得怎么样，看过这部书的就可加进去议论，没有看过的只好不说话，回来赶忙找这部书来读，补上这一课。浦先生说，那时他们就是这样做学问过来的。这对我的印象很深，不能忘记，似乎能悟到一定的道理。

那时《文学遗产》刚创办，每一周或两周在《光明日报》刊出，一整版。主编陈翔鹤先生很注意于培养年轻研究者，并鼓励我们写书评，对当前出版的学术著作或文学选本进行评论，那时我班同学刘世德、金开诚、沈玉成和我都在《文学遗产》上刊登过文章。但总的说来，在毕业后的头两年中，一边搞教学，一边还要应付当时接连不断的政治学习，还没有真正进入研究领域，而接着就发生了反右斗争。

三

1958年初，因所谓办"同人刊物"，当时北大听从周扬的意见，把中文系的八个年轻助教、研究生打成右派反动集团，其中有乐黛云、褚斌杰、裴斐、金开诚和我。我即于当年3月从北大贬出至商务印书馆，六七月间又分配到中华书局，至今整整四十年，除了"文革"十年，及1987—1988年有半年时间去美国密西根州立大学讲学外，没有离开过编辑部。我自己一直认为，我真正进入研究工作，并在学术领域作出一定的成绩，是在出版社，我的学术研究，与商务印书馆、中华书局这样有历史文化传统的出版社是分不开的。

我进商务的时候，商务有一古籍编辑室，室主任为辞书编辑专家吴泽炎先生（即商务出版的新修订本《辞源》实际主编）。吴泽炎先生打算在由云龙旧编的基础上重编《越缦堂读书记》，他可能觉得需要一个助手，也或许看我刚从北大贬出，得收收心，就叫我帮助他做这一项事，步骤是将由云龙的旧编断句改为新式标点，并再从现存的李慈铭的日记中补辑旧编所漏收的部分。

李慈铭是绍兴人，也可以说是我的浙江同乡，小时读《孽海花》小说，对书中所写的他那种故作清高的名士派头，感到可笑，但对他的认识也仅此而已。现在是把读他的日记当做一件正经工作来做，对这位近代中国士大夫颇具代表性的人物及其坎坷遭遇了解稍多，竟不免产生某种同情。那时商务是在东城北总布胡同10号，整个布局由几个四合院组成，都是平房。我们在的古籍编辑室正好是北屋西头，面对的是一个颇为典雅幽静的小院子。我曾在一篇文章中记述当时的情景：

> 我是住集体宿舍的，住所就在办公室后面一排较矮的平房，起居十分方便。一下班，有家的人都走了，我就搬出一张藤椅，坐在廊下，面对院中满栽的牡丹、月季花，就着斜阳余晖，手执一卷白天尚未看完的线装本《越缦堂日记》，一面浏览其在京中的行踪，一面细阅其所读的包括经史子集各类杂书，并在有关处夹入纸条，预备第二天上班时抄录。真有陶渊明"时还读我书"的味道，差一点忘了自己罪人的身份。（《热中求冷》，《濡沫集》页96—97，湖南人民出版社1997年12月版）

我就这样细细阅读了当时被人漠视的李慈铭日记，这在大学恐怕是不大可能的。正因为如此，使我对晚清社会及文人生活有了具体的了解，开始有兴趣读近代人的诗文集和笔记杂著。那时商务的古籍编辑室人虽不多，但专业空气很浓。赵守俨先生特地把由他整理的俞樾《癸巳类稿》、《癸巳存稿》给我看，后来他又起草写《唐大诏令集》出版说明，在编辑室内传阅。我觉得这篇出版说明把《唐大诏令集》成书经过及文献价值与某些缺失，说得清楚实在，我当时就感到，这篇文字，在当时北大，恐怕是很难有人能写出来的，这确是专业编辑的实功夫。

这年六七月间，商务的古籍编辑室取消，成立《辞源》编辑室，吴泽炎先生留下来专职主持《辞源》的修订工作，我们大部分人则转移到中华书局。当时中华书局总经理兼总编辑为金灿然同志，他在延安时曾与范文澜先生一起编写过《中国通史简编》，应当说也是一位行家。我刚到中华，他就告诫我：要在工作中好好改造，把工作做好。他确实是爱惜人才的，并不像当时流行的动不动把右派放到农村中去劳动，而是把我圈在书稿中。他与一般职工一样，中午也坐在食堂吃饭。一次他与我同桌，问我："你们北大中文系像你这样的，还有没有？"我就举出几个，他随手就记下来。后来，褚斌杰、沈玉成就从北大调来，他们当时都是戴着右派帽子的，从西郊斋堂的劳动场所调来读古书。

　　我到中华，最初是在古代史编辑室，当时室主任是姚绍华先生，他是新中国成立前的老中华书局留下来的。我印象很清楚，我刚来到，就交给我明末李永茂于崇祯十五、十六年在兵科给事中任内的两件疏稿：《邢襄题稿》和《枢垣初刻》。这是抄本，由河南开封孔宪易提供，中华书局得到后请人整理断句，已排出校样，但尚缺一篇出版说明。不知怎么，这篇出版说明竟叫我这个二十五岁的戴帽子的年轻人来写，而我在学校时又不是搞历史的。但我当时还是硬着头皮写了三千字，开头一段是这样写的：

　　　　崇祯十五年松山战役以后，清军对明的包围形势已经形成。皇太极曾说："取北京如伐大树，先从两旁斫，则大树自仆。……今明国精兵已尽，我四围纵略，北京可得矣。"就在这年十一月，清兵分道入关，先陷蓟州，深入畿南，直趋曹、濮,连下山东八十余城,鲁王以派自杀(见《明史》卷二十四)。明朝政府面对这样紧张的局势,一面派人督师抗击,一面遣六科给事中分别察理近畿各府城守情形,李永茂当时即奉命视察顺德府(府治在今河北邢台市)属的城守,并以其察理所得的闻见及对防守的意见,奏报朝廷,结集成为《邢襄题稿》。永茂后以崇祯十六年正月事毕返京,上奏对待李自成农民起义军和清兵的攻守策略,约三十几疏,为《枢垣初刻》。

我之所以抄录这一大段,是我当时有一想法,就是一部书的出版说明,尤其是较冷僻的书,应当在一开始就要用浅近明白的文字交代这是一部什么样的书,不管你在写作之前已查阅过多少资料,但不能把这些资料堆积出来,而应当将这些资料,经过理解、概括,用自己的笔写出来。这也是我第一次用我自己所学的中文某些优势来处理历史文献资料,也从而克服我对历史的畏难情绪,并培育我文学与史学相结合合作综合研究的兴趣。

大约8月份又把我调到文学编辑室,一起搞《新编唐诗三百首》(此书后在"文革"中受批判,说是邓拓为此书所写的序言借机反对1958年的三面红旗,实在是无稽之谈)。此后当时文学室主任徐调孚先生又交我一部稿,即经顾颉刚先生校点的清人姚际恒《诗经通论》,叫我写出版说明。《诗经》我只在大学上文学史课时学到一些,那时只看过一些选本,从来没有通读过。这次为写出版说明,我几乎用了两个月的时间,不但通读《诗经通论》,还参读郑振铎《中国文学通论》一书所论毛诗序,以及朱熹的《诗经集注》,清代的其他几部所谓疑古之作(如方玉润等)。我觉得,关于《诗经》，我是在中华书局补了北大所未学过的几部名著的。

就在这时，王国维的次子王仲闻先生被临时雇用到中华书局来。这位王先生本在邮电部门工作，说是 1957 年划为右派，又有国民党的问题，于是右派加反动派，开除公职。他对唐宋诗词极熟，不知是谁介绍，来中华作临时工，具体是作清修《全唐诗》的点校工作，作了两三年，作得极细。印行时，1959 年 4 月，徐调孚先生又叫我写一篇《点校说明》。我在说明中论述了《全唐诗》的问题：一、误收、漏收；二、作品作家重出；三、小传、小注舛误；四、编次不当；五、其他（多处讹夺，如《唐诗记事》误为《诗话总龟》，《唐摭言》误为《北梦琐言》，"来护儿"夺为"来护"等）。最后下一结论，为："可见这部《全唐诗》实有重新加以彻底整理的必要。但这尚待进一步努力。"这时我还不过二十六岁，在此之前没有研究过唐诗，而此时也正在作宋代作家作品的资料辑集，但我还是根据王仲闻先生的点校材料，作了一定的概括。这也算是我今后研治唐诗的意料不到的开端。

徐调孚先生新中国成立前在开明书店就是名编辑，并且作过《人间词话》校注，翻译过《木偶奇遇记》，很有名气。他看稿极认真，而对人极宽厚。写这篇《全唐诗》的点校说明时，我与王仲闻都还有政治问题，但他还是在篇末署了"王全"，王即王仲闻，全即璇，因徐先生是浙江人，又长期在上海工作，那边是把璇念作全的。由此可见徐调孚先生在当时政治环境下也并不没人之功的气度。（附带说一下，王仲闻先生在 1962 年说是经调查，在档案中没有 1957 年划右派的材料，就不算右派，而他过去在邮电部门，是集体加入国民党的，因此也不算什么问题。此后几年在为唐圭璋先生《全宋词》加工过程中，著有三四十万字的《读词偶得》一书，中华曾请钱锺书先生看过，钱先生誉为奇书。但王先生在"文革"中又被街道红卫兵迫害，出走不知所终，其《读词偶得》一书也随之亡佚。）

　　我之所以在这篇介绍自己治学经历的文章中写这些年轻时旧事，是想说明一个情况，一个人，即使长期在出版社工作，不在大学或研究所，也能学有所成的，我记得那时我就立下一个志愿：我要当一个好编辑，当一个有研究水平的编辑。我那时就想尝试一下，在出版部门，长期当编辑，虽为他人审稿、编书，当也能成为一个研究者，我们要为编辑争气，树立信心：出版社是能出人才的，编辑是能成为专家学者的。

　　我想，编辑当然首先要把本职工作做好，审读稿件，把住质量，开阔视野，组织选题，但同时还要提高本身的文化素质和学术修养，尽可能使自己在某一专业领域发展。学术研究与审读书稿，是互为影响、互补互长的。中国的出版社，与外国一些纯粹商业店家不同，它还带有一定文化学术机构性质。我曾说过，回顾20世纪的出版史，凡是能在历史上占有地位的出版社，不管当时是赚钱或赔钱，它们总有两大特点，一是出好书，一是出人才。我们一提起过去的商务，总会自然想起张元济、沈雁冰、郑振铎、傅东华；一说起开明，就会想起夏丏尊、叶圣陶、徐调孚、周振甫。50年代的人民文学出版社古典部，有冯雪峰、周绍良、顾学颉、王利器、舒芜；而中华书局五六十年代则有张政烺、陈乃乾、宋云彬、杨伯峻、傅振伦、马非百、王仲闻。出版社要具备文化学术意识，就得在编辑部门中有专门家、学者，他们可以不受某种潮流的冲击，甘心于为文化学术事业而执着一生。

四

按照我当时的政治处境，是不能写文章往外发表的。于是我白天审读、加工稿件，晚上看我要看的书。当时我处理陈友琴先生的《白居易诗评述汇编》，我建议，由中华书局搞一套《中国古典文学研究资料汇编》，领导同意这一方案，于是把陈先生的这部书改名为《中国古典文学研究资料汇编·白居易卷》，后来又相继组约《陶渊明卷》、《陆游卷》、《柳宗元卷》，及编辑部自己编纂的《李白卷》、《杜甫卷》。我因在北大从浦江清先生求学时已对宋代诗文感兴趣，立志于从事宋诗研究，于是想先从资料积累着手，着手搞《黄庭坚和江西诗派卷》和《杨万里范成大卷》。我平时从中华书局图书馆借书，夜间翻阅，每逢星期天，则到府右街的北京图书馆看一天书，中午把早晨所带的馒头伴着图书馆供应的开水当一顿午饭。我的近二十万字的《杨万里范成大研究资料汇编》和七十余万字的《黄庭坚和江西诗派研究资料汇编》就是在这种情况下编出来的，这也算是我做文献资料研究的起点。我没有荒废时间。80年代前期，南京大学中文系莫砺锋同志在程千帆先生指导下作博士论文《江西诗派研究》，就说因参考我的这部资料汇编，得到不少线索，省去不少时间。我自己后来翻阅这两部书，也感到惊讶，我当时怎么能查阅那么多的书，有些书我自己也好像觉得从未见过似的。

大约 1960—1961 年间，我负责审读孔凡礼先生的《陆游卷》资料，他所辑集的资料中有清陆时化《吴越所见书画录》卷一高明、余尧臣《题〈晨起〉诗卷》两文。他是作为后人对陆游《晨起》诗的评论而收辑的，但我在阅稿过程中却注意到高明（则诚）这篇文章是过去有关其诗文辑集的材料中未曾见的，这也算是对其佚文的补辑，尤其是余尧臣的一篇，其中说高明作这篇题记为元至正十三年，越六年即病逝于四明（今浙江宁波）。我由此考出高明卒年在元至正十九年（1359），这离明代建国即洪武元年（1368）还有九年，而过去的记载，从明代的《南词叙录》、《留青日札》、《闲中古今录》，至现代人著作，包括一些文学史书，都说这位《琵琶记》作者曾应明太祖朱元璋之召征修元史，后以老病辞归。这在过去差不多已成定论。

　　我这篇文章刊于当时中华书局创办的《文史》杂志第 1 期（1962 年）。刊出后曾为一些文学史论著所引用，但也遭到驳难。使我感到欣慰的是，我的这一说法近几年来已逐步得到学术界的认可，杭州大学的徐朔方先生和中山大学的黄仕中先生都赞成此说，并进一步补充了论据。去年黄仕中先生把他的新著《琵琶记的研究》一书（广东教育出版社 1996 年 10 月）寄赠给我，书中关于高则诚的卒年还专设一章加以考辨。我并不是专门研究戏曲的，但高则诚卒于明建国之前确是破过去自明以来的成说，而就我来说却是于无意中得之的，得益于编辑的阅稿工作。这就是说，为他人作嫁衣裳，自己也并非一无所得，而且有时所得恐还要超过这所"嫁"之"衣"。

五

我用大半的篇幅谈了"文革"前的治学经历,是想说明,正如我在前面说过的,我真正做研究工作,并非在大学或研究机构,而是在出版社。出版社的编辑工作,确实有所谓"为他人作嫁衣裳"的味道,但真正投入者会有大学、研究机构所不易具备的求实、广学、高效三者兼备的机能。在专业性较强并有一定学术环境的出版社,只要自己努力,是能够在学术上有所成的。即使在商品经济体制下,我想这种情况也是不会改变的,中国的出版社,应该说已与大学、研究所一起,成为有较强发展前途的学术研究基地。我希望以后能多注意报道出版社出来的专业人才,提高编辑人员的社会地位和文化影响,去除过去遗留下来的对编辑工作的偏见和误解。

正因为如此,"文革"之后,我的政治问题得以彻底纠正,本有机会调回大学,但我还是留了下来。70年代末,北大中文系要我与褚斌杰同志回去,结果,中华书局只放了褚斌杰同志,我仍留下来。80年代中期,清华大学恢复中文系,他们鉴于我在新中国成立初在清华念过一年书,提出要我去当系主任。1985年秋,清华举办闻一多学术研讨会,会议期间王瑶先生还特地对我说:"你还是回清华吧,我们共同把中文系复兴起来。"但交涉多次,也未办成,我的态度似也不太坚决,最后商议由清华中文系聘我为兼职教授。我已立志于一辈子做编辑了,中华书局在我之先的就有周振甫先生。

"文革"后我的第一部专著是《唐代诗人丛考》(1978年写成，1980年出版)。其实这部书的最早蕴酿还是在"文革"以前。我曾说过，60年代初，我因病住院，随身携带那时新翻译出版的法国丹纳《艺术哲学》。从丹纳的书我得到很大的启发，我觉得研究文学应当从文学艺术的整体出发，这所谓整体，包括文学作为独立的实体的存在，还应包括不同流派、不同地区互相排斥而又互相渗透的作家群，以及作家所受社会生活和时代思潮的影响。这牵涉到总的研究观念的改变。因此我在《唐代诗人丛考》中，除了考索作家事迹外，着重注重两个方面：一是注意于数量较多的中小作家，而过去的研究视角只落在少数几个大家身上，于是文学史往往成为孤立的点的联缀，而不是永流不歇的作家群体的发展。二是注意不同地区的作家群分布，从中探索不同的创作风格。我是第一次对大历时期诗人提出南北的两大群体，即一是以长安和洛阳为中心的钱起、卢纶、韩翃等，一是以江东吴越为中心的刘长卿、李嘉祐、皎然等。

在这之后我的一些著作，在同行中大家也都比较熟悉，限于篇幅，我也不一部一部地展开来谈了。我曾不止一次说过，80年代以来，我虽然写了一些书，但总是想为学术界做些实事："我希望多做些实在的事，这不但在自己写作的时候是这样，在所从事的编辑工作中，我总也力求组织一些切实有用的书稿，使我们的学术工作有一个丰厚的基础。"(《唐诗论学丛稿》后记)

譬如在《唐代诗人丛考》之后，我本来接着想作中晚唐文学研究的，但中晚唐的文献材料较初盛唐复杂得多，其间有不少作品真伪需要清理。因此我与友人合作,索性对整个唐五代的人物作一个综合性的传记索引。我们收辑了八十三种唐宋人的史传著作,大约花了两年的时间编成了一部一百三十余万字的大书:《唐五代人物传记资料综合索引》。在此基础上,我就接着作《李德裕年谱》,以李德裕为中心,对牛李党争做了全面的清理,并对中晚唐的有关作家提出一些新的看法(如对元稹、李商隐、杜牧等)。

80年代,我还写有《唐代科举与文学》一书,是想通过科举来了解唐代知识分子的生活道路与心理状态,以进而探索唐代文学的历史文化面貌,这也是我文化研究的另一尝试。接着又作《唐才子传校笺》,邀约国内十余位学者对《唐才子传》书中近四百个作家,作一次传记材料的梳理,努力从高层次上总结目前已取得的作家事迹考证的新成果,以体现中国学者当前唐代文学研究的水平。这种求实的工作是得到学术界肯定的,中国社科院文学所研究员蒋寅同志在评陈尚君、陶敏所作的《唐才子传校笺补正》时说:"傅璇琮先生对学科建设怀有强烈的责任感,从80年代中期以来他一直有计划地组织领导着唐代文学研究的学术活动,他对唐代文学学科建设所作的贡献,应该说要超过实际获得的荣誉。"(《书品》1996年第3期)

90年代,我为中华书局文学编辑室组织了两项较大的选题,一是邀约南开罗宗强先生主编《中国文学思想通史》。罗先生关于中国文学思想史的研究是很有特色的,我相信这套通史的编撰、出版,必将提高中国古典文学研究的整体理论水平。另一是与当时文学编辑室两位主任徐俊、顾青同志商议,由我任主编,编一套《中国古典文学史料研究丛书》,我在总序中提到:"这将是古典文学研究可持续性发展的基本工程,也是我们这一代学人对于本世纪学术的回顾和总结,对于 21 世纪学术的迎候和奉献。"中华书局如果今后数年内在这两套书的出版上形成相当的规模,我相信一定会引起中外学术界的注意和重视。

近几年来我个人的研究,主要有三项:一是继《李德裕年谱》之后,与安庆师院中文系教授周建国同志合作,作《李德裕文集校笺》。我们选择目前李德裕文集最好的本子——日本静嘉堂文库所藏原陆心源收藏并校勘的影宋钞本为底本,对李德裕著作作一次历史性的清理,包括编年、辑佚,以及对史事的考证。我希望通过这一工作,体现古籍整理需要真正下实在工夫以出精品的要求。因李德裕是河北人,故此书将由河北教育出版社出版。

另一是我在作完《唐代科举与文学》后,很想进一步考察宋代的科举。但宋代科举史料繁富,我一人力不胜任,正巧我的好友、杭州大学古籍研究所所长龚延明同志在撰成《宋代官制辞典》后,拟另作一新的课题,征求我的意见,于是我们二人共同商讨,从事《宋登科记考》的编纂。此书包括科举大事记编年与历榜登科名录两大部分。宋代科举取士人数是历朝最多的,据现有材料统计,约十万人。而至今为止收罗宋代人物最多的是台湾学者王德毅等所编的《宋人传记资料索引》,共收二万二千多人,而记载登科人则只有六千余人,仅占两宋登科人十六分之一。而我们的这部《宋登科记考》,已考出登科者五万多人。这可以说是填补中国科举史研究的一项空白。此书编纂的总构思,是我和龚延明同志共同商定的,而工作的基点则放在杭大。历经五年努力,已接近完稿,总字数将达四百五十万。

第三项是唐五代文学编年。我在作《唐代诗人丛考》前，即已思考做文学编年的工作。我一直认为，研究文学应从文学艺术的整体出发，而文学编年史则可能会较好地解决整体研究的问题。如以唐代文学为例，我们如果分段进行唐代文学的编年，把唐代朝廷的文化政策，作家的活动，重要作品的产生，作家间的交往，文学上重要问题的交流或争论，以及与文学邻近的艺术样式如音乐、舞蹈、绘画、建筑等的发展，扩而大之如宗教活动、社会风尚，等等，择取有代表性的材料，一年一年编排，就会看到文学上"立体交叉"的生动情景，而且也可能会引出现在还想不到的新的研究课题。当然，编年史只是文学史研究的一种，它并不能代替其他体裁、其他方式的研究，只是因为目前古典文学界对此还未予重视，因此我就着手于此。唐五代文学编年，是我提出编撰原则与体例，与湘潭师院的陶敏、李一夫，厦门大学的吴在庆、贾晋华商讨合作，并经过几次反复修改，也历经五六年，现在已有初稿，正由我统一定稿，全书将有二百二十万字。另外，我也已约西北师大赵逵夫教授作先秦文学编年，中国社科院文学所曹道衡研究员作秦汉魏晋南北朝文学编年。如果我们能有一部从先秦至清末（即1911 年）的文学编年通史，人们可以一年一年地看到古代文学发展的具体历程，这将是我们文学史研究规模宏大的基础工程。

　　　　　　　　　　　　　　　　　　　　1998 年 8 月，北京。

　　　原载朝华出版社 1999 年版《学林春秋》，此据北方文艺出版社 2008 年版《书林漫笔》录入，另收入大象出版社 2004 年版《唐宋文史论丛及其他》

唐初三十年的文学流程

一

　　唐诗或唐代文学,一般分为初、盛、中、晚四个时期。盛、中、晚,其间的起讫年限,当今唐诗学界尚有不同意见,但初唐,起于高祖武德元年(公元 618 年),止于中宗景龙四年(公元 710 年)——睿宗景云元年(公元 710 年),则看法大致相同,因第二年即唐玄宗先天元年(公元 712 年),后年开元元年(公元 713 年),就开始历史上著名的"开元之治",也就是进入盛唐之世了。

　　这初唐九十四年,又可分为若干阶段,有分为三个阶段,或两个阶段的,各有不同说法,当然也各有一定依据。我个人认为,这初唐九十余年中,唐高祖武德九年(公元 618—626 年)、太宗贞观二十三年(公元 627—649 年),是自成一个阶段,这个阶段无论就政治、文化与文学来说,其中心人物即为唐太宗李世民,其起辅佐与纽带作用的是魏徵。第二个阶段则自高宗永徽元年(公元 650

年)起,至公元 701—711 年。当然这六十余年中还可分前后两期,如有些文学通史或断代史、分体史所论述的,但这所谓的前后两期实不易截然划分,因在这六十余年中对文学起政治上支配作用因而在诗歌发展中起明显消极影响的是一个武则天,这也是唐诗的盛唐之音在贞观之后六十年才得以奏响的重要因素(此当另文详述)。

我很同意罗宗强先生的看法:"贞观年间,唐太宗李世民和他的重臣们对文学的影响,不仅在当时文风的变化上,而且他们的文学思想,还深远地影响着有唐一代文学的发展。"①"唐文学的繁荣虽有各种各样的原因,但重要的原因之一,就在于这个朝代的建立之初,就已经奠定了一个比较正确的指导思想。这个比较正确的指导思想使唐文学的发展有了一个较好的开端。"②

唐武德九年,贞观二十三年,这三十二年,在初唐文学上所占的时间为三分之一,在整个唐代的历史上也仅占九分之一,但这三十二年是很不平常的,它不但在政治、经济上起新一朝代的兴起、奠基作用,而且在文学上有开拓、创新意义。这一点,过去三四十年前的论点是截然相反的,那时不少论著认为这唐初三十余年不过是袭齐梁的余风,受宫体诗的浸染。近二十年来渐有变化,有新的认识。但比较起来,这三十余年的文学过程的研究,比起唐代的其他时期来,则相对薄弱,涉及的文献材料甚少,所论的作家不过寥寥几个,总之所下的功夫不多。可能有人认为这三十

①《隋唐五代文学史》(上),高等教育出版社,1993 年 3 月版,第 32 页。
②《隋唐五代文学思想史》,上海古籍出版社,1986 年 8 月版,第 38 页。

余年时间毕竟太短，一闪而过，算不得什么。但我们如果把这三十二年放在当代的时间流程作一比喻，如从建国1949年起，三十二年，则为公元1949—1980年，对我们来说，即相当于整个50年代，60年代前期，"文革"十年，"文革"后的四五年。这段时期无论从政治运动或文学活动来说，经历是很不平常的。由此可以设想，这一千多年前的三十二年，也当有其值得探讨的历程。文学理论所概括的，文学历史所探索的，归根到底是具体人的文学活动。人的文学活动，在不同年份里，有不同的景象，有几年，似乎像是平静淡泊的细流曲涧，有几年，却可能突然出现浩瀚奔腾的巨波大浪。我们今天来研究历史上的文学活动，最好尽可能客观地再现当时的实景，而再现当时的实景，一个办法是整体展现社会的全景，即当时的政治、经济、风尚、习俗，以及多种文化景象，一个办法是按时间的自然流程展现当时的文学和人一年一年、一月一月的行程和痕迹。

二十年前，也就是1978年11月，我在《唐代诗人丛考》的自序中曾对文学史写作表述过一些想法，我想借此引录一段，以作为本文构思的一个意向："我们的一些文学史著作，包括某些断代文学史，史的叙述是很不够的，而是像一个个作家评传、作品介绍的汇编。为什么我们不能以某一发展阶段为单元，叙述这一时期的经济和政治，这一时期的群众生活和风俗特色呢？为什么我们不能这样来叙述，在哪几年中，有哪些作家离开了人世，或离开了文坛，而又有哪些年轻的作家兴起；在哪几年中，这一作家在做什么，那一作家又在做什么，他们有哪些交往，这些交往对当时及后来的文学具有哪些影响；在哪一年或哪几年中，创作的收获特别丰硕,而在另一些年中,文学创作又是那样的枯槁和停滞,这些又都是因为什么?"①

当时我想到的,是用一种编年体的方式,首先是把中国东西南北不同地区作家的不同活动,放在同一个时间环境中,然后又把这一文学整体,按时间流程,一年一年地往前推移,好似电视屏幕上,有些消失了,有些出现了,很可能这些变动的实景会引发我们原先意想不到的思考。

本文就试着大体按这种方式,来描画这唐初三十年文学的具体流程。

二

唐开国的第一年,也就是唐高祖武德元年(公元 618 年),有怎样的一种文学图景呢?

在这一年的前一年,隋炀帝杨广还在扬州行宫行乐,而这时天下实际已四分五裂,农民武装以及地方豪强,都纷纷割据一方。就在这年(公元 617 年)七月,李渊起兵于太原,西图关中;十一月,攻占长安,立隋代王侑为天子,遥尊炀帝为太上皇,改元义宁,而自封为大都督内外诸军事、大丞相,并进封唐王,以长子建成为唐国世子,次子世民为秦公,三子元吉为齐公。此时北方中原一带,则王世充奉隋越王侗据洛阳,李密率领一支农民劲军据洛北,

---

①《唐代诗人丛考》,中华书局,1980 年 1 月版,第 3 页。

互相对峙。

李渊占据关中的帝王之州，有一种政治地理的优势，自然抱统一宇内的意图，于是就在公元618年正月，命长子建成为左元帅，次子世民为右元帅，督诸军十余万人，东进以与王世充争夺洛阳及山东之地。这是唐帝国开国之初的头一个进军出击举措。

就在这时，扬州发生震惊朝野的军事政变，即隋右屯卫将军宇文化及联合一些武将，把炀帝杀死，名义上立秦王浩为帝，实际上由他控制军政大权，并随即率兵北上。

就在这次军事行动中，几个有影响的文士即遭难而死，未能进入新的朝代。一个是虞世基，也就是贞观时文坛领袖之一虞世南之兄。虞世基在陈时已官至尚书左丞，博学有高才，善草隶，为陈朝首屈一指的诗人徐陵赏识，徐陵以其弟之女嫁给他。虞世基入隋历官内史舍人、内史侍郎，史传称其五言诗"情理凄切，作者莫不吟咏"①。另一个被宇文化及杀害的为许善心，也就是贞观及高宗时称名一时的许敬宗之父。他也是由陈入隋的，在陈时十五岁即被徐陵称为神童，隋时仕至礼部侍郎，著有《灵异记》十卷，并仿阮孝绪《七录》作《七林》，著作多种②。另在宇文化及北上途中死去的有庾自直和崔赜。庾自直在隋时官起居舍人，曾编有总集类著作《类文》三百七十七卷③。崔赜则素与当时名学者姚察、刘炫等相善，史传称其所著词赋碑志十余万言，及《洽闻志》七卷、

①《隋书》卷六七《虞世基传》。
②《隋书》卷五八《许善心传》。
③《隋书》卷七六《庾自直传》，及《旧唐书·经籍志》下。

《八代四科志》三十卷,可惜未及施行,都因"江都倾覆,咸为煨烬"①。

约在这一年去世的还有著有著名传奇著作《古镜记》的作者王度,年约三十八岁②。

因为炀帝被杀,天下无主,国内形势更加动荡,李渊就于这年五月即皇帝位,国号唐,纪元武德,定都长安。李世民也于六月任尚书令,封秦王。这时他还只有二十一岁,即开始"长风破浪会有时"的政治、军事生涯。

唐朝开国,随着军事形势的进展,渐渐地吸引了周围地区的文人。如陈宣帝第十七子陈叔达,自幼能诗,为徐陵称赏,仕隋为绛郡通守,这时就在长安由丞相府主簿为黄门侍郎,年四十五③。颜之推之孙颜师古,在隋时薛道衡曾赏悦其才,后十年间居长安,唐军入城,即在李世民府第为敦煌公文学,唐开国,任起居舍人,时年三十八④。另一个由陈入隋的文士孔绍安,李渊即位时,马上由洛阳奔赴长安,还赋诗以石榴为喻,说:"只为来时晚,开花不及春。"这年四十二岁⑤。褚亮在陈,年十八时徐陵曾与他商榷文章,深为惊异,他的诗也受到江总的赞赏。陈亡入隋,唐开国时,

---

①《隋书》卷七七《崔赜传》。

②见王绩《王无功文集》卷四《与江公重借随纪书》,《全唐文》卷五二八顾况《戴氏广异记》,及今人孙望先生《蜗庐杂考·王度考》。

③《旧唐书》卷六一、《新唐书》卷一〇〇《陈叔达传》,又参见《陈书·高宗二十九王传》。

④《旧唐书》卷七三、《新唐书》卷一九一《颜师古传》。

⑤《旧唐书》卷一九〇上、《新唐书》卷一九九《孔绍安传》。

他与其子遂良正好在陇西薛举幕府。武德元年十一月,李世民进军西北,破灭薛举子仁杲,褚亮、褚遂良就入李世民的府第,任文学、参军等职,这时褚亮年五十九,褚遂良年二十三①。

与此同时,也另有一些文士分别进入太子建成及齐王元吉府第,如贺德仁年六十二,萧德言年六十一,陈子良年四十四,都为东宫学士,他们也都是由陈入隋的。另一个在江南时曾受江总器重,以《月赋》一文见称于时的袁朗,则入李元吉幕,为齐王府文学。庾抱虽不久即卒,但开国初也在李建成府为太子舍人,"时军国多务,公府文檄皆出于抱"②。

另外,还有散处于其他地区的。如李百药曾被隋炀帝贬为桂州司马,后吴兴郡守沈法兴在炀帝被杀后起兵攻占毗陵,即辟李百药为府掾,这时李百药年五十四③。唐初的两大文化名人,虞世南和欧阳询,本随炀帝在扬州,三月之后,被迫随宇文化及北上至山东境内。这时虞为六十一岁,欧阳为六十二岁。虞世南为越州余姚人,属文祖述徐陵,学书师事智永。欧阳询则为潭州临湘人,初学王羲之书,后变其体,笔力坚劲④。

由此可见,这时的大部分文士,都奔赴长安,其他则因受地

①《陈书》卷三四、《旧唐书》卷七二《褚亮传》,《旧唐书》卷八○、《新唐书》卷一○五《褚遂良传》。

②《旧唐书》卷一九○上、《新唐书》卷二○一《庾抱传》,又参见《续高僧传》卷三《慧净传》。

③《旧唐书》卷七二、《新唐书》卷一○二《李百药传》,又《通鉴》卷一八六武德元年八月。

④虞世南,《旧唐书》卷七二、《新唐书》卷一○二有传;欧阳询,《旧唐书》卷一八九上、《新唐书》卷一八九有传,又参见《法书要录》卷八。

理、政治等条件所限，还散处于南北各地（如孔颖达、陆德明这时还在洛阳王世充军中）。而在这之中，有才气、有名望的，大多出自于南朝的陈（这点很值得研究）。就在这一年，脱颖而出的，则是魏徵。

据《旧唐书·魏徵传》，魏徵为钜鹿曲城人，没有门第背景，少孤贫，但落拓有大志。后出家为道士，但好读书，多所通涉，见天下渐乱，就属意于纵横之说。李密率瓦岗寨农民军进据洛阳北面，魏徵即应征为其元帅府记室，与许敬宗共掌文翰。本年十月，李密为王世充所击溃，即西降于唐，魏徵也随李密入关。但魏徵不甘心于作一般官吏，他向唐朝廷上言，愿再出关，招抚山东豪杰。就在十一月，他慷慨出马，并在出潼关时，写了《述怀》一诗：

> 中原初逐鹿，投笔事戎轩。纵横计不就，慷慨志犹存。杖策谒天子，驱马出关门。请缨系南粤，凭轼下东藩。郁纡陟高岫，出没望平原。古木鸣寒鸟，空山啼夜猿。……岂不惮艰险，深怀国士恩。

此诗阔大的胸怀，非凡的抱负，具有一种不同寻常的刚毅气质。清人沈德潜认为《述怀》诗"气骨高古，变从前纤靡之习，盛唐风格，发源于此"（《唐诗别裁》卷一）。唐开国的第一年，有这样的诗出现，确实预示唐诗"潮平两岸阔，风正一帆悬"的广阔前途。

三

以上就是初唐第一年的文学形势图,也就是当时的文人分布图。随着时间的推移,这种图形又有所变化,而这种变化,又与当时的战争情势密切相关,其中心人物,则是李世民,特别是武德四年(公元621年)十月开设文学馆,形成在那一动乱时间的一个文化小高潮。

武德二年(公元619年)闰二月,盘旋于河北、山东一带的农民军首领窦建德,于聊城击灭宇文化及部队,原在宇文化及幕中的虞世南、欧阳询即转入窦的军中。"初,群盗得隋官及山东士子皆杀之,唯建德每获士人,必加恩遇"①。同年十一月,窦建德又西进,攻陷黎阳,原在徐勣军中的魏徵也为所俘。这样,在窦建德军中,虞世南任黄门侍郎,欧阳询为太常丞,魏徵为起居舍人。有意思的是,唐初以隐逸著称的诗人王绩却于此时也一度往依窦建德中书侍郎凌敬门下。贞观时吕才《王无功文集序》云:"隋季版荡,客游河北。时窦建德始称夏王,其下中书侍郎凌敬,学行之士也,与君有旧,君依之数月。"窦建德于武德三年正月称夏王。可见武德二年、三年,窦建德不仅军事势力强,而且也有一定文化影响。

但这种情况马上起了变化。武德三年李世民率军东进围攻

---

① 《旧唐书》卷五四《窦建德传》。

王世充，王世充困居洛阳，势不能敌，即求救于窦建德，双方联合，与唐军对垒。武德四年五月，李世民乘窦军轻敌，用计策先加击灭，王世充也就被迫出降。这是唐军在中原作战的一个关键性战役，奠定了统一全国的基础，故于这年七月下诏，"以天下略定，大赦百姓，给复一年"①。

李世民不但赢得了军事上的胜利，也为唐王朝造成文化上的吸引力。这时，虞世南即入为秦府参军；魏徵入磁，李建成马上把他引为太子洗马。王世充平，则孔颖达、陆德明也就西入长安，而曾与虞世南、庾抱等结为文友的荆州人刘孝孙，也自洛阳入唐为虞州录事参军，他后来于贞观中曾为《续古今诗苑英华》一书撰序，在初唐诗歌思想上颇有建树。

这时，上文提过，曾任窦建德中书侍郎的凌敬，在窦军败后，也拟西入长安。这年秋，他先游历洛阳，"洛城聊顾步，长想遂留连"，目睹战后故都"平原悴秋草，乔木敛寒烟"，不免有所感慨，"彷徨不忍去，杖策屡回遭"（《游隋故都》）②。这可能代表当时一部分文士的心绪。在这之前，他曾与王绩议论天下大势，王绩对他说："以星推之，关中福地也。"后来王绩也来长安，见到凌敬，对他说："曩时之言，何其神验也。"③屡次想归隐的王绩这时也有如此看法，这也可见一般文士对新王朝的依附心理。

就在被誉为"福地"的长安，李世民即于武德四年十月，以秦

---

①《通鉴》卷一八九。
②《全唐诗》卷三三。但《全唐诗》题作陆敬诗，陆当为凌之误，见岑仲勉《读全唐诗札记》。
③五卷本《王无功文集》吕才序，见北京图书馆藏清陈氏晚晴轩抄本。

王府的名义，于长安宫城之西开设文学馆："武德四年十月，秦王既平天下，乃锐意经籍，于宫城之西开文学馆，以待四方之士。"①这时列于文学馆的，有十八学士，其中有杜如晦、房玄龄、于志宁、薛收、褚亮、姚思廉、陆德明、孔颖达、虞世南、许敬宗等，后来还补收杜淹、刘孝孙，差不多都是一流文士。李世民以秦王的名义而下的《置文馆学士教》，着重提出：

> 或背淮而至千里，或适赵以欣三见。咸能垂裾邸第，委质藩维，引礼度而成典则，畅文词而咏风雅。②

从这几句话可以看出，李世民当时聚集文士，确无地域、门户之见。这十八学士，除了一部分著籍关中外，不少是南方来的（"背淮而至千里"），也有从河北来的（"适赵以欣三见"），这为他在贞观时融合南北文风的主张开了一个良好的头。李世民在贞观时好几次说过："朕往为群凶未定，东西征讨，躬亲戎事，不暇读书"；"（朕）少从戎旅，不暇读书"③。但就在这种"躬亲戎事"的环境中，他还能设立文学馆，而这时他不过是一位二十四岁的青年，就能吸引、聚集当时相当数量的知名之士，确实不易。后来他于武德八年因事至泾州，还特地召见被唐高祖李渊因听人谗言，在江南平后被贬为泾州司户的李百药，并赠以诗："项弃范增善，

---

①《唐会要》卷六四。
②《全唐文》卷四。
③《贞观政要》六《悔过》，一○《慎终》。

纣妒比干才。嗟此二贤没,余喜得卿来。"①可见他对文才的爱惜之情。

唐高祖李渊是一个平庸之主,军事上主要依靠其子李世民,政治上没有什么作为,文化上除了武德七年由欧阳询、令狐德棻编撰一部《艺文类聚》外,其他也没什么可提。武德五年十二月,曾命萧瑀、陈叔达、令狐德棻等修撰魏、周、梁、齐、陈、隋史,终因未有明确的修史主旨,"绵历数载,竟不就而罢。"②怪不得王绩虽在齐王李元吉府中住了一些时日,最终还是"病归言志"③。武德的后几年,就这样平平淡淡地过去了。

四

武德九年(公元 626 年)六月的玄武门之变,对唐代政治是一个转折的关键,对唐代文学也是一个发展的契机。玄武门之变,李世民与其兄太子建成、其弟元吉火并,取得胜利;同年八月,几年来一直支持建成、元吉的唐高祖李渊不得不让位,李世民正式登基即位,开启了唐帝国的新的局面。

就在李世民登上皇位的第二个月,即九月,他就命令于门下

---

① 《册府元龟》卷九七。
② 《唐会要》卷六三。
③ 《王无功文集》卷三《久客斋府病归言志》。按,此诗题中"斋"字当作"齐"字,即李元吉齐王府。

省的弘文殿聚书二十余万卷,在弘文殿殿侧专门设立一个弘文馆,"精选天下贤良文学之士虞世南、褚亮、姚思廉、欧阳洵、蔡允恭、萧德言等,以本官兼学士,令更宿直。听朝之隙,引入内殿,讲论文义,商量政事,或至夜分而罢"①。这一举动比武德四年的开设文学馆,意义更大,当时文学馆的建立还只是以秦王府的名义,而现在的弘文馆则是堂堂正正的中央机关,更有影响力;另外,当时的文学馆难免有与李建成、李元吉抗争的政治策略作用,如《新唐书·袁朗传》所说的:"武德初,隐太子(建成)与秦王、齐王相倾,争致名臣以自助,太子有詹事李纲、窦轨⋯⋯,秦王有友于志宁、记室参军事房玄龄⋯⋯,齐王有记室参军事荣九思⋯⋯。"现在则李世民登上皇帝宝座,就需要有一个对国家政事(包括文治)统筹规划的参谋班子,也即"讲论文义,商量政事",其作用与地位明显不同,无怪当时一位诗人孔绍安对蔡允恭之能入弘文馆,甚为羡艳,写诗赞颂云:"畴昔同幽谷,伊尔迁乔木。赫奕盛青紫,讨论穷简牍。"②

　　唐太宗李世民一上来对文化思想即采取宽松的作法,他一方面于即位那年十二月,诏立孔子后人孔德伦为褒圣侯,命虞世南特地撰写《孔子庙堂碑》③,以示尊重儒家;同时对佛道采取放松政策:武德九年二月,李渊曾下诏沙汰天下僧尼、道士、女冠,长安只留佛寺三所,道观二所,诸州首府各留一所;玄武门之变后,这

①《唐会要》卷六四。
②《全唐诗》卷三八孔绍安《赠蔡君》。
③《金石萃编》卷四一《孔子庙堂之碑》。

一命令作罢。在这样的环境中,贞观元年,二十八岁的玄奘即西行赴印度求法①。也在这一年,于阗国以"丹青奇妙"著称的画僧尉迟乙僧也来到长安,据说后来长安城中慈恩寺塔前功德,光泽寺七宝台后面所画降魔像,都出自他的手笔,"千怪万状,实奇踪也"。当时人就认为"尉迟乙僧,阎立本之比也"②。这都给唐代的中西文化交流带来良好的影响。

贞观二年(公元 628 年),又发生了一件很值得思考的事。大家知道,李世民是很注意于隋朝亡国的教训的,他几次提及"水可载舟,亦可覆舟"。他考虑文风,考虑诗艺,首先注重于政教的作用。但他对此并不绝对化。贞观二年六月在制订雅乐时所发表的音乐见解,是很好的例子。贞观初李世民命祖孝孙、吕才等整理隋代传下来的乐调,注意于合南北之长,即"梁陈尽吴楚之声,周齐皆胡虏之音。……平其散滥,为之折衷"③。二年六月,乐成奏上,御史大夫杜淹就说:"前代兴亡,实由于乐。"杜淹认为,陈之将亡,有《玉树后庭花》,齐之将亡,有《伴侣曲》,这就是所谓亡国之音,"以是观之,实由于乐"。李世民表示不同的意见。他说:"不然,夫音声感人,自然之道也,故欢者闻之则悦,忧者闻之则悲,悲悦之情,在于人心,非由乐也。"他这里强调审美主体的主导作用,认为声音之于人,其悲其悦,主要取决于人处于何种具体环

---

① 见《广弘明集》卷二二玄奘《请御制三藏圣教序表》。关于玄奘生年及西行之年,记载多歧,今从杨廷福《玄奘年谱》,并参梁启超《中国历史研究法》第五章。
②《唐朝名画录·神品》下,又《续高僧传》卷三。
③《通典》卷一四。

境。他进一步阐释说:"将亡之政,其民必苦,然苦心所感,故闻之则悲耳。"这样,人对于乐调的反应,取决于政治兴亡的大环境。他最后开玩笑地说:"今《玉树》《伴侣》之曲,其声俱存,朕能为公奏之,知公必不悲耳。"①李世民这里承认乐在一定条件下是能起感染作用的,但主要决定于政治大环境及人作为审美主体的主导作用,不能把政治得失甚至亡国罪责单纯归因于音乐。这是三十一岁的李世民在开国之初对文艺与政治关系的纲要式论断,不止是对研究贞观时期的文治政策,就是研究中国古代美学思想,也是很有意义的。这种宽松的文治,对贞观时期的文风是有相当影响的,后来卢照邻在《南阳公集序》中就说:"贞观年中,太宗……留思政涂,内兴文事。虞(世南)、李(百药)、岑(文本)、许(敬宗)之俦以文章进,王(珪)、魏(徵)、来(济)、褚(遂良)之辈以材术显,咸能起自布衣,蔚为卿相,雍容侍从,朝夕献纳。……变风变雅,立体不拘于一涂;既博且精,为学遍游于百氏。"②

就在这前后几年,也恰好是作家自然交替的时刻。"初唐四杰"之一骆宾王约生于武德六年(公元 623 年),贞观三年(公元 629 年),他七岁,即传说作了那首有名的七言咏鹅诗。贞观七年(公元 633 年)左右,另一位"四杰"之一的卢照邻出生。可见骆、卢二人的青少年是在贞观时期度过的,这当有助于了解他们文学思想形成的环境。而在这几年,开国初由隋入唐的几位名家,如孔绍安、庾抱、蔡允恭、贺德仁、袁朗、杜淹,及《经典释文》撰者陆

①此事见《贞观政要·礼乐》,《唐会要》卷三二,及《通典》卷一四。
②《卢照邻集》卷六。

德明，都相继去世。王绩原先在长安，与吕才交往，后来又以疾罢归龙门，过着与世隔绝的生活。此后比较突出的，即以虞世南、许敬宗、李百药、褚遂良等为主体、以长安为文学环境的宫廷诗风。

当时唐太宗君臣，及大臣与文士，宴游唱和之风是很盛的。除了散见于《全唐诗》之外，日本还保存有唐写卷子本《翰林学士集》一卷，清季由陈矩影写携归。此集共收太宗君臣唱和诗五十一首，其中许敬宗最多，凡十二首，其次为太宗九首，其余为上官仪、杨师道、褚遂良、长孙无忌等十五人，各存四五首或一二首。《全唐诗》所收者仅为其中的十二首，其余皆为中国长期失传，这对于研究唐初宫廷唱和的盛况，很有参考价值①。

过去一般对这些上层唱和之作多持否定态度，而且还认为这就是沿袭南朝梁陈时靡艳诗风。对于这一文学现象似应结合当时的整个社会环境来看。譬如《翰林学士集》中《四言曲池醻饮座铭》，现在可以考知即作于贞观四年二月，作者除给事中许敬宗外，署名者有沛公郑元璹、武康公沈叔安、酆王友张文琮、兵部侍郎于志宁、燕王友张后胤、越王文学陆搢②。其中沈叔安诗有云："天地开泰，日月贞明。政教弘阐，至治隆平。"张后胤诗有云："公侯盛集，醻醮梁园。莺多谷响，树密花繁。"许敬宗诗有云："日月扬彩，燧烽撤候。赐饮平郊，列筵春岫。"这看似只为一片颂扬之

<hr>

① 见《唐人选唐诗新编》（傅璇琮编）中陈尚君校辑《翰林学士集》前记。陕西人民教育出版社，1996年7月版。

② 按越王泰、燕王祐于贞观二年二月徙封，贞观四年二月甲寅大赦，赐醮五日，而酆王元亨则卒于贞观六年六月，均见于《旧唐书·太宗纪》，从人所署官职，此一诗题当作于贞观四年二月。

声,但仍有其实际内容。就在这一月,唐定襄道行军总管李靖大破颉利突厥于阴山,唐朝所占地自阴山至大漠,这是唐开国以来在西北的一次大胜仗,因此朝廷特地"露布以闻","赦天下",自此,西北诸族皆尊唐太宗为"天可汗"①。许敬宗诗所谓"日月扬彩,燧烽撤候",很可能即为此而发的。又贞观初唐朝廷即大力发展中央国学、太学、四门学等,增加学员,"其书、算等各置博士,凡三千二百六十员。……已而高丽、百济、新罗、高昌、吐蕃诸国酋长亦遣子弟请入国学。于是国学之内,八千余人,国学之盛,近古未有"②。于此可见沈叔安诗所谓"政教弘阐,至治隆平",也非空泛之言。这些,与梁陈时君臣一味以歌伎陪饮、咏声色之好,无论内容与格调是完全不同的。

从大的空间来说,当时的诗歌创作,也并非只是长安城中一些上层大臣,还有其他地区的一般诗人。除了大家所知的居住于山西龙门的王绩外,我们还可举出几个。如曾在齐王元吉府中的陈子良,后因事贬官入蜀,任相如县令,卒于贞观六年③。他有几首诗很有特色,如《于塞北春日思归》:"我家吴会青山远,他乡关塞白云深。为许羁愁长下泪,那堪春色更伤心。惊鸟屡飞恒失侣,落花一去不归林。如何此日嗟迟暮,悲来还作白头吟。"《伤别》:"落叶聚还散,征禽去不归,以我穷途泣,沾君出塞衣。"

还有崔信明、郑世翼,《唐诗纪事》卷三曾记有:"有崔信明者,

---

①见两《唐书·太宗纪》,《通鉴》卷一九三。
②《唐会要》卷三六。
③参见《唐诗纪事》卷四,《法苑珠林》卷六五引《冥报记》。

尝矜其文,谓过李百药。世翼遇之江中,谓曰:'闻公有枫落吴江冷,愿见其余。'信明欣然,多出众篇。世翼览未终曰:'所见不逮所闻。'投诸水,引舟去。"这是一段诗歌佳话,"枫落吴江冷"即因此而传世。崔信明于贞观六年应诏举及第,曾作几任地方官。他的诗传世的虽仅《送金竟陵入蜀》五律一首,但这首五律中的"猿声出峡断,月彩落江寒"及"枫落吴江冷"单句,是确有诗情的。郑世翼为人倨傲,他于贞观十年左右因"坐怨谤,配流巂州,卒"(《旧唐书》本传)。《全唐诗》卷三八载其诗五首,都是五言,其中《巫山高》一首颇有格调:"巫山凌太清,岩崿类削成。霏霏暮雨合,霭霭朝云生。危峰入鸟道,深谷写猿声。别有幽栖客,淹留攀桂情。"

从这里我们可以看到,在贞观前期,就全国范围而言,有长安上层人士的赞颂升平之音,有山西、塞北、江淮、蜀江等普通文人抒怀写景之作,贞观的诗坛也确非单调一色的。

五

既云文学流程,最好是一年一年地记录作家的文学活动及当时朝廷的文化措施,但这样做就非一篇论文所能容纳。近些年来,我与几位友人在作整个唐五代文学的编年史,已将定稿的初盛唐文学卷,即公元 618 至 755 年(天宝十四年),就将近六十万字,则平均以每年五千字计算,唐初三十二年就有十六万字。因此,本文只能大体按时间顺序,择其重要的文学事件,加以论列。

　　我们在唐开国第一年即武德元年，已介绍被誉为开盛唐之音的魏徵《咏怀》诗，但在此后整个武德年间，魏徵却未有特别的表现，原因是他从窦建德军归唐，为李建成引入其太子府第；李世民开设文学馆，当然不可能有魏徵，因此魏徵未被认为是李世民政策班子中的核心人物。但李世民登上帝位后，魏徵却以其卓识与直气受到器重，被授为秘书监。秘书监虽未有政治实权，却能起典籍整理的文化建树作用，其历史意义是一般的行政长官所不能比拟与替代的。

　　贞观五年九月，以魏徵领衔，虞世南、褚亮、萧德言等参预，受太宗之命，编成《群书治要》五十卷，上奏。此书的编撰，是唐太宗立国的一贯主张，就是"欲览前王得失"，吸取教训，巩固政权。他在贞观二年就对房玄龄说过："为人大须学问。朕往为群凶未定，东征西讨，躬亲戎事，不暇读书。……君臣父子，政教之道，共在书内。古人云不学面墙，莅事惟烦，不徒言也。"（《贞观政要·悔过》）后几年又曾说："少从戎旅，不暇读书。贞观已来，手不释卷，知风化之本，见政理之源。"（《贞观政要·慎终》）这种在即帝位后立即自觉进行文化补课，在中国封建帝王中，是极为少见的。《群书治要》所采，"爰自六经，讫于诸子，上始五帝，下尽晋年"①。正如魏徵在序言中所说："本求治要，故以'治要'为名。"②此书受到清中叶著名汉学家阮元的重视，被誉为"洵

————————

①《唐会要》卷三六。
②魏徵《群书治要序》，《全唐文》卷一四一。

初唐古籍也"①。

与此同时进行的，是规模更大的一项文化工程，即修唐以前的梁、陈、北周、北齐与隋五朝历史，《梁书》《陈书》由姚思廉撰，《周书》由令狐德棻撰，《北周书》由李百药撰，魏徵为"总加撰定"，并亲自主持与现政权关系更密切的隋朝国史的编撰——《隋书》。如果与稍后进行并于贞观二十二年完成的《晋书》合计，则中国历史上史籍巨著"二十四史"，有四分之一是在唐贞观时期不到二十年间撰成的。

修理这几部史书，不仅仅是从探索政治得失着眼，书中还从文学创作的兴衰及历史变迁总结经验教训。魏徵与令狐德棻、李百药都共同对梁陈宫体诗加以严厉抨击，但他们对南北朝一些有成就的作家，还是肯定其文学成就的，如魏徵在《隋书·经籍志》四中说："宋齐之世，下逮梁初，（谢）灵运高致之奇，（颜）延年错综之美，谢玄晖之丽藻，沈休文之富溢，辉焕斌蔚，辞义可观。梁简文之在东宫，亦好篇什。"更为重要的是他们提出南北融合的主张，即："江左宫商发越，贵于清绮；河朔词义贞刚，重乎气质。气质则理胜其辞，清绮则文过其意。理深者便于时用，文华者宜于咏歌，此其南北词人得失之大较也。若能掇彼清音，简兹累句，各

①见阮元《四库未收书提要》，《研经室外集》。按，《群书治要》，《宋史·艺文志》未著录，则至宋元之际已失传，阮元所见是日本影本，已缺三卷（卷四、十三、二三）。阮元在提要中说："所采各书，并属初唐善策，与近刊多有不同。如《晋书》二卷，尚为未修《晋书》以前十八家中之旧本。又桓谭《新论》、崔寔《政要论》、仲长统《昌言》、袁准《正书》、蒋济《万济论》、桓范《政要论》，近多不传，亦藉此以存其梗概，洵初唐古籍也。"

去所短,合其两长,则文质斌斌,尽善尽美矣。"(《隋书·文学传序》)这点,已有不少论著叙及,本文不再多述。我这里想补充的是,这种对南北文风取长补短之见,是一种多民族文化融合的必然趋势,这在唐代立国不到二十年就提出来,确实表现出一种远见,极为难得。又譬如,天宝时殷璠编选盛唐人诗,其叙中称"武德初微波尚在,贞观末标格渐高,景云中颇通远调"。而令狐德棻在《周书·王褒庾信传》论中,提出"和而能壮,丽而能典"的标准,其中之一即是"其调也尚远"。一百年前后,其文思相合如此,也可见出唐初这些上层大臣的文化涵养。

在此之后,连续有好几部与文学有关的书编撰。如贞观十五年十月,由尚书左仆射高士廉主持,魏徵、许敬宗、吕才、房玄龄等参预的《文思博要》一千二百卷完成①。高士廉在该书序中说:"帝听朝之暇,属意斯文。……以为观书贵要,则十家并驰;观要贵博,则七略殊致。"②则此书之修撰,也出于唐太宗的旨意。本年左右,曾为秦王文学馆学士的刘孝孙,请长安纪国寺僧人慧净编纂一部近现代诗选:《续古今诗苑英华》十卷。所谓续,即续《古今诗苑英华》,此书相传是梁昭明太子萧统与其幕府文士刘孝绰共同编集的。慧净这部书,辑梁至唐初一百五十四人诗五百四十八首,是唐初规模最大的一部诗选,也是当时开唐人选唐诗的先例。刘孝孙为此书写了一篇长序,对南北朝后期作者温子昇、邢劭、徐陵、庾信、王褒、沈炯,评价都很高。可见唐初的诗评家,对

①《唐会要》卷三五。
②高士廉《文思博要序》,《全唐文》卷一三四。

前朝诗歌,并不一概否定,他们是抱公允、开放的态度的,这点也值得注意。

与此同时,弘文馆学士褚亮与其他学士一起编选了诗歌摘句《古文章巧言语》一卷。高宗时元兢的《古今诗人秀句序》曾提及此书,说"皇朝学士褚亮,贞观中奉敕与诸学士撰《古文章巧言语》一卷"①。可见此书也是奉太宗之命而编的。元兢在序中虽对此书所选诗句不甚恰当有所评议,但仍可看出此书所选有不少南朝诗人的佳句(可惜书已不传)。

另外,贞观十六年,又有两部颇具学术价值的书编成,一是太宗子魏王李泰的《括地志》五十卷②,始修于贞观十二年,是一部当代地理志。可惜书已不传,现在只有辑本。另外,也在这一年,孔颖达奏上其奉敕复审之《五经正义》一百八十卷。这也是我国封建社会中期对汉以后儒家经书作整理校注的一次阶段性成果。

贞观后期,文坛上的人物,又有较大的变化。如:贞观十五年,欧阳询卒;十六年,刘孝孙卒;十七年,魏徵卒,曾以作赋著称的谢偃卒;十八年,王绩卒;十九年,岑文本、颜师古、慧净卒;二十一年,高士廉、褚亮、杨师道卒;二十二年,孔颖达、房玄龄、李百药卒。而在此之前,虞世南已于贞观十二年卒。这样,由隋入唐,在唐三十年文学舞台上曾活跃一时的人物,逐渐离开人世。而与此同时,贞观十二年或稍后,乔知之生;十六年,骆宾王十九岁,赴京洛应举,行前曾上书兖州长史求荐,表示自己即将走上"迁乔之

_____

①见日遍照金刚《文镜秘府论》南卷《集论》。
②见《唐会要》卷三六,又《唐大诏令集》卷四〇《魏王泰上括地志赐物诏》。

路"，而卢照邻也已十岁，正在扬州向《选》学大师曹宪求学；十九年，李峤生；二十一年，《书谱》作者孙虔礼生；二十二年，苏味道生。而时隔两年，即太宗卒后第一年，唐高宗永徽元年（公元650年），王勃与杨炯出生；永徽二年（公元651年），刘希夷生。——这样一个简表，表明一个文学时代的结束，另一个时代的开始。

而在这前后交替中，李世民还坚持其对文学、书法以及佛学等的爱好之情，这是较为难得的。如贞观十八年二月十七日，他宴群臣于玄武门，乘兴作飞白书①。同年五月，又为飞白书写于扇上，赐长孙无忌、杨师道等②。八月，作五言组诗《帝京》十首③，其"秦川雄帝宅，函谷壮皇居"之句向为后世所称。就在这一年，相传他又命萧翼到越州设法赚取王羲之《兰亭》真迹④。贞观十九年，玄奘自印度返回，携回经论六百余部，二月，太宗特地于洛阳接见玄奘，并命于弘福寺译经⑤。二十二年八月，又为玄奘所译经论撰写《大唐三藏圣教序》，颇称颂玄奘取经译经之功，谓"方冀兹经流施，将日月而无穷；斯福遐敷，与乾坤而永大"⑥。同年，《晋书》修成，太宗为撰其中的宣、武二帝及陆机、王羲之传四论，在《王羲之传》论中，表露了他对王氏书法艺术的向往追慕

---

①《唐会要》卷三五："十八年二月十七日，召三品已上赐宴于玄武门，太宗操笔作飞白书，群臣乘酒，就太宗手中相竞。"

②《墨薮》卷二："贞观十八年五月，太宗为飞白书，……笔势惊绝。"

③《玉海》卷二九："《帝京篇》五言，太宗制，褚遂良行书，贞观十八年八月。"

④见《法书要录》卷三何延之《兰亭记》。

⑤《续高僧传》卷四《玄奘传》。

⑥见《全唐文》卷一〇。又参《全唐文》卷七四二刘轲《大唐三藏大遍觉法师塔铭》，《大慈恩寺三藏法师传》卷六。

之情："玩之不觉为倦，览之莫识其端，心慕手追，此人而已。"这种充满感情的艺术评价，正好为唐初三十年文学划上一个完好的句号。

原载《文学遗产》1998 年第 5 期，此据京华出版社 1999 年版《唐诗论学丛稿》录入，另收入安徽教育出版社 1998 年版《当代学者自选文库·傅璇琮卷》

陈良运《周易与中国文学》序

　　陈良运先生的《周易与中国文学》,是于 1994 年秋向国家古籍整理出版规划小组申报,希望列入《中国传统文化研究丛书》。这套《研究丛书》,是南京大学名誉校长匡亚明先生任国家古籍小组组长期间提出编纂的。当时根据匡亚明先生的提议,特别为此成立了一个由十五位学者组成的学术委员会,因我当时任国家古籍小组秘书长,就被指定为学术委员会主任,并聘请中国社科院考古所原所长徐苹芳研究员、北京大学中文系袁行霈教授任副主任。此套书的"编辑说明"曾强调指出:"中国传统思想文化是一个极其广博的领域,它所蕴含的中华古老文明,怎样与现代的自然科学、社会科学与人文科学相接,已经引起中国和世界学人的关切和重视。改革开放以来,已有不少学者,解放思想,开拓进取,站在当今学术发展的高度,进行真正符合科学意义的独立的研究,取得了丰硕的成果。"

　　我觉得陈良运先生的这部著作是合乎《中国传统文化研究丛书》编辑说明的要求的,当时读了之后,确有创新开拓并符合科学求实精神的良好印象,好几位学术委员也有同感。但不料,在这之后,在与出版社联系的过程中,这部书稿不知在哪一环节中忽然丢失了。这给我很大的震惊。我做编辑工作已有四十年,这四十年的经历告诉我,著者的书稿应比自己的什么都重要。我也遇到过类似情况,一时找不到投寄来的稿件,当晚就吃不下饭,睡不好觉,连续几天都没有心思说话做事;后来终于找到了,心情豁然开朗,全身轻松,真想向天参拜。我是能真切理解良运先生当时的心情的,就写信给他,希望他重新执笔,并为了表示歉疚、慰勉之情,就不自量力地许诺,说此书新写成后,我当为大著写一篇序。

我真佩服良运先生执著于学术的坚贞之情与刚毅之气。他在这几年之内终于又写成这部专著,不但字数有所增加,而且构思更为精密,思路更有拓展。我觉得此书的出版,不但为中国古代文学研究、文学思想研究提供了填补空白的佳作,其写作的坎坷历程,也为我们这一代学人标立"天行健,君子以自强不息"的学术品格。

我对《周易》是爱好的,说也奇怪,我对其中的忧患意识特别感到亲切。可能这与我曾长期处于逆境有关,我常把《周易》所说"终日乾乾,夕惕若"作为座右铭。我总觉得作《周易》者,无论经文与系传,确都有一种深切的忧患意识。这从某一点上,是合乎我们华夏民族的传统意识的,也是一种可贵情思。但总的说来,我对《周易》缺乏研究,缺乏整体把握,因此为这部专著作序,确是步履维艰,甚感为难。为此,我曾前后读了两遍,作了札记,并对书中所引西方学者及中国现代学者的论著,一一另纸札录。

《周易》的研究,近十余年来有很大的进展。易学已成为传统学术研究的一门显学。易学确有相当广泛的研究领域。根据目前的研究情况,不但它的主体是哲学思想,而且涉及科技、医学等众多学科。但可惜,关于《周易》与中国文学,还未得到重视。据我所接触到的,把《周易》作为专节叙述的,是刘大杰先生的《中国文学发展史》。在这之后,包括近几年出版篇幅较大的一些文学史著作,只把《周易》作为《诗经》之前诗歌溯源的例子提到几句,至于其中的文学思想,更无一笔涉及。我们对中国文学思想、文学观念的研究,似乎受鲁迅先生所引及的魏晋是文学自觉时代这一论点影响太深,好像这已成为一条界限,在这之前,中国文学就没有观念、思想可言。我个人认为,我们现在应当重新对此加以考虑。

前几年,学术界有"重写文学史"的口号,近年又提出"重写学术史"。我以为这确是当今学界不满足于已有成就、亟欲突破现状的要求。但我觉得,"重写"的前提是"重研",你要重写什么,首先要对历史和现状进行一种新的研究和探讨,这样,"重写"才有新的思路与实的内容,否则只不过是某些流行歌曲,唱了一阵子,也就如流水行云,飘然散失。

在我的印象中,对《周易》的文学思想有正确重视并有意将其思想与后代文学联系的,是刘勰《文心雕龙》。刘勰在该书《序志》篇中就特别提出,他这部书的体系结构,就是"彰乎大《易》之数,其为文用,四十九篇而已"。可惜在刘勰之后,就没有一部书真正从文学发展的角度来研究《周易》。可能学者对陈良运先生此书中的某些论述有不同看法,这在学术研讨中是正常现象,但不管如何,我认为,这部《周易与中国文学》确是继刘勰之后,第二部全面探讨《周易》文学思想的书，无论如何，这在学术史上有其不可移易的地位。

整理一下我两遍读后的印象，深感这部书在结构方式、论述重点、古今中外沟通等方面，有它的独特之处，试择要述之：

一是作者紧紧扣住《周易》原本展开论述，不像当下有些研究古代学术的新著，常离开原本的文字而作属于自己个人的"形而上"发挥，有意摹仿"六经注我"的做法。本书内篇八个专题是探讨《周易》原始文本中所蕴含的文学原理，作者不是按今天的文学理论命题先立其目再去寻找例证，而是老老实实地限定在卦爻辞和《系辞》、《文言》、《彖》、《象》二传的文字中钩索尚未明确但确又包蕴了某些文学观念的内涵。举个例子：善于、深于观察生活是从事文学创作者的基本功，可《易》之《观》卦却只有"童观"、"窥观"、"观我生"、"观其生"等不甚了了之词，作者在古代学者王弼等启示下，肯定地指出从观物到"观我生"是先人"认识世界的一大飞跃"，同时也就很自然地引申到文学家必须"观察世道人情、国计民生"，方能在笔下真实地反映或表现现实人生。作为文学理论范畴之"观"，便立之有据了。我还想特别指出的是，陈良运先生将《周易》之"道"界定为"创造之道"，初看似用现代人意识附会而使人怀疑或惊讶，但当他排列出《易传》关于"发于事业，美之至也"种种言论，你不能不折服我们的先人确实是世界上最早具有自觉创造意识的伟大民族之一。如果说内篇八个专题皆是如此这般"沿波讨源"、提升隐含的文学观念的话（每个章、节标题都予以明示），那么外篇十个专题便是由源览流了。前面我说过，刘勰是第一个重视并发挥《周易》文学思想的人，而良运先生则是直接前承刘勰而更深入且系统地阐述《周易》对中国文学发展方方面面的影响，以致使构成中国古代文学理论的种种主要观念范畴——成型，从而凸现了理论体系的大致轮廓。这里，几乎每个章节都涉及到《文心雕龙》的论述，但前者已论及的，他论述得更深切更有条理，且糅进了后来者补充发挥的新见解。如论"自然之道"即归纳了刘勰尚未明确归纳的"文学表现"，而且从并不太知名的南宋包恢的文论中引述出"大道本体之宏"等论述，从而加强了"自然之道"作为文学本体之说的论证；前者尚未展开的论述他拓开了一个新层面，如《文心雕龙》有《神思》一篇但未进入美学层次展开，陈良运先生依据孔颖达对"神无方"的阐释，描述了文学艺术中"神"之美学风采，大大开人眼界。这十个专题，题题与内篇所论相衔（以副标题体现这种衔接关系），内外照应，前后浑然一体，由此可见作者细密的匠心。

二是就《周易》本身也好，引申到文学也好，作者的论述层层深入。由于他从不离开原本原文作散漫的浅尝辄止，而是尽量地开掘原文的内涵和外延，因此使他能见到前人所未见到之处，言前人所未言之处，我觉得论《周易》"情理品位"一章可作典型范例。《周易》的忧患意识使我特别感到亲切，但从未作整体研究，读了《深沉的忧患意识》一节之后，倒不在乎对此种意识产生的寻根溯源有多少新见，使我备感兴趣的是作者逐一揭示《易经》深藏与表现忧患意识常规的或出人意外的方式，尤其是后者。他发现，《易》的忧患意识之所以深沉，不在于那些表现逆境状况的别卦中忧患重重，令人意外又很值得深思的是在形势大好的顺境中，在《丰》、《鼎》等以名示吉的卦中，竭力探寻可能导致功亏一簧的蛛丝马迹。而在示以大功告成的《既济》卦中，因爻之当位而实无蛛丝马迹可寻，却是条条爻辞都在示警！深掘至此，不能不令人幡然有所悟，良运先生接着引述了唐太宗与魏徵的对话和毛泽东在中共七届二中全会上的重要报告，从而深刻地阐释了"思患而预防之"之理。此节所论，至于当今还有不可轻忽的现实意义！《睿智的理性精神》一节我想也会使读者心眼发明，《系辞》提出的"九卦三陈"，历史上曾有谁像作者这样使用如此新颖又十分明晰的解读方式？他将原是交错的陈述，排列成九行，每行三段，一下子就将纵横关系理清楚了，原来，"横向：显示九卦之每一卦的'德'之修养，由内在之底蕴到外观之表征，再指明其作用；纵向：显示德之修养向纵深推进而成大业。纵横合而言之，其修养程度由外在的表征向内在的涵养不断深化，其能发挥的作用和所得的效果则是由小而大，由个人而及社会，由完善自身到行使治国驭民的权力。"对"九卦三陈"之义，历来的《易》学家解读者何止千计，但若不像如此打破原有语序而重新组合，我想绝不可能阐释得如此清晰。这样的论述，实已超出文学之用，可助所有学《易》者解读如此千古难题。同是在这一章中论《周易》之情，而《易经》是找不到一个"情"字的，为了不止于《易传》而窥探远古之人的情感状态及其表现，我以为作者细心之处不在于从卦爻辞中找到了三组例句，而是惊异于他从《豫》、《兑》两卦中找到了古人辨析情之品位高低优劣的确凿证据。一字之解如"鸣"、"盱"、"由"、"冥"、"和"、"孚"、"来"、"商"、"引"等，已是历代《易》学家所能，但悟到这就是古人对各类情感的评价而可启发"吟咏情性"的文学家，我不知在此书问世之前曾有此种说法否？当我读到这些层层深入的论述,真有大快朵颐之感。

三是我对全书所引外论专作了一个统计,特作札记的就有三十多处,引中国古今人物言论则远不止此。我关注这些引述的用意在于验证一下,当今研《易》者之比古代研《易》者,眼界与胸怀开阔、宽广得多了。我注意到良运先生对黑格尔的态度,他毫不胆怯地说黑格尔的目光被巍峨的喜马拉雅山挡住了,因而不知中国早有"自觉的象征",同时他又引用黑格尔另一段话,恰到妙处解释了"符号象征产生的必然性",这是中国历代注家论者都未能说得如此清楚的问题。参照国外有关论著,"他山之石,可以攻错",启迪我们破解古人留下的思维难题,走出以"古"解"古"的传统圈子,确是当今学者的一份幸运。如用索绪尔的语言理论和布留尔关于原始人语言状态的论述,用以观照《易经》语言,我认为就有意想不到的效果;用罗素和桑塔耶纳关于"理性"的论述,将"九卦三陈"的理性价值提高到世界性级别而不自作虚夸;而桑塔耶纳对于"无限之美"、"无言之美"却认为"不可思议",同样引用瑞士著名心理学家荣格关于中国人的思维没有"因果链"之说,恰能证明西方人未能深入发现中国人"隐含在感悟状态中"的"因果链",而《易经》中有此大量的证据。解读古人而不拘于古训,引述洋论而不迷信洋人,我以为这才是古今中外沟通的康庄大道,拘束和迷信都会造成堵塞,能够用今用洋参证,不是勉强附会而有画龙点睛之效,也是我前面提到"重写学术史"前提之"重研"一项重要的功课。

读陈良运先生这部专著尤其是读完"外篇",不禁产生了一些感慨,若不深入透彻地了解我们代代先人积累遗传下来的文化学术瑰宝,我们便不能有不可摇撼的民族自豪感。曾习闻某些嘲弄性言论:"不要老是说,外国有的中国早就有!"的确外国很多高科技的东西中国现在也还没有,但属于精神性的东西,哲学、美学、心理学、文学艺术范畴内的不少的东西,确是中国早就有,就连外国人不承认也不行(如本世纪初欧美意象诗派,就老老实实地承认"意象"是从中国学来的),难道我们自己反不肯承认吗?就如本世纪曾在欧洲热闹一时的被称为可与生物学上达尔文"天演"说媲美的"移情"之说,中国确实是在刘勰的时代就出现并走向成熟了,《文心雕龙·物色》完全可以为证,良运先生特标"东方最先出现的移情说",上与朱光潜先生30年代著的《文艺心理学》相呼应。难道为了表示中国人的谦虚而将"移情"说的发明权拱手让给里普斯?再如将中国"灵感"论的起源上溯到老子的"微妙玄通",则我们不但不落后于德谟克利特等古希腊哲人,"通灵感物"作为"灵感"说初义之界定,实比他们更具科学性。中国学者有责任也有义务发扬光大我们自身的学术传统,向世界展示中国学术的优势,为世界学术所作出的贡献。在这一方面,首先要让众人了解,如《周易》,世界上之所以不重视其文学思想,是因为他们不了解。要使今人了解《周易》,还须应用现代科学发展形成的新认识,不能只局限于传统观念。只有用新的科学认识才能对《周易》中合理因素加以阐发,这也是传统研究的当代意识。

改革开放以来,随着中国现代化建设的健康稳步发展,我们正在向全世界展示中华民族全面振兴的灿烂前景。在这一大环境中,中国传统的文化学术价值也正在受到愈来愈多的世界人民的认识,不少西方学者已经比过去更深切地理解和领会中国学术对世界学术的意义。在整个世界文化学术研究中,如果没有中国的文化学术,那么这种研究就将缺少重要的一环。这一点,我想我们如果真正细读良运先生这部《周易与中国文学》,将更有一种对民族文化学术的自尊和自信。当然,在历史上,东西方学术由于各自的社会环境不同,各自形成不同的学术轨迹,两者之间确有不小的差异。这就需要我们进一步拓宽视野,吸取西方近现代较有科学意义的学术观念和研究方法,一方面充分阐释我们古老文明的价值,另一方面也有必要把我们的民族文化学术放在世界学术的大范围内,作公平客观的比较。这也是我读了本书后在治学路数上所得的一点启示。

另外,我还想提到的是,本书最后附录一篇专文:《一部超越时空的诗体启示录——〈焦氏易林〉赏析》,很值得注意。《易林》的著者焦延寿,是西汉中后期人,著名《易》学家京房的老师。此书收录4096首四言诗,这在四言诗的创作上,可以说是空前绝后的。这部书,明代的杨慎、钟惺曾给以一定的评价。现代诗人兼学者闻一多先生选辑的《易林》120首,题为《易林琼枝》,置于他选辑的《风诗类钞》、《乐府诗笺》、《唐诗大系》之间,很明显,闻一多先生是把《易林》与《诗经》、汉魏乐府、唐诗同等看待的。当代学者钱锺书先生在《管锥编》中,将《焦氏易林》立为专题。但现在的一些文学史著作,却从未提及一句。陈良运先生近年来潜心于此书的研究,写了好几篇学术专论,特别是对余嘉锡、胡适两位先生认为《易林》非焦延寿所作的论点逐一作了考证,否定这一被认为权威之说的定论,我曾细读,颇有同感,我觉得其立论之新、考析之细,与陈尚君先生的论《二十四诗品》非司空图所作,均为近些年来古代文学的考证力作。良运先生明确提出："真正自觉地创作哲理诗，我以为第一位就是焦延寿"，"焦延寿是中国诗歌史上第一位现实主义诗人"。我希望这一说法能引起学术界的充分注意。

1998 年 10 月，北京

原载百花洲文艺出版社 1999 年版《周易与中国文学》，此据大象出版社 2008 年版《学林清话》录入，另收入大象出版社 2004 年版《唐宋文史论丛及其他》

中国唐代文学学会第九届年会开幕词

（1998 年，贵州贵阳）

　　中国唐代文学学会第九届年会暨国际学术研讨会，今天如期在贵州省有名的风景点花溪举行。我们唐代文学学会是第一次来到祖国的西南地区召开会议，这次大多数与会者也是首次来到贵阳。唐代的诗人、作家，似乎没有什么有名的人物到过贵州。唐代的贵州，称黔州，古称夜郎，往往是贬谪之地。李白因永王璘事件，被流放夜郎，中途遇赦召回，这对李白个人算是幸事，但对我们唐代文学，也可说是一件憾事：如果李白来到贵州，贵州的奇异山水一定能吸引这位大诗人，使我们可以读到富有特色的名篇佳句。使我们欣慰的是，改革开放以来，贵州的经济建设得到很大的发展，人民生活富裕，文化得到迅速、普遍的提高。昨天是我们会议的报到日，又值中秋佳节，不少与会者游览了贵阳市附近的名胜，又漫步花溪公园，大家感受新鲜，情绪饱满。这里我代表中国唐代文学学会，代表来自各地的专家学者，向承办这次会议的贵州大学，表示衷心的感谢！

　　我们这次会议，也得到贵州人民出版社的有力支持，贵州人民出版社不但给予经费上的资助,而且特别向与会者赠送书籍。我们知道,贵州人民出版社这些年来出版了不少好书,"中国古代经典著作全译丛书"已出版了二三十种,海内外很有影响。我也在这里对贵州人民出版社在文化建设上所做出的贡献表示深切的敬意与感谢!

中国唐代文学学会1982年在西安成立,到现在已有十六七年。我觉得我们这个学会是极有学术规范的。第一,我们坚持有序的学术活动,那就是每两年举行一次年会,进行学术讨论;每四年进行理事会和学会领导的改选。我们的这一选举活动完全按民主程序进行。从学会成立时起,就创办《唐代文学研究年鉴》以及《唐代文学研究》(初期名《唐代文学论丛》),相当全面地反映了80年代以来唐代文学研究的进程,这是一种十分宝贵的学术积累。在当代整个古典文学研究中,《唐代文学研究年鉴》能如此长期坚持下来,是独一无二的。这也可说是我们的一种学术奉献,也给予我们一种精神上的自慰。在这里,我们要感谢广西师范大学出版社对我们的积极支持。广西师范大学出版社不但坚持出版我们这两个会刊,还承担经济亏损的风险,出版了一些唐代文学研究的新著。希望我们今后进一步加强与广西师范大学出版社的合作。

第二,我们中国唐代文学学会在举行历届年会中,不断加强与高等院校、研究机构的合作与联系。如1982年,在西安,与西北大学合作,西北大学还是我们学会秘书处的所在地,从1982年起一直坚持到现在。1984年在兰州,与西北师范大学合作;1986年在洛阳,与河南省社会科学院合作;1988年在太原,与山西大学合作;1990 年在南京,与南京大学、南京师范大学合作;1992 年在厦门,与厦门大学合作。1994 年在浙江新昌,与当地民间企业联办,这也是一个新的尝试。在这之后,1996 年在西安,又与西北大学合作;这次在贵阳,与贵州大学合作。这说明,我们唐代文学学会,是立足于学术,而又面向社会,扩展我们的活动面的。

第三,中国唐代文学学会由于坚持学术活动,已经形成几代人的学术群体。80 年代前期,前辈学者如萧涤非先生、孙望先生、王达津先生等还在世,他们的著作和治学风尚对我们有很大的启示。现在健在的程千帆先生等老一辈学者,对我们还继续给予指导。特别值得提出的是 80 年代、90 年代培养的一批又一批硕士研究生、博士研究生,已成为我们研究队伍的骨干,也是我们唐代文学将来取得更大成绩的希望所在。我们几代人的学术群体,已形成良好的学术风气,那就是团结、求实、创新、奉献。关于这一点,已有不少人论及,我这里不多说。大家可以从这次会议,感受到过去少有的一种勇于开创的气氛。

唐代文学研究自 80 年代以来,确实成果累累,这已成为学界的共识。今年第 4 期《文学遗产》特地刊出唐代文学研究三人谈(董乃斌、赵昌平、陈尚君谈,戴燕整理),很值得我们一读。我们现在,一方面要回顾和肯定已有的成果,另一方面也要如实地研讨我们的不足。我们还有不少需要改进之处,绝不能自满。最近由广西师范大学出版社出版的《李商隐研究论文集》,著名作家王蒙先生在序言中提出:"李商隐现象是对我们文学研究的挑战。"很值得我们深思。我们唐代文学研究要做的事情还很多,特别是在沟通古今、面向现实、拓宽思路、加强多学科联系方面,更应有所加强。从这一点说，我们唐代文学研究，前景是开阔的，正如盛唐时著名诗人王湾所颂："潮平两岸阔，风正一帆悬。"

原载广西师范大学出版社《唐代文学研究年鉴》1998 年号，
此据大象出版社 2004 年版《唐宋文史论丛及其他》录入

讲究实学　不尚空谈

——推荐《明诗话全编》

　　1991 年冬至 1992 年春,在匡亚明同志领导下,我曾参与制订全国古籍整理出版"八五"计划和十年规划,当时江苏古籍出版社所报的重点项目中,即有吴文治先生主编的《中国历代诗话全编》。1992 年 5 月,在北京香山召开古籍整理出版规划会议,全国有一百余位专家学者参加。在讨论中,曾有人对书名提出疑问,认为既然所辑大部分并非传统意义中的诗话,而是辑自诗文集、笔记、史书、类书中论诗之语,则似改为"历代诗论"较为合宜。那时规划的修订工作是由我具体主持的。我觉得,这一意见有一定道理,但我总感到,文治先生这样做,对古代文学思想特别是诗歌理论研究含有一种创新开拓之意,是很值得思索和倡导的,因此经过一番解释,仍按原名列入规划。现在又经过五六年,由"八五"转入"九五",这一全编中的明代卷即将问世,作为古籍整理园地的一名耕耘者,也作为文治先生多年之交的好友,对此我确有一种"来之不易"的欣慰之情。

　　大家知道,诗话是我国古代诗歌理论批评的一种特有形式,这种形式在北宋中期创立后，不但对中国，而且对一些友邻国家如古代朝鲜、日本等都产生过极大的影响。这一文学现象本身就很值得探究。诗话是一种笔记体。宋人许颢在《彦周诗话》中曾对其内容作过这样的归纳："诗话者，辨句法，备古今，纪盛德，录异事，正讹误也。"后来章学诚在《文史通义》的《诗话》一章中，则又把历代诗话分为"论诗及事"与"论诗及辞"两大类。自宋至清，诗话本身也有其发展过程，由最初的"资闲谈"而逐步演进为辨理之作。但不管如何，中国古代诗话，其本身即有一种极大的艺术感染力，人们读诗话，不一定即想从中得到某种知识的传递，而是在不经意的翻阅中不知不觉地获得一种美的启悟，一种诗情与理性交融的快感。这种中国特有的对审美经验的表达，是十分丰富的，是当之无愧的有在世界上的独特的地位。

但也应该看出，作为文学批评、诗歌理论的一种样式，诗话本身也有它一定的局限性，这种局限性，最主要的是诗话终究是一种笔记体、随笔体，这种自由随意而每一则文字又甚少的写作方式，对于完整表述文学思想，总使人感到缺乏系统性与思辨性。中国古代文学发展的事实也昭示我们，不少作家、文论家，他们是采取多种方式来表达他们的文学思想的，除了常见的议论之外，还有如序跋、书信以及史传文等，有些诗人似更喜欢在诗作中表露其创作见解。我们现在应当从整体来研究古代文论，不受诗话体的局限，对有关著述予以全面的收集、梳理，并作有机的整合、建构，这应当是我们当代文论研究科学化、思理化的要求。80年代以来，在理论研究方面，史的叙述方面，已经逐步深入开展，这就要求我们在史料的辑集与整理上应有相应的较高学术层次的格局。

现在文冶先生从我国诗歌理论发展的总体上加以把握,把"全编"工作上起先秦,这是有眼光的。清人杭世骏《榕城诗话》的汪沆序就曾提出:"予惟诗话之作,滥觞于卜氏(按即子夏)《小序》,至钟仲伟(嵘)《诗品》出,而一变其体。"在系统收集诗话体著作的同时,又广泛搜辑其他文体中的论诗篇章,这就不仅突破文体结构,而且对调整我们研究者的知识结构也是很有益处的。八九十年代,我国古代文论研究取得重大的进展。由古代文论的研究发展为当代文艺理论的建设,正是传统文化现代化的一项有意义的课题。我们一方面要加强理论阐发,一方面要有计划地规划史料工作。

我总觉得,我们现在要进一步推动文学史研究,古代文论研究,最主要是要提高研究者的素质,而要提高研究者的素质,就要讲究实学,不尚空谈。就目前文学史研究的实际状况看,我认为,加强史料学的研究,恐是当务之急。在这方面,文冶先生的这套《中国历代诗话全编》,正能起正本树标的作用。因此我希望,在继明代之后,其他各卷在今后几年内也能陆续印出,这才是真正的传世之作。

原载《中国图书评论》1998 年第 11 期,据以录入

《唐诗论学丛稿》重版后记

　　1990 年初，我应黑龙江人民出版社文史编辑室主任任国绪同志之约，把我自 80 年代初以来的部分文章合编成集，起名为《唐诗论学丛稿》。此书大体上分为两部分：第一部分是发表在各报刊上的论文，主要是有关唐诗及唐代诗人的研究和考证；第二部分是为友人著作所写的序言，这些序言大部分也是涉及唐代文学方面的。当时南开大学中文系主任罗宗强教授、复旦大学中文系主任陈允吉教授曾应我的请求，特为此书写了很有分量的序言，使我倍感友情的关怀和学术的鼓励。

　　这部分稿是 1990 年初编成，罗、陈两位先生序是同年 3 月写就，但书却延至 1992 年 11 月出版。大约任国绪同志受到一定经济上的压力，当时印数只有一千册，而且纸张极其粗糙；尤其是排校质量太差，有些地方几乎每页都有几个错字。我拿到书，实在不敢送人。我是能体谅任国绪同志的难处的，但自己在情绪上总较为低落。我总想有一天能再加修订，以较好的面目重版问世。

　　现在经王洪同志联系，京华出版社以极大的热情来出版我的这一新版《唐诗论学丛稿》，使我很感欣慰。京华出版社的规模并不大,我曾到他们那里作过客,坐过一个多小时,几间极平常的办公室,十分简朴的设备,却到处堆满了书,很有文化气氛。他们的经济实力也并不强,但这些年来却出了相当数量的学术著作,表现了一种极为难得的文化品位。这在目前说来是很了不起的。

我这次对篇目重新作了调整,把过去一些讨论性的文章去掉,删去十三篇,接近一半的篇数。另作若干补充,特别是增加1990年以后的新作,反映90年代我在学术上的一些探索。全书分三个部分:第一部分为有关唐代文学的专论;第二部分为替友人著作所写的序,也是有关唐代诗文的。唐以前的,如我为罗宗强先生《玄学与魏晋士人心态》、曹道衡先生《中古文学史论文集续编》、程章灿先生《魏晋南北朝赋史》所写的序,唐以后的,如我为张宏生先生《江湖诗派研究》、江西人民出版社《黄庭坚研究论文集》等所写的序,这里就不编入了。以上两部分,各篇均按写作时间先后排列。

另外,即第三部分,这里想多说几句。在"文革"期间,我曾随当时文化部所属的部分单位,去湖北咸宁"五七"干校劳动。1969年9月下去,1971年有些同志陆续回调,我则仍留在向阳湖畔。但后期的干校,生活却过得很轻松,人少了,劳动减轻了,留给自己的空闲时光多了起来。正如我在一篇文章中所说,"云梦大泽的平芜广野,似乎也给读书提供一个舒展宽松的气氛"。我那时就在下午和夜间,埋头读书,杨伯峻先生特地从北京给我寄来裴注《三国志》和范注《文心雕龙》,我就主要看魏晋时期的书,想学习陈寅恪先生,由唐上溯到魏晋南北朝,看看这期间的渊源关系。1973年5月返京,仍在中华书局编辑部。当时山东大学历史系王仲荦先生在中华书局参加"二十四史"整理工作,那几年正在校点沈约《宋书》,我作为责任编辑,就阅读和加工这部书稿,时常和王先生讨论问题,大有"时还读我书"的乐趣。这时外面虽不断有政治运动,但我只管自己的一张书桌,面向墙壁,右边是一个书架,一上班,就坐下,拿起笔,看书写字。正因为心很平静,也不考虑现在写稿将来是否能够发表,更不考虑有没有稿费,就接连写了几篇有关魏晋时期作家的考证文章。后来亡友沈玉成先生从文物出版社调至中国社科院文学研究所,分工搞魏晋南北朝文学。我们有一段时期共同合作,曾合撰过一篇长文《建安文学系年》(只刊出一半,另一半不知下落),另一篇《中古文学丛考》也是我们共同写作的,在上海古籍出版社的《中华文史论丛》刊出。为供学者参考,这次也将四篇有关魏晋作家研究的文章编入,作为本书的第三部分,也算是我过去坎坷历程的部分痕迹。其中难免疏误,敬请方家指正。

1998 年 11 月 24 日,时当大雪之后,

于北京六里桥寓舍。

原载京华出版社 1999 年版《唐诗论学丛稿》,据以录入,另收入首都师范大学出版社 2010 年版北京社科名家文库《治学清历》

《唐五代文学编年史》自序

　　二百余万字的《唐五代文学编年史》,经过近十年的努力,终于完成,现由辽海出版社出版。这一项目是我与陶敏、李一飞、吴在庆、贾晋华几位学侣共同承担撰写的。现在,我们好像经过长途跋涉,总算卸下了重担,轻松地吐一口气,来回顾这三百五六十年作家群的起伏变化,如同观看一部长篇电视连续剧,不禁产生一种学术追求上的欣慰之感与学术合作中的互勉之情。

　　关于唐五代文学编年史的编撰体例,是我于1987—1988年间应美国密歇根州立大学之邀,与该校李珍华教授共同进行王昌龄研究时起草的。1988年5月回国后,我即与湖南湘潭师范学院中文系陶敏先生,福建厦门大学中文系吴在庆、贾晋华先生磋商,建议共同从事于这一项目。他们几位,自80年代以来,在唐代文学研究上,功夫扎实,学识阔富,并与我一起作过合作研究。由我倡议发起的《唐才子传校笺》,吴在庆先生担任第九卷晚唐部分,贾晋华先生担任第十卷五代部分,陶敏先生则后来与复旦大学中文系陈尚君先生一起作整个《校笺》的补正,即于1995年出版的《唐才子传校笺》第五册。后来由我主编并在陕西人民教育出版社出版的"唐诗研究集成"系列丛书,其中有一部95万字的《全唐诗人名考证》就是陶敏撰写的,我应邀为此书作序,对陶敏在唐代诗人事迹考证与文献研究的精细、开创之功,甚表钦佩。吴在庆则自80年代中期以来集中于晚唐文学的探索,出版了《杜牧论稿》《唐五代文史丛考》两书。晚唐作家作品情况十分复杂,材料真伪难辨,吴在庆这两部书所作的辨析之功,已为学界首肯。贾晋华最初作《皎然年谱》,又撰《大历年浙西联唱:〈吴兴集〉考论》等专论,与上海古籍出版社总编赵昌平先生分别对肃宗、代宗时期吴中诗派作了深入的探索,进一步拓展了唐代诗人群体与地域的研究。在课题进行过程中,陶敏又约湘潭师范学院中文系李一飞先生一起作中唐部分编年。一飞先生为人踏实,他所写的文章虽然不太多,但其求实求精之风使人有深刻的印象。这几位友人在学问上多有胜我之处,我们也有共同的治学路数,因此,相互合作做这一规模较大的课题,我感到是可以对学术界负责的。

关于文学编年史,过去我曾有几篇文章谈到过,这里拟将这些论点贯串起来,以便于读者作综合审察。

我于1978年完成《唐代诗人丛考》后,曾写有一篇《前言》,其中有这样一段话:"我们现在的一些文学史著作的体例,对于叙述复杂情况的文学发展,似乎也有很大的局限。我们的一些文学史著作,包括某些断代文学史,史的叙述是很不够的,而是像一个个作家评传、作品评论的汇编。为什么我们不能以某一发展阶段为单元,叙述这一时期的经济和政治,这一时期的群众生活和风俗特点呢?为什么我们不能这样来叙述,在哪几年中,有哪些作家离开了人世,或离开了文坛,而又有哪些年轻的作家兴起;在哪几年中，这一作家在做什么，那一作家又在做什么，他们有哪些交往，这些交往对当时及后来的文坛具有哪些影响；在哪一年或哪几年中，创作的收获特别丰硕，而在另一些年中，文学创作又是那样的枯槁和停顿，这些又都是因为什么？"

我的这一想法，是受法国19世纪文艺理论家丹纳《艺术哲学》启发的。60年代初，我读傅雷先生的中译本（人民文学出版社出版），其中有这样一段话，当时感到极为新鲜，很有吸引力：

> 艺术家本身，连同他所产生的全部作品，也不是孤立的。有一个包括艺术家在内的总体，比艺术家更广大，就是他所隶属的同时同地的艺术宗派或艺术家家族。例如莎士比亚，初看似乎是从天上掉下来的奇迹，从别个星球上来的陨石，但在他的周围，我们发现十来个优秀的剧作家……在画家方面，卢本斯好像也是一个独一无二的人物，前无师承，后无来者。但只要到比利时去参观根特、布鲁塞尔、尔鲁日、盎凡尔斯各地的教堂，就发觉有整批的画家才具都和卢本斯相仿。……到了今日，他们同时代的大宗师的荣名似乎把他们湮没了；但要了解那位大师，仍然需要把这些有才能的作家集中在他的周围，因为他只是其中最高的一根枝条，只是这个艺术家庭中最显赫的一个代表。（第一编《艺术品的本质》）

我觉得，研究文学确实应从文学艺术的整体出发。所谓整体，包括文学作为独立的实体的存在，还应包括不同流派、不同地区可能互相排斥而实际又互相渗透的作家群，以及作家所受社会生活和时代思潮的影响。这样做，就会牵涉到总的研究观念的改变。但具体如何着手呢？我后来想到了编年史。我觉得文学编年史将对整体研究起一种流动观照和综合思考的作用。这也是对于长时期以来文学史著作体例所感到的一种不足。当然，文学史著作有它自己要完成的任务，它不能完全为文学编年史所代替，两者可以并存，而当前的情况下，建立编年史的研究则应引起学界的注意，它确实有其他文学通史、断代史、文体史所不能代替的特点与优势。

我的这一想法，也是受"四人帮"垮台后我国当代文学发展的现实之启示。可能当时书籍出版还没有现在这么繁杂，使人目不暇接；也可能 80 年代中我个人的时间还较充裕，因此有余闲也有兴趣阅读 70 年代末以来的文学新作。当时就从当代文学的实际想到古代文学史的写作。我觉得，我们写当代文学史，如果还是像老样子，一个作家写完了再写另一个作家，一个个排着队来写，肯定会把丰富多彩、生机蓊郁的当代文学弄得暗淡漠然，使人感受不到蕴含于作品中的那种强烈的时代精神和当代意识。如果我们逐年地作综合的记录，把政治发展、经济改革、人们思想情绪的变化、作家们复杂多样的经历及其创作活动作总体、流动的考察，就会清晰地看出新时期文学在这十来年中前进的步伐。唐代文学也是如此，初唐文学将近一百年，虽有进展，但由于种种政治、社会原因，进展缓慢。盛唐开始，只不过十年光景，突然像火山爆发那样发出那么多诗的熔岩；而盛唐的高潮过后，又有一个回顾、思索的曲折时期，然后又产生贞元、元和时以古文运动和韩、白两大诗派为标志的另一高潮。这些，从我们现在提供的较为详确的编年史中会看得很清楚。80年代时曾出版过陆侃如先生的旧著《中古文学系年》，虽然还有可以改进之处，但毕竟给研究者提供一种思索上的选择。我们如果分段进行唐代文学的编年，把唐朝的文化政策、作家的活动（如生卒、历官、漫游等）、重要作品的产生、作家间的交往、文学上重要问题的争论，以及与文学邻近的艺术样式如音乐、舞蹈、绘画和印刷等门类的发展，扩而大之如宗教活动、社会风尚等等，择取有代表性的资料，一年一年编排，就会看到文学上的"立体交叉"的生动情景，这也必将引出原先意想不到的新的研究课题。

当然，我们也应看到，这项工作的难度是很大的。首先你得把唐五代数百位作家的行踪搞清楚。一定要有作家事迹研究的基础，才能再加概括和综合，编年史也才有符合实际的内容。其次，还要把各个作家创作的诗文时间作确切的系年，把作家间的交往作对应的考察。这无异于先要替一个个作家编写出个人年谱，再把这众多的个人年谱汇总成作家群的活动记录，更不要说有些作品的真伪、有些作家生平记载的不确，需要重新予以辨析。这中间，我们当然可以吸取已有的成果，但不少是要从头做起的。这就需要沉潜于书斋，超然于世事，有一种学术奉献的心愿与知难而进的毅力。

前面说过，我们的体例是把众多的作家活动，包括其仕历、创作、交友等等，一年一年地加以排列，而我们还不仅限于以年为单元，每一年还再分为正月、二月等等，按月排列，类似于《资治通鉴》的体裁。这样做，确如唐代史学理论家刘知几所说："虽燕、赵万里,而于径寸之内,犬牙相接"(《史通》外篇《杂说》上)。清代顾炎武《日知录·作史不立表志》中曾引述朱鹤龄一段话,强调史书立表的重要,说"年经月纬,一览了如"。这种方式,首先是把中国东西南北不同地区作家的不同活动,放在同一个时间环境中,然后又把这一文学整体,按时间流程,一年一年、一月一月地往前推移,好似电视屏幕上,有些图景消失了,有些出现了,使人容易看到当时文学活动的原貌和实景。

这里附带作一说明:五代时,除了北方中原地区先后出现的梁、唐、晋、汉、周以外,当时东南有吴、南唐、吴越、闽,中南地区有荆南、楚、南汉,西南有蜀(前蜀、后蜀),各自立国。每一地区各有作家和文学活动,这些作家有时也往来于不同地区。为便于编撰,也为便于读者了解不同地区的实际状况,我们于一年之下,以政权行政区为单元,再按时间顺序叙述。这样做,既可从中了解不同政权范围内的作家活动,也可从大的范围内宏观观察这五代十国的文学进展全局。

另外,我们此书有别于史书的编年史(如《左传》《通鉴》等)体例,即不采用通贯叙述的方式,而采取纲和目互见互联的办法,先用概括的语句叙述一件事,作为纲;然后引用有关材料,注明出处,表示言必有据,同时还作若干补充,使事件经过有较为丰富的具体内容。因此,严格说来,我们这样做还只是一种"长编",还未能如程千帆先生序言中所倡导的《通鉴》淝水之战、淮西之战那样的笔法。但我们相信,有心者必可利用本书的资源(或云能源),作出富有才情的唐代文学流程图景,这将使这一代文学更能吸引人去钻研、探讨。

本书分初盛唐卷、中唐卷、晚唐卷、五代卷。初唐由于材料相对来说不太多,故与盛唐合为一卷。盛唐与中唐,中唐与晚唐,年代如何划分,目前还有不同说法。我们则大致结合历史与文学的情况加以划分。安史之乱起,肃宗、代宗时,李白、杜甫虽还在人世,但总不能说这时的社会还处于盛世。因此,我们将初盛唐卷的下限放在天宝十四载(755)安禄山起兵时,中唐卷则起始于天宝十五载也就是肃宗至德元年(756)安史之乱在北方全面展延时;中、晚唐则更不容易在哪一年作确切的切割,只能作大致的划分,即中唐卷的下限在敬宗宝历二年(826),晚唐卷则始于文宗大和元年(827);晚唐卷止于唐末,即哀帝天祐三年(906);五代卷起始于朱温代唐立梁的开平元年(907)。赵匡胤于公元960年代周立宋,是为宋太祖,但那时全国还未统一,特别是在这之后南唐尚有著名词学大家李煜还在进行创作活动。按理说,唐五代文学编年史可以在公元960年结束的,在这之后,从整体上说,即开始宋代文学史,但目前宋代文学编年史还未编就,因此,我们考虑五代十国的特点,把时间延至978年,即吴越最后献土为止;而960年至978年间只记南方文学情况,不记北方中原宋朝范围内的作家活动。另外,有些涉及具体文字处理的,如某些碑传、墓志铭,篇名全称较长,为节省文字,我们适当地使用简称,这就不在这里一一细述了。

　　前面说过,作这样一部编年史,史料上辨析的难度是很大的。举凡作家的生年、卒年,活动经历,作品创作年月,有些不可考,有些则过去记述有误。我们是尽力作一定梳理的,但难免有疏漏之处。我们诚恳地希望唐代文学研究同行和广大读者给我们以指正和补充。我们希望过一段时间对本书作一次全面的修订和补正，使它逐步成为一部信史，以作为同行和读者案头必备之书，这确实是我们最大的心愿。

使我感到欣慰的是，这一文学编年史的设想，已逐步得到学术界友人的认同和支持。苏州大学文学院潘树广教授在最近出版的《古代文学研究导论》（安徽文艺出版社，1998年版）中，还特别提到："傅璇琮倡导的'文学编年史的研究'更为全面，从最阔大的视野考察一时代社会生活对文学的影响。"西北师范大学中文系主任赵逵夫教授得到信息后，给我写信，说他已安排三个博士研究生，一起作先秦一段的文学编年史，这就类似于目前史学界正在进行的夏商周工程了。中国社会科学院文学所曹道衡研究员也已着手作秦汉魏晋南北朝隋文学编年史；唐以后，自宋至清，出版社与有关学者也在协商中，大致也已有眉目。如果我们能落实这一设想，就会有一部从先秦一直到清王朝结束，时间长达数千年的文学编年通史，人们可以一年一年地看到中国古代文学发展的具体历程，这将是我们文学史研究规模宏大的基础工程。

南京大学程千帆先生应我们晚辈之请，特为本书作序，这是对我们治学的一种激励。就我个人来说，近二十年来，在唐代文学研究上之所以有一点业绩，都是在程先生指导、鼓励下取得的。程先生序中对我个人的赞誉，我实在愧不敢当。我曾不止一次说过，我最大的心愿是为我们学界做一些实事，而我最大的收获则是不少师友对我的信知。

我们要感谢辽海出版社的领导能下这样的决心，不计经济负担，来出版这部二百余万字的学术著作。责任编辑于景祥同志曾是程千帆先生的研究生，深知学术甘苦，经历几年的编辑生涯，又备悉出版过程中的编校艰辛。没有辽海出版社领导的大力支持，没有于景祥同志的切实相助，这部书是不可能在短期内顺利面世的。

1998 年 12 月初

原载辽海出版社 1998 年版《唐五代文学编年史》，此据东北大学出版社 2015 年版《中国当代名家学术精品文库·傅璇琮卷》录入，另收入首都师范大学出版社 2010 年版北京社科名家文库《治学清历》、万卷出版公司 2010 年版《当代名家学术思想文库·傅璇琮卷》

文学古籍整理与古典文学研究

（一）

《文学遗产》创刊四十年以来，除了刊载古典文学研究的专题论文外，还十分重视文学古籍的整理，发表过不少有关诗文总集、别集、小说和戏曲作品整理以及各类专题资料汇辑的建议与评论。这些文章，已经成为整个古籍整理研究的极可珍贵的资料，对于现在古籍整理出版如何进一步开拓思路、提高质量，仍有积极的参考价值和借鉴作用。特别是一些大项目的建议和设想，经过研究者的多年努力，今天已经见诸行动，有了具体的成果。如1956年李嘉言先生曾提出《改编全唐诗草案》，引起学术界的深切关注和热烈讨论，现在新编《全唐五代诗》，已由苏州大学、河南大学、南京大学等校在全国范围内组织有关专家编纂。有关编纂《全宋诗》、《全宋文》的动议，前几年也由北京大学古文献所的《全宋诗》、四川大学古籍所的《全宋文》的陆续编印问世，得到完满的落实。

四十年以来，我们古典文学的研究，虽然几经曲折，但整个来说，还是取得很大成绩的。在这些成绩中，文学古籍的整理和研究，应当说占有显著的地位。

古典文学研究，作为一门独立的学科，应当说有其完整的结构。这种结构，大体如同建筑工程，可分为基础工程和上层结构两个方面。基础工程是各类专题研究赖以进行的基本条件，具有相对的长期稳定的特点。其具体内容，大体有这样三个范围：1. 古典文学基本资料的整理：包括各类文学作品总集、历代作家别集的点校、笺注、辑佚、新编。2. 作家、作品基本史料的整理研究：包括作家传记资料的辑集，文学活动的编年，写作本事、流派演变的记述和考证等。3. 基本工具书的编纂：包括古代文学家辞典、文学书录、题解，诗词曲语词辞典，戏曲小说俗语辞典，文学典籍专书辞典或索引，断代文学语言辞典等。

从以上三方面来看，应当说，文献的整理对文学研究是有很大促进作用的，它不但为深入研究奠定扎实的资料基础，而且有时还能影响研究方法或研究方向的开拓。当然，在这个基础上建筑的上层结构，则能进一步总结文学创作的经验，探索艺术发展的规律，发扬古典文学的精华，使之为当代创作提供借鉴，为建设精神文明做出贡献。

（二）

四十年来，特别是 80 年代以来，文学古籍的整理和出版，逐步理出了学科或门类发展的脉络和体系,反映出这项工作正逐步具有计划性和系统性,这应当说是当前文学古籍整理研究一个值得重视的趋向。

这首先反映在一些大项目的组织整理上,特别是有关一个时代文学总集的编纂,近十余年来有着引人注目的发展。文学总集的出版,最初仅停留在对过去时代编纂成书的典籍选择较好的版本加以影印或一般性的点校,如五六十年代出版的清严可均的《全上古三代秦汉三国六朝文》,丁福保的《全汉三国晋南北朝诗》,以及《文苑英华》、《全唐文》、《全唐诗》等。在这方面开创一个新局面的是逯钦立的《先秦汉魏晋南北朝诗》,这是著者花了大半生的精力,经多次修改补充方始成书,于1983年由中华书局出版。此书共135卷,除《诗经》、《楚辞》而外,凡先秦汉魏晋南北朝各代的成篇诗歌及零句,都加采录,特别是详注出处及版本异文,不但大大超越了明冯惟讷的《诗纪》及近人丁福保同类性质的书,而且为在这之后的新编总集创立了良好的范例。

在这之后,正在整理或已陆续出版的诗、文、词总集,其编纂方法上大致有这样共同的格局:第一,广泛搜辑现存的各类资料,务求做到搜采广博,涵容繁富,无论名家巨制,或散篇佚作,尽可能汇集,力求减少遗漏。同时对所采辑的作品,一一注明出处,以示征信。第二,在普查的基础上,考清版本源流,然后选择较好的底本和有代表性的参校本。校勘工作则不但校文字的异同、是非,更在于考析作品的真伪和时代归属,这方面的工作更能见出整理者的功力与该书的价值。如正在整理中的《全唐五代诗》,即考出清人所修的《全唐诗》有不少宋人的作品,甚至有成卷的明人诗集混入其中。又如《全宋诗》的编纂,就特别注意防止误收。误收有两方面,一是把其他朝代的诗当作宋诗,二是把他人的诗误列于此一作者名下。如清人厉鹗《宋诗纪事》卷四寇准名下载《春恨》诗,注谓出自《古今合璧事类备要》前集。而经考核,此诗实为唐人来鹄《寒食山馆书情》七律中的四句,已见于《全唐诗》卷六四二。又如《六一诗话》所谓惠崇"马放降来地,雕盘战后云",实为北宋另一僧人惠昭《塞上赠王太尉》五律中的二句,见《清波杂志》卷十一。第三,对所收作家,努力在前人已有成就的基础上查检核实,撰写小传,力争做到无征不信,言必有据。

可以想见,新编的文学总集,只要以这三方面作为标准,就必定能大大超越前人,并且能启示当代,树立严谨的学术风气,开创新的研究格局。事实也证明,这些年来一些规模较大的文学总集的编纂,不但出成果,也出人才,培养出不少极有发展前途的、基础扎实的年轻研究者。

就具体成果而言,这些年来整理出版的项目也已大为可观。以诗来说,除上面提到过的《先秦汉魏晋南北朝诗》、《全唐五代诗》、《全宋诗》外,有翁独健、陆峻岭主编的《全元诗》(即可出版一、二册),复旦大学古籍所等的《全明诗》(已出版三册),以及正在筹备中的《全清诗》。词总集的辑集,唐圭璋先生创获最巨,他于 30 年代即从事于《全宋词》的编辑,50 年代中华书局又请王仲闻先生订补,于 1965 年出版新的修订本。70 年代又出版其《全金元词》。在宋词之前,上海古籍出版社于 80 年代出版张璋的《唐五代词》,现在湖北大学古籍所又在从事于新的校辑本。宋词之后,则有饶宗颐、张璋的《全明词》(即将由中华书局出版),南京大学古文献所的《全清词》(中华书局已出顺康卷前二册)。这样,中国古代词的总集,从唐开始,直至清末,都已齐备。文的方面,清人严可均有《全上古三代秦汉三国六朝文》,搜罗颇广,但校辑上有不少问题,现在已有一些研究者在做增补修订的工作。唐五代文的编纂也在进行。四川大学古籍所的《全宋文》已出版五十几册,全书将达一百数十册,是迄今为止最大的新编文学总集。北京师范大学古籍所的《全元文》,将由江苏古籍出版社于今明两年内陆续印出。《全明文》已出版两册(上海古籍出版社)。至于规模更大的清文,也在酝酿筹备中。诗、文、词之外,戏曲方面有王季思先生主编的《全元戏曲》,小说方面有江苏古籍出版社的《中国话本大系》等。

　　如果总集的编纂以广博著称的话,则古代作家别集的整理则以精深见长。这些年来,我们已有不少颇有研究深度的作家诗文集、戏曲小说集的校辑和笺注,更有正在进行中的几个大作家的汇注汇校汇评本,如詹锳先生主编之李白集、萧涤非先生主编之杜甫集,以及陶渊明、韩愈、柳宗元、王安石、苏轼、关汉卿等作者的诗文集、戏曲集等。可以想见,这些大作家集新的整理本完成问世,必将使研究工作有新的开展。

　　有关作家作品专题资料的辑集,也是近四十年来文学古籍整理的重要组成部分。从五六十年代的《陶渊明研究资料汇编》、《杜甫研究资料汇编》起,已出版的作家作品研究资料,有三曹、李白、白居易、韩愈、柳宗元、李贺、苏轼、黄庭坚和江西诗派、李清照、陆游、杨万里和范成大、《水浒传》、《金瓶梅》、《红楼梦》等。正在编纂中的还有杜牧、欧阳修、曾巩、秦观、辛弃疾、姜夔等。这些专题资料,除了辑集作家传记及文学活动资料外,还大量采录有关作品的考订、评论、释义及版本流传情况,是从经史子集大范围的群籍中,爬梳搜剔,精细采集的。这是一种高水平的著述,也是文学研究的基础性工程。五六十年代,在翦伯赞等老一辈史学家推动和组织下,曾系统地编辑一套《中国近代史资料丛刊》,包括鸦片战争、中法战争、太平天国、中日战争、义和团、洋务运动、辛亥革命等。80年代初,一位美国学者曾说,这一套书培育了美国整整一代研究中国近代史的史学家。这句话是不过分的。我们希望,古典文学研究界和专业古籍出版社共同合作,在已有的基础上,能更全面地规划一下这套专题资料的编纂与出版,这必将使广大研究者特别是年轻一代深受其益。

(三)

回顾这些年来的文学古籍整理工作,我个人觉得还有些问题值得引起注意。

一、总结历史的经验。文学古籍的整理,不但与研究,而且与文学创作、文学思潮都有密切的关系。如以宋诗而论,我们知道,宋诗是中国诗歌史上继唐诗之后又一个新的高峰,但这一高峰的形成,是与宋人对唐诗的编集、刻印分不开的。元明以后刻印的唐人别集,几乎都经过宋人的整理。唐代一些大家的集子,如杜诗、韩文的校辑,在宋代都是专学(元好问所见宋人杜诗注即有六七十家,他称之为杜诗学,见《遗山集》卷三六《杜诗学引》)。在年谱学史上，宋人所作的杜甫和韩愈年谱，都是有首创之功。无论北宋和南宋，都编纂有较大规模的诗文总集，如北宋初期李昉的《文苑英华》和姚铉的《唐文粹》，南宋洪迈的《万首唐人绝句》，都对宋人研习前代文学提供详实的资料。据南宋人周必大说，北宋初期唐人集子流传极少，像陈子昂、张九龄等一些名家作品，也是一般人看不到的，正由于此，当时修《文苑英华》时，即把柳宗元、白居易、李商隐、罗隐等人的诗文"全卷收入"（《文苑英华辨证序》）。宋人的这些努力，促进了唐诗的传播，开阔了人们对唐诗的认识，也提高了宋代诗人本身的文学素养。宋诗之所以继唐诗之后有新的开拓和发展，与宋人对唐诗所作的大规模整理、流布有密切的关系。到明代，情况有很大不同。明人尊唐黜宋的观念很盛，有人认为"宋人书不必收，宋人诗不必观"（杨慎《升庵诗话》引何大复语），乃至"苟称其人之诗为宋诗，无异于唾骂"（清叶燮《原诗》）。受这种评论风气的影响，明人编印、刊刻唐集即很多。被誉为"考明一代著作，以此书为最可据"（《四库提要》语）的《千顷堂书目》，著录有关唐诗的编选将近五十种，而有关宋诗的只三种。到了清初，以对明代诗风的反拨为契机，正如《四库全书总目》卷一九三王士祯《精华录》提要所说："当我朝开国之初，人皆厌明代王、李之肤廓，钟、谭之纤仄，于是谈诗者竞尚宋元。"在这种文学思潮变异的情况下，出现了吕留良、吴之振等的《宋诗钞》、曹庭栋的《宋百家诗存》，以及陈焯《宋元诗会》一百卷，法式善《宋元人诗集》二百七十卷，再后就是著名的厉鹗《宋诗纪事》一百卷。而这些较大规模的宋人诗集的编印，又反过来影响清代宋诗派的形成与发展，乾隆时翁方纲等人的肌理说及后来同光体诗,都莫不与当时宋集的大量刊刻有关。

这只是就宋诗而言,其他如戏曲、小说在元、明时期的发展也都有类似的情况。由此是否可以得到某种启示,即我们现在的文学古籍整理,一方面当然仍须与研究紧密结合,另一方面是否应与现代的创作贴近,更好地利用古籍为现实服务,尽可能用现代人喜闻乐见的形式使文学古籍更好地走向大众。最近漓江出版社出版的几种古典小说评点本,即是请当代作家王蒙、李国文等作的,引起学术界与广大群众的极大兴趣,这是很值得我们思考的。

二、要处理好几种关系。如大型项目与中小型项目都应重视,都要力争提高质量,出精品。如上所述,这些年来,文学古籍整理中有不少大项目产生,有些项目带动了研究向广度和深度发展。而且大项目由于投入的人力多,有周密的计划和完备的体例,这就更能发挥集体的力量,有助于养成团结合作的学术风尚。但与此同时,我们还应鼓励"小而精"的项目,不能顾此失彼,只看重"大而全"而忽略"小而精"。应使二者保持必要的平衡,满足社会各界不同的需要。各种规模、各种层次的古籍,都要讲究质量。"小而精"固然要讲究精,"大而全"也要讲究精,因为"精"就是高质量,而我们文学古籍整理出版的生命线就在于高质量,就在于精。

文学古籍整理中也有一个普及与提高的关系问题。我们固然要注意对研究者提供有学术价值和文献价值的专书,但同时要选择一些思想健康、艺术优美的古代名作,加以注释或评译,介绍给广大的读者。在这方面也有不少好书产生,如人民文学出版社从 50 年代中期起就有计划地编印一套古典文学读本丛书,80 年代以来,上海古籍出版社出版有古典作家作品选集,巴蜀书社有作品欣赏评论丛书,岳麓书社有韵文三百首系列,浙江文艺出版社有"中国古典诗歌基本文库",等等。现在的问题是,我们的普及读本在文化层次上有故意向下降的倾向,什么都来个白话今译,有些则认为连白话今译也太高了,索性来个口语拼音翻译,配上连环画。我们的普及应当引导读者向高层次发展,而不应该逐步下降以求媚俗。

这里附带一个问题是目前古籍整理出版的重复现象。重复是难免的,而且重复也并不绝对是坏事。历史上,如《诗经》、《楚辞》,李杜诗、韩柳文,注家不知有多少,其中难免有次品,但也有不少佳品。如现在《红楼梦》的校注本有好几种,各有特色。你整理某一作家作品,并不能限制别人对同一作家作品再进行整理;你编某一时代的作品,并不能禁止别人也做类似的工作,只要各有其特点,各有超越就行。在翻译界也是如此,如果只允许一部翻译作品,那么翻译水平就永远不可能提高。我们应当允许并提倡在高水平上的"重复",这种"重复"实际上是学术上的竞赛和争鸣。问题出在目前有一些纯粹出于追求经济效益,只赶进度而不顾质量,如重复出版不少明、清时代格调不高的通俗小说,以及千篇一律的所谓赏析性书籍。低水平的重复是无助于学术事业的发展的。

原载文化艺术出版社 1998 年版《〈文学遗产〉纪念文集:创刊四十周年暨复刊十五周年(1954—1963,1980—1995)》,

此据万卷出版公司 2010 年版《当代名家学术思想文库·傅璇琮卷》录入,另收入大象出版社 2004 年版《唐宋文史论丛及其他》、首都师范大学出版社 2010 年版北京社科名家文库《治学清历》

缅怀钱锺书先生

 钱锺书先生逝世已一个多月。以他这样一位大学者、大名人,其丧事之简,是近数十年来所未有的。他生前的遗言是:"遗体只要两三个亲友送送,不举行任何仪式,恳辞花篮花圈,不留骨灰。"这倒不仅仅是一种"彻底唯物主义者"的表现,而是体现钱先生独到的人品和识见,他把世事看得极为透彻,而又把学问看得极为纯真,他把自己的一生与学术奉献联在一起,因此可以作如此超脱之语。正如新华社所发的电讯所说的那样:"六十年来,钱先生致力于人文社会科学研究,淡泊名利,甘愿寂寞,辛勤研究,著作等身,饮誉海内外,为国家民族做出了卓越的贡献,培养了几代学人,是中国的宝贵财富。"

 正因如此,更增加人们对他的怀念。这是人的一种自然真情。而怀念钱先生,最好的是读他的书。钱先生是去年 12 月 19 日病逝的,12 月 20 日刚好是星期天,我上午在家,接到中国社科院文学所邓绍基老友的电话,告诉我这一消息。我放下电话,不知做什么好,很自然地从书架上取下《宋诗选注》《管锥编》《谈艺录》来看。这时看钱先生这几本书,就跟过去不一样,书中的一字一句,都与自己的感情连在一起,平时理会不到的,这时好像一下子悟了过来。

第二天,也就是 12 月 21 日,上海《文学报》记者徐春萍同志给我打来长途电话,说他们为纪念钱锺书先生,想采访几位学人,在《文学报》上刊登。当时我就谈了一些意见,后来《文学报》于 12 月 24 日用整整一个版刊出采访谈话录,除我外,还有上海的王元化、柯灵、罗洪诸位先生。我的其中一段话是:"中国的古典文学研究需要提高。提高的一条重要途径,就是要向前辈学者学习。钱先生在治学上对我们后辈的启示,就是树立了一个高标准,使我们懂得这才是真正的做学问,这样的治学,才真正的有意义,使一切有志者不致浅尝辄止,而奋进不已。《管锥编》、《谈艺录》、《宋诗选注》称得上是壁立千仞的著作。"

钱锺书先生的治学范围是相当广的。过去一般人认为他是专治宋诗,后来《管锥编》一出来,人们就看到书中专章论及《周易》、《诗经》、《左传》、《史记》以及汉魏晋南北朝文和诗,一直到唐代的传奇小说《太平广记》。钱先生于 1978 年 1 月在《管锥编》自序补记中还说到,尚有论《全唐文》等五种待继续整理。大家知道,撰于 40 年代的《谈艺录》,重点探讨宋诗和清诗,而《七缀集》的几篇论文,又论及"通感"的文艺思想,以及中国诗与中国画的关系。可以毫不夸张地说,无论国外或国内,要研究中国古典文学,要在现有的基点再往前延伸,就必须明白钱锺书的著作已经谈到了什么,而要研讨当代的中国古典文学现状和发展线索,则"钱锺书"是一个必须研究的学术课题,这个课题将能养成一代新的学风:一种严肃的、境界高尚的治学胸怀,融合中西文化、广博与精深相结合的治学手段，不拘一格、纵逸自如的治学气派。

　　钱锺书先生学风上的一大特点，是对晚辈的赞赏和扶掖，这在我们 50 年代成长起来的人来说，无论是在社科院文学所以内或以外的，都有同感。我于 1955 年自北大中文系毕业，即在北京工作，久闻钱先生大名，但一直不敢与钱先生接触。"文革"结束不久，钱先生把《管锥编》交给中华书局出版，并约请周振甫先生做责任编辑，我才逐渐与钱先生有所联系，时常通信。但可惜我那时并不留意，钱先生好些信我已散失，现在保存下来的不过十来封。但从这些信件中，确实可见出一代宗师对后辈学人的关注之情。

　　"文革"后我的第一部学术专著是《唐代诗人丛考》，撰成于1978 年 11 月，于同年 12 月交付中华书局发排。其中有一篇《崔颢考》，讲到崔颢有一篇《王家少妇》（又题作《古意》），全诗为："十五嫁王昌，盈盈入画堂。自矜年最少，复倚婿为郎。舞爱前溪绿，歌怜子夜长。闲来斗百草，度日不成妆。"这是盛唐时的一首名作。据唐李肇《国史补》所记，崔颢时有美名，当时号称李北海的李邕想见见他，开馆待之。但崔颢一见李邕，即献出这首"十五嫁王昌"诗。李邕大怒，斥之为"小子无礼"，不予接待。此事成为一段有名的轶闻，宋元时期的《唐诗记事》、《唐才子传》都有记载。我对李邕这一举动颇有疑问，就写信给钱先生求教，他很快回信，开头很客气，谓："惠书奉悉。尊考王昌事至精且确，自惭谫陋，无以相益。"接着是一大段：

观六朝、初唐人句，王昌本事虽不得而知，而词意似为众女所喜之"爱饽饽儿"，不惜与之"隔墙儿唱和到天明"或"钻穴隙相窥"者；然皆"隔花阴人远天涯近"，只是意中人、望中人，而非身边人、枕边人也。崔诗云"十五嫁王昌"，一破旧说，不复结邻，而为结婚，得未曾有。李邕"轻薄"之诃，诚为费解，然胡应麟谓"岂六朝制作全未过目"，亦不中肯；盖前人只言"恨不嫁"、"忆东家"，并未有"嫁"而"入堂"之说。李邕或是怪其增饰古典，夸夫婿"禁脔"独得（如《儿女英雄传》所说："难得三千选佛，输他玉貌郎君；况又二十成名，是妾金闺夫婿"），语近佻挞耶？

我的《崔颢考》中有关王昌一段本是极平凡的几百字，却引来了钱先生极精彩的考析，真是意外之获。由此亦可见，钱先生在探索某一创作意向时，他往往能会通各种文学体裁，启人心智，又涉笔成趣。如论陶渊明《闲情赋》的"瞬美目以流眄，含言笑而不分"二句，除了引诗文作例证外，还引了《聊斋志异》的《青梅》，《绿野仙踪》第六十回写齐蕙娘，《儿女英雄传》的第三十八回。这样的情况在《管锥编》中到处可见。有些人的诗文、笔记，特别是明清人的一些作品，似乎除了钱先生引述过以外，再也没有人曾经提起过。经钱先生引述，并放在文学比较的大环境中，使这些本来似无甚意义的作品获得新的价值，也使读者在认识和鉴赏中获得极大的满足。

我对钱先生确是心仪已久的，但过去长时间总是不敢去拜见他。我上面的一封信是 1979 年 6 月写的，但虽然写了信，并未到他家去过。直到《唐代诗人丛考》于1980年春出版，才偕同中国社科院文学所的沈玉成同窗学友到钱先生家去，把书送他。钱先生过后则又给我一信，说："前蒙偕玉成兄枉过，神交二十余年，终获快晤，亦老来一幸事也。顷奉赐《唐代诗人丛考》，急稍披寻，其精审密察，功力更胜于《江西诗派》之仅以渊博出人头地者。君于兹事，殆冠时独步矣。"信中说"神交二十余年"，当是指我于1959年至1961年编撰、1963年出版的《杨万里范成大研究资料汇编》，以及同时编撰而于1978年才印出的《黄庭坚与江西诗派研究资料汇编》。这当给钱先生印象很深，信中所说的《江西诗派》，即指此而言。那时我因1957年的问题，不能写文章，只得编资料，其时还不到30岁。钱先生当是知道我的这些情况，"神交"云云，可见他对晚辈的理解和奖掖。

钱先生对我的这两本资料书是很看重的。有一次在他家里，他就说：你的这本《江西诗派研究资料》，我一直放在身边书架上的；我的修订本《谈艺录》，说的都是古人，提到现代人的，只有两处，一处是吕思勉，一处就是你的这本书。当时我以为是钱先生随便说说罢了，也只是笑着点点头。后来我的一本《李德裕年谱》于1984年10月在齐鲁书社出版，因书名为钱先生题写，故出书后就给钱先生送去。钱先生回了信，赞誉此书"严密缜栗，搜幽洞隐"，同时又提到他曾在口头上说过的话："拙著428页借大著增重，又416页称吕诚之丈遗著，道及时贤，惟此两处。"他又幽默地说这是他的"孤陋寡闻"。新版《谈艺录》的第428页确实引了我的《黄庭坚与江西诗派研究资料汇编》。钱先生在谈及此书时，把页码都标出来，这是他治学的一贯认真作风，从《管锥编》、《谈艺录》都可看出，每一处引文，都要注明版本、卷次、页数。这与时下有些名人所谓堂堂专著，材料大多从第二手间接转引，真是有天壤之别。

使我感动的还有，《管锥编》第一册出版于1979年8月，钱先生拿到书当在是年冬。钱先生随即送我一本，还在扉页上写下这样几句话："璇琮先生精思劬学，能发千古之覆，吾之畏友。拙著聊资弹射而已。"当时接到这本书，看到这几句话，真是惶恐无已。这样一代大师，能对像我这样的后辈作如此揄扬的话（那时我只不过四十七岁），可见钱先生卓然不拔而又宅心积厚的气度。

1982年，在李一氓同志主持下，召开第二届全国古籍整理出版规划会议，钱先生应邀来参加了开幕式。不过他只来一次，散会时却给我一本书，原来是香港中文大学饶宗颐教授的词集《晞周集》，是饶先生送给钱先生的，上面写"默存词长哂正，饶宗颐呈赠"。而钱先生却转赠了我，在扉页上写了三行字："此选翁近刻，功力深稳，宜其雄长海外也。即以转贻璇琮我兄赏之。"这本自刻词集，我一直珍藏着，从中可以看出老一辈学者难得的交友雅致。

但钱先生对后辈的赞赏，绝不是一般的敷衍之辞，而实含有勉励督促之意。他给我的信，总是环绕学术的。我这里再举一例。80年代中期，北京大学古文献研究所计划编纂《全宋诗》，我应邀参与其事，当时大家讨论，以为此书主编非钱锺书先生莫属。于是由我和北大古文献所所长孙钦善同志到钱先生家去，力请他主持这一大工程。钱先生说得很委婉，但很坚定，说他只能自己写书，绝不出门当主编，更不能挂虚名。当时我们自然很失望，但我心里是真正佩服钱先生这一严谨学风和高洁人格的，这与时下有些所谓学界泰斗到处挂名当主编、顾问，比较起来，更体现出钱先生的直道纯志。

后来90年代初，《全宋诗》前五册出版了，不久我就收到钱先生一封信，可以说是给予了严厉的批评。当时钱先生身体已不大好，每天服中药，他说因此而吃不下饭，睡不好觉，信中说"老病废学"。但他还是翻阅了前两册，举了好几个不该有的错失。为不使引文过长，便于读者阅读，我就把钱先生信中的文言衍译成白话，择要举几点：

钱先生指出，有些唐宋人的名句，完全可从全集征引，但现在却误读笔记，过信类书，弄错了作者，如书中卷三范质"大暑去酷吏"二句，实为晚唐诗人杜牧《早秋》五律中的一联。有些辑集的诗句，未去查最早的出处，如卷三杨朴的《村居感兴》，书中引的是《后村题跋》，而实际上后村（刘克庄）明言是"放翁跋"，即本之于陆游《渭南文集》卷二九《跋杨处士村居感兴》，另外《老学庵笔记》卷十也记有此事，但有异文。有些看似辑补断句，但实际已见于同一作者全诗，如卷四二田锡"秋色……"，说是辑自南宋末周密的《浩然斋雅谈》，实则已见于《全宋诗》同一书中田锡的《桐江咏》，只不过有一字不同。又，补入一人的断句，实已见于另一人集中全篇，如补丁谓的"子美集开诗世界"一句，说是据类书《海录碎事》，实则已见于北宋王禹偁《日长简仲咸》中，是为世所传诵的王氏名句。

从以上的几个例子，读者可以具体感受到这位大学者对编书做学问是何等的一丝不苟、从严求实。如果说这是苛求，那么也是一种对学术极端负责的态度。他不挂虚名当主编，但见到书中有问题,还是不回避,如实提出。而且从这里还更可以见出钱先生的博识专精:他所举的这几个例子,并不是专门翻书得来的,而完全凭他的记忆,这在当代学者可说是凤毛麟角了。而在信的最后,他仍以其特有的幽默和雅兴写道:"自恨昏眼戒读书,寒舍又无书可检,故未能始终厥役,为兄作校对员耳。不足为外人道也。"

最后我还想提一下,有一次,我读《管锥编》,发现引文上的一些问题,就不自量力地写信给钱先生,却引来钱先生实实在在的自我批评,除了我所举出的以外,他还举了其他类似例子,如说:"即就《太平广记》卷论之,如 660 页误以《瀛奎律髓》卷四七作《朱子语类》卷一四〇;744 页《唐语林》补遗作'王缙'。"

除了承认别人对他提出的几点以外,还再举出对方未曾注意但确也是错误之处,而引为自戒,这种风度真能使人廉立,针砭士风。

1999 年 1 月 16 日　北京

原载 1999 年 2 月 3 日《宁波日报》,此据首都师范大学出版社 2010 年版北京社科名家文库《治学清历》录入,另收入人民文学出版社 1999 年版《文化昆仑:钱锺书其人其文》、大象出版社 2004 年版《唐宋文史论丛及其他》、北方文艺出版社 2008 年版《书林漫笔》

楼中日月长

——推荐《湘绮楼日记》

　　《湘绮楼日记》,1997 年由岳麓书社组织有关专家点校出版,它与稍前也由该社出版的《湘绮楼诗文集》是为姊妹篇,均纳入国家古籍整理出版"八五"与"九五"规划。

　　王闿运是晚清的湖湘文化名人,当然其影响并不限于湖湘,我们现在要研究清末民初的文化学术、诗文创作,王氏著作是必读的研索资料。其日记上起清同治八年(1869),下讫民国五年(1916),其时间跨度之大,在此一时期同类著作中为数甚少,而且这正是中国社会剧烈变动时期,王闿运以其特有的身份与学识,记录这将近半个世纪的社会变化,这对于了解和研究清末民初这一特殊时期的文化、学术及历史、政治,都很有文献资料价值。

　　王氏日记在民国十六年(1927)曾由商务印书馆印过一次,但作者误记、手民误植者在在有之。岳麓书社这次组织整理,就其遗佚部分后尽可能加以补正,对商务版的错字又予以改正和校勘。整理者的谨严态度和深厚学力,在此书充分体现,可以说是近几年来古籍整理研究的精品之作。

本书装帧和版式也都很讲究,给读者以赏心悦目之感,说明出版社对此有整体的考虑与细心的策划。

原载《中国图书评论》1999 年第 1 期,据以录入

武则天与初唐文学

唐诗,一般分为初、盛、中、晚四个时期,初唐,则大致为唐高祖武德元年(618)至中宗景龙四年(710)。初唐文学长达九十三年,又可分为两个阶段,第一阶段是武德、贞观年间(618—649),是以唐太宗李世民为中心,开展政治、经济、文化等的开拓、创新;第二阶段即从唐高宗即位永徽元年(650)起至中宗景龙四年(710),这期间,武则天实际掌权则为其立为皇后的永徽六年(655),至被迫传位于中宗的长安五年(705)正月。

对武则天在这半个世纪的历史作用如何评价,过去史学界意见不一。20世纪60年代初,郭沫若先生创作话剧《武则天》,并写了几篇文章,把武则天兴起的告密之风,以及所谓不拘资历、不问门第的科举改革,说成是"特出的政治措施"①。"文革"十年中,武则天又被宣扬为唐朝法家思想的代表。前几年,一些电视剧又极力渲染她是勇于作为的女皇帝。我认为,这些都是虚誉或虚妄之辞,经不起史料的审核。至今为止,我认为对武则天作出公允

①郭沫若《武则天》,附录一《我怎样写〈武则天〉》,人民文学出版社,1979年。

评价的,还是以史料翔实著称的老一辈唐史研究专家岑仲勉先生,他在《隋唐史》第十三节《武则天之为人》中有一个总体评价:"近人对则天有恕辞,然即使撇去私德不论,总观其在位廿一年(684—704)实无丝毫政绩可言。"①

　　历史评价当然会涉及文学评价。本文想从文学的角度,就具体史实,作一些考察。主要论述两个问题,一是辨武则天对科举制的所谓"革新",因为唐代科举与文学发展是有密切关系的②;二是武则天统治时期特殊的政治环境对当时文人造成一种极不正常的谀媚之风与矛盾心情。

一

　　关于武则天之重视进士科,因而促进文学之发展,在古代,可以中唐时杜佑《通典》之说为代表:"国家自显庆以来,高宗圣躬多不康,而武太后任事,参决大政,与天子并。太后颇涉文史,好雕虫之艺,永隆中始以文章选士。及永淳之后,太后君临天下二十余年,当时公卿百辟,无不以文章达,因循遂久,寝以成风。"(卷十五《选举》三)近代则以陈寅恪先生为代表,他在《唐代政治史述论稿》中多次强调武则天在科举制度中的改革,并进而认为武则天称帝,以周代唐,实是一种"社会之革命",如:

①岑仲勉《隋唐史》,高等教育出版社,1957年;中华书局,1982年新一版。
②参拙著《唐代科举与文学》,陕西人民出版社,1986年。

及武后柄政，大崇文章之选，破格用人，于是进士之科为全国干进者竞趋之鹄的。……故武周之代李唐，不仅为政治之变迁，实亦社会之革命。（上篇《统治阶级之氏族及其升降》）

自武则天专政破格用人后，外廷之显贵多为以文学特见拔擢之人。（同上）

进士之科虽设于隋代，而其特见尊重，以为全国人民出仕之惟一正途，实始于唐高宗之代，即墨专政之时。（同上）

唐代贡举名目虽多，大要分为进士及明经二科。进士科主文词，高宗、武后以后之新学也；明经科专经术，两晋、北朝以来之旧学也。究其所学之殊，实由门族之异。（中篇《政治革命及党派分野》）

这里之所以引述陈寅恪先生好几条这方面的言论，是因为他的这些意见对治唐史者很有影响，一些通史著作，从 20 世纪 50 年代起，至近年出版的新著，多有类似的说法。

但无论是杜佑，还是陈寅恪，他们只是作判断性的概述，并没有具体史实的论证，有时所引材料，还是不符合事实的。如陈寅恪论进士、明经为新学、旧学之分野，还举了唐末康骈《剧谈录》的一则记载，说宪宗元和时李贺善为歌篇，为时所重，而元稹以明经及第，想交结李贺，登门拜访，李贺拒不接见，并令仆人传话："明经及第，何事看李贺？"元稹只得"惭恨而退"；后元稹任礼部郎中，"因议贺父名晋，不合应进士举"，以为报复。此事自朱自清先生《李贺年谱》以来的有关著作，都已明确考出，元稹明经擢第时，李贺还只有四岁；李贺于宪宗元和五年(810)冬以应进士举赴长安，元稹在此之前已出为江陵府士曹参军，不可能有报复之举，且元稹从未任过礼部郎中。《剧谈录》所记此事纯为小说家之言，是不能作为史料印证的。

这里既然涉及明经，那就对进士、明经是否为新学、旧学之别作一些分析。

在唐代，作为"常贡之科"(《通典》语)，或"岁举之常科"(《新唐书·选举志》语)的，有六科，即秀才、明经、进士、明法、明字、明算。但正如清代著名史学家王鸣盛所说，"终唐之世为常选之最盛者，不过明经、进士两科而已"①。而作为科举试的明经科，与进士科一样，在唐代，也起始于高祖武德五年(622)。五代时王定保《唐摭言》载："高祖武德四年四月十一日，敕诸州学士及白丁，有明经及秀才、俊士，明于理体、为乡曲所称者，委本县考试，州长重覆，取上等人，每年十月随物入贡。至五年十月，诸州共贡明经一百四十三人"②。根据有关材料，明经与进士，都在同一时间考试，且前期都属吏部考功司考，开元二十四年后统一由礼部考③。

明经与进士有两大不同，一是考试的项目，二是录取的人数，但这两点都与所谓新学、旧学无关。试分别言之。

《新唐书·选举志》记明经考试的项目为："凡明经，先帖文，

---

①清王鸣盛《十七史商榷》卷八一《取士大要有三》。
②五代王定保《唐摭言》卷十五《杂记》。
③详见拙著《唐代科举与文学》第五章《明经》。

然后口试,经问大义十条,答时务策三道。"就是说三场考试,第一场帖文,第二场口试,第三场试策文。所谓帖文,照现在的说法,就是填充。《通典》卷十五《选举》三,解释为:"帖经者,以所习经掩其两端,中间开唯一行,裁纸为帖,凡帖三字,随时增损,可否不一,或得四得五得六为通。"唐朝规定,经书分大中小三种,如《礼记》、《左传》为大经,《诗经》、《周礼》、《仪礼》为中经,《易》、《尚书》《公羊》、《穀梁》为小经。明经中还分通二经、三经、五经的,所谓通二经,就是大经、小经各一,或者中经二;通三经者,为大、中、小经各一;通五经者,大经都通,其他各一。《论语》、《孝经》则无论是通二经、三经、五经,都须考试。武则天在这方面,稍有变更,即她于上元元年(674)十二月,为迎合高宗的意旨,奏请王公百官都习《老子》,每年的明经举,《老子》也如《论语》、《孝经》例一体考试①。唐朝自高祖起就攀附李聃为其祖先,尊崇老子,武则天此举实无崇新意味,其意图一是迎合高宗,二是拉拢李唐氏族;而且《老子》试只是加试,并不排除儒家经典,总的来说仍以儒家经典为主。至武氏称帝后,就于长寿二年(693)下令停习《老子》,令应试者考她所作的《臣轨》,可见这完全出于实际政治需要。而今所传之《臣轨》也无非论述臣须忠于君、君臣为一体的儒家之道,如开首《同体章》:"夫人臣之于君也,犹四支之载元首,耳目之为心使也。相须而后成体,相得而后成用。故臣之事君,犹子之事父,父子虽至柔,犹未若君臣之同体也。故《虞书》云'臣作

---

①参《旧唐书·高宗记》。

朕股肱耳目'。"①

明经的第一场考试是如此,那么被标为新学的进士,又是如何考试的呢? 过去论及武则天所谓变革的,从未具体涉及此点,只把进士试笼统地标为词学。原来唐初进士试,是只考所谓时务策的,如《新唐书·选举志》说"凡进士,试时务策五道",这就是所谓试策。现在《文苑英华》卷四九七和卷五〇二还保留唐太宗贞观元年的两道策问,一是关于审理案件,提出如何宽猛相济,缓急折衷,一是关于选拔人才,提出如何不次擢用才能之士。这都带有贞观初期新王朝谋求治理国家的时代特点。这年登进士第者有上官仪,《文苑英华》以上两处都载有他的对策,这两篇策文确还是堆砌辞藻,颂扬圣政,但总有一定陈时政的现实影子。而这种情况就在高宗后期,武则天实际掌权时起了变化。《唐会要》有一则记载,说:"调露二年(680)四月,刘思立除考功员外郎。先时进士但试策而已,思立以其庸浅,奏请帖经及试杂文,自后因以为常式。"②第二年,也即永隆二年(681),就下诏正式施行。宋初的钱易即谓:"进士试帖经,自调露二年始也。"③又《唐六典》卷四《礼部》:"凡进士先帖经,然后试杂文及策。"进士与明经,都是三场试,每场定去留,那么第一场是至关重要的。由此可以看到,恰恰是在武则天掌权时,进士考试有向明经靠拢的一步,即同样采取帖经的方式,而所谓经,当然是儒家经典。由此,则所谓"明经

①唐武则天《臣轨》,粤雅堂丛书本。
②《唐会要》卷七六《贡举中·进士》。
③宋钱易《南部新书》戊卷。

科专经术,两晋、北朝以来之旧学也",岂非永隆二年是进士试向后倒退、向旧学接近了吗？这是过去论及武则天与科举制关系时从未触及的,其实是常见的史料。

我们再来看第二场。明经第二场是口试,即经问大义十条。所谓经问大义,就是对儒家经书的答问经义,即不用填充方式,而用问答题,问经书中的义理。如《唐六典》卷二《吏部·考功员外郎》,举出《周礼》、《左氏》、《礼记》、《孝经》、《论语》等经,"皆录经文及注意为问,其答者须辨明义理,然后为通"。中唐时权德舆的文集中还保留有《明经诸经策问七道》,是他于德宗贞元十七至十九年(801—803)知贡举时所出的试题①。这虽然仍以儒家经书为据,但比起第一场帖经是进了一步的。

进士的第二场则有较大的不同,这就是上面所引调露二年刘思立所奏中的"试杂文",及永隆二年敕文的"试杂文两首"。这里所谓的杂文,具体何所指,清人徐松在《登科记考》中有一个解释,是颇得其要的。其书卷一永隆二年条说:"按杂文两首,谓箴铭论表之类,开元间始以赋居其一,或以诗居其一,亦有全用诗赋者,非定制也。杂文之专用诗赋,当在天宝之季。"徐松这段话说得扼要明白,也有依据,但过去不大受人注意,总认为永隆二年开始就立刻以诗赋取士。颜真卿《颜君(元孙)神道碑铭》②,记颜元孙于垂拱二年(685)登进士第所试文,即一为《九河铭》,一为《高松赋》,这是永隆二年实行试题变更后的第三年。当然,从近几年

①唐权德舆《权载之文集》卷四〇。
②《全唐文》卷三四一。

出土的墓志材料中，也可看到在这前后也有以诗赋同时为题的，如《唐代墓志汇编》开元三六三《梁岊墓志》，记"制试杂文《朝野多欢□》、《君臣同德赋》及第，编在史馆"。据志，梁岊开元二十年卒，年七十三，则二十岁时为调露元年（679）。西晋时张协《咏史》诗有"昔在西京时，朝野多欢娱"之句①。此当即以《文选》中诗句为题而试之以诗的。不过《登科记考》载调露元年不贡举，志中在此之前说"逮乎冠稔，博通经史"，则其登第之年当在二十岁以后的数年间。据徐松《登科记考》历年所载进士试题，在这之后，仅有赋题而未见诗题，开元二十年（734）乃有诗赋各一，即《武库诗》、《梓材赋》。可见以诗赋为进士考试的固定格局是在玄宗开元、天宝之际，并非在高宗、武后时期。而那时唐诗已有一百余年的历程，应该说，这不是进士试促使唐诗的繁荣，而是唐诗的繁荣对当时社会产生广泛的影响，自然而然地也对考试制度起了促进的作用，即扩大试题的范围，转向诗赋为中心，而这已进入盛唐时期，与武则天无关。

岑仲勉先生《隋唐史》对此也有说法："吾人对此，首应讨论者两科（即明经、进士）所习，是否可以旧学、新学为分野？考诗体溯源于三百篇，赋体两汉极盛，初唐诗格仍上继齐梁，乌得谓之新学？"②

明经、进士第三场考试都是答时务策，不起实际作用，就可略而不谈。

---

①梁萧统《文选》卷二一。
②岑仲勉《隋唐史》第十八节《进士科抬头之原因及其流弊》。

以上说的是明经、进士的考试项目，现在谈这两科的录取人数，这也牵涉到登第后的任职问题。

唐初明经、进士的录取人数没有明确规定。可能囿于史料，徐松《登科记考》于初唐九十余年中，明经登第人数与具体姓名均未载，但从唐高祖起，明经所录人数确要比进士多。如高祖武德五年诸州所贡举子，秀才六人，俊士三十九人，进士三十人，惟独明经一百四十三人。录取人数，明经与进士的比例，有多至十比一的，如《通典》记："其进士，大抵千人得第者百一二，明经倍之，得第者十一二。"①贞元十八年（802）更明确规定："明经、进士，自今以后，每年考试所拔人，明经不得过一百人，进士不得过二十人。"②明经所取人数不仅比进士多，而且在中唐以前，在官位的升迁速度上，有时也并不在进士之下。德宗贞元时欧阳詹就以此劝勉友人："渔者所务唯鱼，不必在梁在笱。……目睹进士出身，十年二十年而终于一命者有之；明经诸色入仕，须臾而践将相者有之。"③韩愈也有类似说法，他说由明经"登第于有司者，去民亩而就吏禄，由是进而累为卿相者，常常有之，其为获亦大矣"④。从两《唐书》列传来看，至少在唐前期，明经出身做到宰相的，为数不少，仅以高宗、武后朝而论，就有杨再思、祝钦明、王晙、张文瓘、徐有功、裴炎、李昭德、陆元方、狄仁杰、杜景俭、韦安石、唐休璟等十数人，至于任六部尚书、侍郎等大员的就更多。进士登第后在

---

① 唐杜佑《通典》卷十五《选举》三。
② 《唐会要》卷七六《贡举中·缘举杂录》。
③ 唐欧阳詹《欧阳行周文集》卷八《与郑伯义书》。
④ 《韩昌黎文集校注》卷四《送牛堪序》。

擢升上明显优于明经的,是在中唐以后。南宋时吕祖谦说:"唐初间,进士、明经都重,及至中叶以后,则进士重而明经轻。"[1]由此可见,武则天并不以明经是旧学而加以排斥,而完全由是否为其所用而决定取舍的。当然,从现有材料看,明经得第后,经吏部试合格,大部分还是被授为县丞、县尉、县令,或州县的参军、主簿之类,就是说,普遍地为州县基层的地方官员。对唐代封建统治来说,进士科着重选文词人才,起草制诰等文件,明经则是培养、选拔吏治人才,侧重点各有不同。基层地方官吏对于国家政权整体来说,也是不能小看的。由此也可见,所谓武则天专权时,只有进士科才成为"全国人民出仕之惟一正途",甚至以此被誉为"社会之革命",是不符合实际的。

唐代的科举考试,包括进士、明经在内,从唐高祖起,虽然录取人数多寡不定,但一般都是每年举行的,只是偶尔有事停试。如高祖武德五年起,至太宗贞观二十三年,共二十八年,停试者只两次。而唐高宗一朝,自武则天立为皇后、掌管实权的永徽六年(655)起,共二十八年,停试者有九次,其中如咸亨二年、三年(671、672),仪凤元年、二年、三年、调露元年(676—679),有连续两年、四年停举,这种情况,即使战乱频繁的唐末五代时期也是未见的。厦门大学历史系韩昇教授应南京大学中国思想家研究中心之约,将撰写《武则天评传》,他曾于1998年10月给我写信,也谈到此点,说:"前两年曾将唐朝科举录取的基本情况制成一表,则武则天时代科举的特点很明显,一是中止年份最多。唐朝科举

---

[1] 见元马端临《文献通考·选举考》五引。

相当正常,即使在末年,仍开场科举,但自从武则天击垮长孙无忌的龙朔年间起,就停办十年次,这是很罕见的。”如果按照陈寅恪先生等的意见,进士代表新兴庶族阶层,则武则天为击垮长孙无忌等所谓关陇贵族集团,即应大力举办进士试,却不料作如此不规范的举动。

韩昇教授信中谈到的第二点,是“录取人数起落很大”。事实确实如此,有些年,进士录取只二三人,有时又多至五十几人(永淳二年五十五人)、六十几人(武周垂拱三年六十五人)。这里确如韩昇教授信中所说的是“实用政治特色”。这也是可以理解的,如后来中宗代周,刚即位时,神龙元年进士试即取拔六十一名,玄宗先天二年刚登极,取进士七十一名。这里不妨举清朝雍正、乾隆时作为旁例。据乾隆时李调元所作《淡墨录》记:“癸卯九月会试,礼部请定取中进士名数,上定一百八十名,仍谕总裁朱轼、张廷玉,此外不拘省份,不限额数,有可取佳卷,选出另行具奏。”①癸卯即雍正元年(1723)。又:“乾隆元年丙辰,庶吉士六十七人。是科为今上登极首科,故馆选独多。”②这都是新帝即位之初,为笼络人心之举。但都没有像武则天那样任意为之,所取人数起落之差极大的,这里似很难说他对进士作为新兴庶族的社会意义真有所体认。

关于武则天之重视科举,过去还有一种说法,说是武则天突破先例,亲自主持科试,名为殿试。如说“殿试”是武则天时“萌

_____

①清李调元《淡墨录》卷九《进士不限额数》条。
②同上卷十二《选庶吉士之多》条。

芽"的①,"武则天为了对抗敌对势力,发展科举制度,开创了殿试"②。这一点,大概都是沿袭司马光《资治通鉴》载初元年亦即天授元年(690)所记:"二月辛酉,太后策贡士于洛城殿。贡士殿试自此始。"后来杜佑《通典》也以为"殿试人自此始"。

这里牵涉到唐代和宋代科举制的一些基本史实,现代有些研究者却对此忽视。唐代进士、明经科试,在玄宗开元二十四年(736)前,是由吏部考功员外郎主持,二十五年起一般由礼部侍郎主持,称知贡举。进士、明经及第后,对知举者称门生。唐朝并无进士、明经等由皇帝主持考试的殿试情况发生,更未形成制度。殿试是起始于北宋太祖开宝六年(973)。《宋史·选举志》载此年李昉知贡举,所取的几个进士后为太祖所黜,于是重新在殿中进行考试,"殿试遂为常制"。这是封建帝王把选人权集中于自己手中的表现,与宋朝整个君权集中的形势有关。这里要注意的是,唐朝于一般贡举外,还有一种制举试,也是一种选拔士人入仕的制度。制举的一个特点,就是它与进士、明经不同,考试的科目与时间都是不固定的,即《新唐书·选举志》所说的"其为名目,随其人主临时所欲",也就是根据一定时期的政治需要,设置科目,出试题。据《新唐书·选举志》,制举是所谓"天子自诏";《通典》又说:"试之日或在殿廷,天子亲诣观之。"③就是说,制举是以天子的名义,征召各地知名之士,由州府荐举前来京师应试,虽然阅文

---

①《汪籛隋唐史论稿》,126 页,中国社会科学出版社,1981 年。
②白寿彝总主编《中国通史》第六卷,385 页,上海人民出版社,1997 年。
③唐杜佑《通典》卷十五《选举》三。

试官仍由朝廷委派，但名义上则是天子亲试。所试皆为策文，无帖经或箴铭诗赋等杂文。

唐代制举，高祖时就有，如崔仁师就于"武德初应制举，授管州录事参军"①。从太宗起，制举试士一直受到皇帝的重视，好几代皇帝都实行过所谓"殿试"。徐松《登科记考》卷一贞观十八年引《册府元龟》，记太宗曾将"诸州所举十有一人"，"引入内殿，借以温言，略访政道"，又"令于内省，更以墨对"。高宗显庆四年（659）二月己亥，"亲策试举人，凡九百人"②。玄宗于开元、天宝年间有七八次亲试举人。中唐大历时的一次制举试，代宗亲临，终日危坐③。后来德宗不仅亲临，还亲自阅卷④。可见这是制举试的一种常例，无所谓革新或所谓突破先例。

问题即在于，天授元年武则天策贡士于洛城殿，究竟是进士试还是制举试？徐松《登科记考》于该年未有记载。按中唐时刘肃《大唐新语》卷八记："则天初革命，大搜遗逸，四方之士应制者向万人。则天御洛阳城南门，亲见临试，张说对策为天下第一。则天以近古以来，未有甲科，乃屈为第二等。……拜太子校书。"据此，则这次武则天在洛阳亲自临试，欣赏张说的对策，列为二等，授以太子校书之职。与张说同时的张九龄，在其所作的《燕国公赠太师张公墓志铭并序》中记："初，天后称制，举郡国贤良，公时大知名，拔乎其萃者也。起家太子校书，迄于左丞相，官政四十

---

① 《旧唐书》卷七四《崔仁师传》。
② 《旧唐书·高宗纪》上。
③ 《册府元龟》卷六四三《贡举部·考试一》。
④ 唐苏鹗《杜阳杂编》卷上。

有一。"①自载初元年至张说卒之开元十八年,恰为四十一年。《文苑英华》卷四七七载张说《对词标文苑科策》题下注为"永昌元年"(689),误,当为载初元年②。由此可知,武则天该年在洛阳所谓亲试的,是制举,而并非进士、明经的贡举。而制举试是不能称殿试的,且在她之前、之后,都有帝王主持过这种仪式,并无"发展科举制度"的意义。

二

高宗永徽元年(650)至中宗景龙四年(710),是初唐文学的第二时期。这一时期,有新的作家兴起,人数要比前一时期多,作品(主要是诗作)风格也多样化,诗体如七古、七律、绝句等都有新的发展,这都为开元、天宝盛唐诗的全面繁荣准备了条件。但不可否认,这六十年,对唐代诗歌的演进来说,时间也确实过长了一些,这里有一个历史代价问题。古今都一样,有些时段,社会的发展,内容很充实,有些时段,当时看来很热闹,后来一回顾,竟成为一段空白。我这里不想全面论述这一时期的文学情况,如本文开头所说,是想探讨武则天在这段时间对于文学发展的影响,讨论当时严酷的政治环境与文人心理及创作的关系,想用具体的事实对过去一些有关论述作若干澄清。

---

①唐张九龄《曲江集》卷十八。
②参见傅璇琮主编《唐才子传校笺》第一册《张说传》笺证,中华书局,1987年。

这个时期也可分为几个阶段,第一阶段是高宗李治接替其父太宗李世民登位的永徽元年(650)起,至麟德元年(664)武则天诛杀当时以龙朔体为特征的文坛主将上官仪止,共约十五年。这一阶段,从上层政局看,则是以武则天谋夺皇后为中心而展开的。武则天十四岁时入太宗宫中,被立为才人。在太宗宫中十四年间,曾与太子李治有所接触。太宗卒,武先是入寺为尼,后即为高宗召入宫中,授以昭仪,随即与皇后王氏、妃萧氏争宠,终于在永徽六年(655)赢得皇后尊位,王后、萧妃被迫而死。这年她三十三岁,高宗二十八岁。武则天这时的打击对象,主要还在朝廷上层,如在她立皇后之前一个月,即永徽六年九月,把反对她立后最坚决的尚书右仆射褚遂良贬出为潭州都督。显庆元年(656)正月,即立皇后后的第三个月,就把高宗原所立的长子太子忠废为梁王,徙于西南的梁州,而立她所生只不过四岁的李弘做太子。这位梁王忠后来于麟德元年(664)以与上官仪交结的罪名,被迫自裁。显庆四年(659)四月,唐太宗时留下的大臣长孙无忌,原来也曾反对过武氏立后的,这时就为人告以谋反,贬出黔州安置。同时又连及褚遂良及大臣柳奭、韩瑗。这年七月,这几个人都被杀或逼死,其家属也多流放岭南,途中被杀。

接下来,武后又杀了上官仪。上官仪曾以文才受唐太宗赏识,参与修撰由太宗领衔的《晋书》。高宗时为秘书少监,也是一个文职。龙朔二年(662)十月由西台侍郎同东西台三品入相。他本是一位顺从时政的官员,想不到过了两年突然遇到意外事件。《资治通鉴》卷二〇一麟德元年(664)曾特记此事:

初，武后能屈身忍辱，奉顺上意，故上排群议而立之；及得志，专作威福，上欲有所为，动为后所制，上不胜其忿。有道士郭行真，出入禁中，尝为厌胜之术，宦者王伏胜发之。上大怒，密召西台侍郎、同东西台三品上官仪议之。仪因言："皇后专恣，海内所不与，请废之。"上意亦以为然，即命仪草诏。左右奔告于后，后遽诣上自诉。诏草犹在上所，上羞缩不忍，复待之如初，犹恐后怨怒，因绐之曰："我初无此心，皆上官仪教我。"

上官仪就因此被诬以谋逆而下狱处死。

而这十五年，在文坛上最有影响、对唐诗发展在艺术技巧上有较大推进的，也就是上官仪。因为这十五年间，正好是初唐文学新旧两代人尚未完全衔接的相对空白阶段。太宗贞观后期，活跃于当时文坛的，如欧阳询、刘孝孙、魏徵、谢偃、王绩、岑文本、高士廉、杨师道、房玄龄、李百药等都相继去世。高宗继位的永徽元年（650），初唐四杰的王勃、杨炯刚刚出生，另外两位，卢照邻也只十八岁，骆宾王稍大一些，二十七岁，还未能在创作上有所表现。永徽二年（651），七古名篇《代悲白头吟》作者刘希夷一岁。永徽四年（653），崔融生。显庆元年（656），宋之问、沈佺期约本年生。显庆五年（660），陈子昂、贺知章、徐坚生。龙朔二年（662），卢藏用生。三年（663），刘知幾生①。可见在初唐后五十几年中的活

①详见《唐才子传校笺》第一册及傅璇琮、陶敏撰《唐五代文学编年史》初盛唐卷，辽海出版社，1998年。

跃人物,这一时期还都是孩童或青少年。上官仪则正好是由太宗向高宗时期交替过渡的人物。

《旧唐书》卷八〇《上官仪传》称其"本以词采自达,工于五言诗,好以绮错婉媚为本。仪既贵显,故当时多有效其体者,时人谓之上官体。"关于上官体,过去一般都受杨炯《王勃集序》的影响,而予以否定的评价。《王勃集序》中有一段谓:"尝以龙朔初载,文场变体,争构纤微,竞为雕刻,糅之金玉龙凤,乱之朱紫青黄,影带以徇其功,假对以称其美,骨气都尽,刚健不闻。"①杨炯的这一议论,有其特殊背景,这里暂不论。实际上,上官仪的诗作是为唐代当时人称颂的,如与其同时的元竞,在《古今诗人秀句序》中说:

> 余以龙朔元年,为周王府参军……尝于诸学士览小谢诗。……美哉玄晖,何思之若是也。……余于是以情绪为先,直置为本,以物色留后,绮错为末,助之以质气,润之以流华,穷之以形似,开之以振跃,或事理俱惬,词调双举,有一于此,罔或子遗。历时十代,人将四百,自古诗为始,至上官仪为终。②

在这里,元竞明显标出其选诗标准是"以情绪为先,直置为本",并重视"质气"、"流华"、"形似"、"振跃",特别标出以谢朓诗为准则,而将上官仪作为本朝诗的最后一个入选,以继承自古诗

---

①《杨炯集》,徐敏霞校点,卷三,中华书局,1980 年。
②日本空海《文镜秘府论》南卷引。

以来的这一传统。刘知幾的儿子刘𫗧曾记载："高宗承贞观之后，天下无事，上官侍郎仪独持国政，尝凌晨入朝，巡洛水堤，步月徐辔，咏诗云：'脉脉广川流，驱马历长洲。鹊飞山月晓，蝉噪野风秋。'音韵清亮，群公望之，犹神仙焉。"[1]这里所举的四句诗，确实体现初唐时期朝政还未紊乱时朝士的淹雅朗远心绪和艺术情调。宋魏庆之《诗人玉屑》卷七引李淑《诗苑类格》，曾介绍上官仪的"六对"、"八对"之说，由此也可见上官仪对诗律的讲究，对唐代律诗的演进也起了一定的作用。

就是这样一个人，竟被卷入极不正常的政治漩涡而死。对武则天来说，不管像上官仪那样，其文笔词采如何，该杀的照样要杀。文人的命运毕竟是脆弱的，文学最终还是要服从于政治。

《通鉴》于上官仪被杀的记载以后，接着就说："自是上（指高宗）每视事，则后（指武后）垂帘于后，政无大小，皆与闻之。天下大权，悉归中宫，黜陟、生杀，决予其口，天子拱手而已，中外谓之二圣。"《通鉴考异》并引《唐历》，中云："后随其爱憎，生杀在口。"这种任用周兴、来俊臣等酷吏，大开告密之门，在此后二三十年中是愈演愈烈的。

唐高宗于683年死，武则天于690年正式登帝位，改唐为周。这里不妨举她即位前两年，即688、689两年的一些实例，看看当时政坛与文坛的实况。

这两年是诛杀、流放的高潮。688年（垂拱四年）四月，首先

---

①唐刘𫗧《隋唐嘉话》卷中。刘𫗧为刘知幾子，其事附见两《唐书·刘知幾传》。

从太子通事舍人郝象贤开刀,说其家奴告他谋反,于是酷吏周兴推鞫,全家都杀尽,还发掘其父、祖两代坟,毁棺焚尸。当时有一位监察御史任玄殖上奏,认为郝无反状,这位任某也就马上免官。这郝象贤一案是有来头的。郝象贤的祖父郝处俊,安陆(今湖北)人,并非什么关陇豪门集团,出身一般,唐初做过地方官吏(滁州刺史)。他于贞观中登进士第,任著作郎,后为滕王友,"耻为王官,遂弃官归耕"。高宗前期,逐步升迁,做到宰相①。上元二年(675),高宗苦于头痛,想让武后正式摄知国政,谋于宰相,郝处俊是表示异议者之一。《通鉴》(卷二〇二)认为是"太后有憾于处俊"而处置郝象贤的。想不到时隔十四年,人隔两代,还要作如此报复,其心态可想而知。

接着就因唐宗室如绛州刺史韩王李元嘉、青州刺史霍王李元轨等起兵,兵败被杀。据《通鉴》(卷二〇四)所记,当时仅仅推治越王李贞一家的党与,就有"当坐者六七百家,籍没者五千口",且要马上行刑诛杀,幸亏狄仁杰上奏,以为"彼皆诖误",总算未被灭口,但还是统统流放到丰州(相当于今内蒙古河套西北部一带),而狄仁杰也由此而降官外出为复州刺史(复州在今湖北境内)。

689 年(永昌元年),诛杀、流徙的更多,仅据《通鉴》所载,粗略统计,较大的杀、贬案件有九起,几乎每月都有。而被杀、被贬的不只是唐宗室,这里不妨举几个例子。如元万顷,他曾是武则天宠信的北门学士:"时天后讽高宗广召文词之士入禁中修撰,万顷与左史范履冰、苗神客,右史周思茂、胡楚宾咸预其选。……朝

---

① 《旧唐书》卷八四《郝处俊传》。

廷疑议及百司表疏,皆密令万顷等参决,以分宰相之权,时人谓之北门学士。"①就是这样一个于七世纪六七十年代在武氏宫中起过作用的人,也在 689 年被人告以有"异图",判死,只在临刑时被赦,流放岭外。另外两个北门学士,范履冰,也被杀于本年;周思茂,则于上年(688)即下狱死(见《旧唐书》本传)。另有一位武将,时任右武卫大将军黑齿常之,也被诬以谋反,被下狱缢死。黑齿常之原为朝鲜百济人,显庆五年(660)苏定方讨平百济,黑齿降唐;后在西部与吐蕃、突厥等征战中,屡立战功。此人完全与唐宗室或关陇集团无关,也为周兴等诬构。更有一奇怪的事,远在四川的一个地方官彭州刺史刘易从,也忽然为人告以谋逆,于是在这年九月,令在当地诛杀,"将刑于市,吏民怜其无辜,远近奔赴,竞解衣投地曰:'为长史求冥福。'"②就在此时,任右卫胄曹参军的陈子昂上疏,认为现在是"大狱增多,逆徒滋广","亦有无罪之人挂于疏网者"。他还大胆提出:"夫狱吏不可信,多弄国权,自古败亡,圣王所诫。陛下万代之业,千载之名,固不可使竹帛书之有亏于此也。"③陈子昂当然只能把责任归之于"狱吏",但他还是提出不要将这几年的滥杀冤狱将来被载之于史书,流传于后世,这在当时是相当不易的。

　　而在大兴冤狱的同时,又大力提倡符兆祥瑞。688 年,武后使武承嗣使人凿一白石,石上刻"圣母临人,永昌帝业"八字,外面再

①《旧唐书》卷一九〇中《文苑传》中。
②《通鉴》卷二〇四,又《旧唐书》卷七七《刘德威传》。
③《陈子昂集》卷九《谏刑书》,《通鉴》系之于永昌元年末。

用紫石夹杂药物涂没。四月,让一雍州人唐同泰献上,说是在洛水获得。武则天大喜,命其石为"宝图",立即提升这个唐同泰为游击将军。五月下诏,她将亲自赴洛水拜受这"宝图",并且命各州都督、刺史都要集中来洛阳参加这一仪式,同时自加尊号为"圣母神皇";同年七月,把这"宝图"又改名为"天授圣图","天下大酺五日"(《旧唐书·则天皇后记》)。这年十二月,由她宠爱的僧人怀义主持修造的明堂建成:"高二百九十四尺,方三百尺。凡三层:下层法四时,各随方色;中层法十二辰;上为圆盖,九龙捧之,上施铁凤,高一丈,饰以黄金,中有巨木十围,上下通贯。"号为"万象神功"。怀义则因此封为梁国公、左威卫大将军。当时一位侍御史王求礼曾将此明堂比之为殷纣琼台、夏桀瑶室,还说纣、桀所筑"无以加也"①。第二年,即永昌元年(689),正月,就大飨这万象神功,武后坐明堂上,受百官朝贺。这一切,都是为次年(天授元年)正式登皇位而作各种物质和舆论准备的。

而这时的文人又是如何呢?垂拱四年(688)十二月,武后至洛水拜受"天授圣图"。诗人苏味道就有《奉和受图温洛应制》诗②,中云:"雾开中道日,雪敛属车尘。预奉咸英奏,长歌亿万春。"另一有名诗人李峤也有同题之作③,吹捧得更厉害:"七萃銮舆动,千年瑞检开。文如龟负出,图似凤衔来。"把一明显伪造品,吹嘘为"龟负出"、"凤衔来",是千年不遇的瑞兆。李峤还有一篇

<hr />

① 《通鉴》卷二〇四。
② 《全唐诗》卷四六五。
③ 《全唐诗》卷六一。

《为百寮贺瑞石表》①，云：“伏见雍州永安县人唐同泰于洛水中得瑞石一枚，上有紫脉成文，曰‘圣母临人，永昌帝业’八字。臣等拚窥灵迹，骇瞩珍图，俯仰殊观，相趋动色。”文末又云：“臣等遇偶休明，荣参簪笏，千年旦暮，邀逢累圣之期；百辟歌讴，喜属三灵之庆，无任凫藻踊跃之至。”这虽然说是为“百寮”代笔，但毕竟是谀媚太甚，当时就为人所讥②。与李峤交友颇深，同在朝中任职的崔融，也有《进洛图颂表》③，说是“奉某年月日敕，令臣撰《洛图颂》一篇并序，谨诣宣义门奉进”。《新唐书》本传曾称崔融“为文华婉，当时未有辈者，朝廷大笔，多手敕委之。其《洛出宝图颂》尤工”。可惜这篇颂文并未传下来，是不是其本人认为颂谀太过，故意不传？表中所云“陛下圣烈丰懿，应期首出，珍符炳铄，旷代罕闻”，已是如此，则颂文更甚。

明堂建成后，武则天于永昌元年（689）正月亲享，大赦天下，改元永昌，大酺七日。这时，早年曾与王勃齐名的文人刘允济，就献上《明堂赋》一篇④。前面说过，当时侍御史王求礼曾把这一明堂与殷纣、夏桀之筑相比，而刘允济却比之于黄帝、夏禹：“合宫之典，郁乎轩丘；重屋之仪，崇于夏禹。”文末大为赞叹：“浃群山于雨露，通庶品以风雷，盛矣美矣，皇哉唐哉！”此赋一上，立刻得到武

---

① 《全唐文》卷二四三。
② 《册府元龟》卷四八二：“李峤，则天朝为侍御史，雍州人唐同泰献洛水瑞石，峤上《皇符》一篇以美其事，有识者多讥之。”
③ 《全唐文》卷二一七。
④ 《全唐文》卷一六四。

后嘉赏,亲书制词褒美之,并升迁为著作郎①。这一刘允济,后又依附张昌宗、易之兄弟,但终于因此而贬出。

这里值得注意的是,时任麟台正字的陈子昂,一方面也作《洛城观酺应制》:"圣人信恭己,天命允昭回。苍极神功被,青云秘箓开。垂衣受金册,张乐宴瑶台。云凤休征满,鱼龙杂戏来。崇恩逾五日,惠泽畅三才。"②但同时又感于武则天好符命之事,在《感遇》(其九)诗中又云:"圣人秘玄命,惧世乱其真。如何嵩公辈,诙谲误时人。先天诚为美,阶乱祸谁因。"③他委婉地表示,这种行动是会种下祸乱之根的。

我们如果只看上述苏味道、李峤、崔融、刘允济等诗文,而不将这两年诛杀、贬逐、流放的恐怖环境联系起来,确也会使人以为这是太平之世,并认为当时文坛名家是真心拥护武周革命的新政的。当时政治上是怎样一种气氛,也可举两个例子:一为天授元年(690)四月,衡水人王弘义,曾游赵、贝两州,见当地乡老作香火祭祀,就举告说正在谋反,官吏马上就捕杀二百人,王弘义本人也授为游击将军,并很快升迁为殿中侍御史,来管理洛城内案件。《通鉴》(卷二〇四)记此事,并云:"朝士人人自危,相见莫敢交言,道路以目。或因入朝密遭掩捕,每朝,辄与家人诀曰:'未知复相见否?'"二为长寿元年(692)五月,当时罗织告密之风仍盛,有几位补阙、御史为此上言,其中侍御史周矩的奏言中有云:"今满

---

①《旧唐书》卷一九〇中《文苑传》中。
②《陈子昂集》卷一。
③同上。

朝侧息不安,皆以为陛下朝与之密,夕与之仇,不可保也。"可见从以上所述的 688 年、689 年,至 692 年,这种"人人自危"的气氛一直存在着。这种局面,要使文学有健康、正常的发展,做到慷慨任气,直抒胸抱,有可能吗? 如陈子昂,后来也被告以交结逆党,入狱;最后因父老远乡(四川射洪),又被当地县令迫害,死于狱中,年仅四十二岁。有人说是武三思使当地官吏加以陷害的。

应当说,太宗贞观年间的文风是为唐代文学开了一个好头的。我很赞同南开大学罗宗强教授的意见:"贞观年间,唐太宗李世民和他的重臣们对文学的影响,不仅在当时的文风变化上,而且他们的文学思想,还深远地影响着有唐一代文学的发展。"①"唐文学的繁荣虽有各种各样的原因,但重要的原因之一,就在于这个朝代的建立之初,就已经奠定了一个比较正确的指导思想。"②这一开端本来可以得到正常的继续,唐高宗前十五年,新的作家群还未起,但像上官仪那样的老作家还能维持一段局面,如上面所说的既注重声情又研求格律的龙朔体;以后为四杰与陈子昂继起,正如闻一多先生在《四杰》一文中作诗意的比喻:唐初的诗歌,通过王、杨、卢、骆,"由宫廷走到市井","从台阁移至江山与塞漠"③。这本是一个开阔的前景,但为时不久,只不过十来年,却又回到宫廷,而且腾扬起一片虚假颂谀之声。初唐诗歌是有其进展业绩的,我在这里并不是加以全盘否定,只是想以此作

①罗宗强《隋唐五代文学史(上)》,32 页,高等教育出版社,1993 年。
②罗宗强《隋唐五代文学思想史》,38 页,上海古籍出版社,1986 年。
③闻一多《唐诗杂论》。

为一个实例,说明自古以来,文学创作虽有其自身的规律,但其起衰兴落的整体是与政治大环境分不开的。我不想作古今的简单类比,但初唐时期这一特殊阶段,作为本世纪的现代人,我想是极可以理解的。初唐文学共占九十几年的时间,在整个唐代(618—906)占三分之一多。贞观以后,要过六十年,才开始有盛唐之音。武则天的时间约为五十年,比开元、天宝时期还多了好几年,比韩愈、柳宗元、白居易等活跃的贞元、元和时期多了十五年,而其文学的含金量却稀薄得多。

这里附带再说几句。过去往往把武则天作为女子立国做皇帝视为历史创举,实际上武则天当权仍然是封建皇权统治的一种形式,并不代表什么妇女利益(实际上她还杀了不少女子)。有些著作说她代表庶族地主利益,嫉视豪门大族。我认为,在作历史评价时,最好从具体史实出发,避免虚空的概念演绎。这里不妨再举一个实例:太平公主为武后所生,高宗开耀元年(681)七月,选光禄卿薛曜之子薛绍为婿。薛曜是高门大族,其曾祖为隋时宰相、大名鼎鼎的薛道衡。道衡子薛收,为唐太宗时重臣,与虞世南并称。收子元超,也为太宗所看重,高宗时做过宰相。薛曜为元超子,于圣历中曾参预修撰《三教珠英》,其妻为太宗女城阳公主①。可见武则天把亲生女儿嫁给薛家,就是看重门第的。薛绍有兄薛顗,弟绪。在选薛绍为婿时,武则天听说顗妻萧氏,绪妻成氏,非贵族出身,就想把萧氏、成氏从薛家赶出,说:"我女岂可使与田舍女为妯娌邪!"后来有人对她说:"萧氏,是萧瑀的侄孙女,

①《旧唐书》卷七三《薛收传》。

为国家旧姻。"（按萧瑀也是唐开国大臣，其子锐尚太宗女襄城公主）武后一听如此，即作罢①。

本文就以此作结。这一事例说明什么，我想读者是可以作出自己判断的。

1999 年 2 月

原载《燕京学报》1999 年新第 7 期，此据大象出版社 2004 年版《唐宋文史论丛及其他》录入

---

①《通鉴》卷二〇二，参两《唐书》薛绍等传。